C000088543

Ermoldus, Nige

Lobgedicht auf Kaiser Ludwig, und Elegien an Koenig Pippin

Ermoldus, Nigellus

Lobgedicht auf Kaiser Ludwig, und Elegien an Koenig Pippin

Inktank publishing, 2018

www.inktank-publishing.com

ISBN/EAN: 9783750124486

Ermoldus Nigellus
Lobgedicht auf Kaiser Ludwig,

und

Elegien an König Pippin.

Nach der Ausgabe der Monumenta Germaniae

übersetzt von

Dr. Th. G. Pfund.

Berlin.
Wilhelm Besser's Verlagsbuchhandlung.
(Franz Duncker.)
1856.

Vorwort.

Die Gedichte des Ermoldus Nigellus, welche hier in deutscher Uebersetzung gegeben werden, sind auch für des Verfassers Lebensumstände fast die einzige Quelle. Ein paar flüchtige Erwähnungen desselben, wo er in einer Hermoldus heißt, in den übrigen mit der bedenklichen Schreibung Ermenaldus genannt wird, erhalten erst durch jene Bedeutung. Auf die eigne Aussage des Ermoldus gründet sich also das wenige, was wir von ihm wissen. Hiernach war seine Heimath Aquitanien. Ob er fränkischen, überhaupt germanischen oder romanischen Blutes war, darüber läßt sich, da er selbst darüber schweigt, aus dem germanischen Namen Ermoldus nichts entnehmen. Denn schon längst führten auch Romanen deutsche Namen. Darf man sein Temperament berücksichtigen, wie es sich in seinen Gedichten, besonders den beiden neu entdeckten Elegien ausspricht, so möchte man ihn wegen des echt gaskognischen Humors darin einen Romanen nennen; wenigstens erscheint er als ein völlig Aquitanisirter. Er war Benediktinermönch und später Abt, wahrscheinlich des anianensischen Klosters, welches der berühmte Gothe Witiza, mit seinem Klosternamen Benedikt, den er auch in seinem Gedichte preist, schon unter Karl dem Großen gegründet und zur Pflanzstätte für die Einrichtung des Mönchswesens in Gallien geschaffen hatte. Allein Ermolds Neigungen stimmten keinesweges zu seinem Stande. Das Hofleben in Aquitanien bei Kaiser Ludwigs Sohne, dem König Pippin, sagte ihm besser zu, und an diesem gewann er einen besondern Gönner und Beschützer, mit dem er 824 den Krieg gegen die rebellischen Britten in der Bretagne mitmachte. Diese Gunst brachte ihm wohl auch seine Abtei ein, welche er schon damals besitzen mußte, da er im brittischen Kriege sich über seine kriegerische Bewaffnung selber lustig macht und die Scherze des Königs Pippin darüber mittheilt. Denn nach der Sitte des karolingischen Zeitalters zogen die Aebte als Gefolgsherren ihrer Klosterleute an deren Spitze mit zu Felde. Da die letzte bekannte Urkunde, welche einen andern Abt als Ermoldus beim anianensischen Kloster nennt, vom Jahre 823 ist[1], so hindert dies also nicht anzunehmen, daß ihm schon damals dieses Kloster gehorchte, welches auch andre Zeugnisse nicht widerlegen. Sein Einfluß bei Pippin war so groß, daß Ludwig, welcher denselben für nachtheilig hielt, ihn bald darauf nach Straßburg zum Bischof Bernold in Zucht und Verbannung schickte, der ihn jedoch, wie Ermold selbst erzählt, aus Rücksicht für seinen königlichen Gönner mild behandelte. Von hier aus übersandte er vier Bücher Elegien über die Thaten Kaiser Ludwigs, an diesen, dessen Gemahlin Judith und König Pippin, um sich dadurch die Rückkehr nach Aquitanien auszuwirken. Da er darin als ein

[1]) Vita S. Bened. An. Mabill. Act. Bened. sec. IV. P. 1. p. 194.

merkwürdiges Tagesereigniß die Erbauung einer Orgel zu Aachen berichtet, dessen unter dem Jahre 826 Erwähnung geschieht[1], so muß damals das Gedicht abgefaßt sein. Die beiden später geschriebenen und König Pippin gewidmeten Elegien beweisen, daß es ihm nicht sogleich gelang, die Verzeihung des Kaisers zu erhalten. Indessen muß er in den folgenden Jahren begnadigt worden sein, da der Kaiser 834 den Abt Hermoldus an Pippin nach Aquitanien schickte mit dem Auftrage, Kirchengüter, die jener in seinen Nutzen verwandt, wieder herauszugeben.[2] In den beiden folgenden Jahren erhält er dann noch für sein anianensisches Kloster drei Privilegien des Kaisers und muß noch unter Karls des Kahlen Regierung gelebt haben[3]. Seine Gedichte sind für die Zeitgeschichte wegen der ausführlichen Schilderungen des Lebens am Hofe und im Kriege von Belehrung. Eine große Anzahl der hochgestellten und einflußreichen Männer in Kirche und Staat, welche Ermold durch das ihnen gespendete Lob für sich zu gewinnen sucht, werden uns vorgeführt, und zwar übereinstimmend mit der Darstellung der übrigen Geschichtsquellen der Zeit, so daß die historische Treue des Ermold das größte Zutrauen verdient auch für Erzählungen, die ihm eigenthümlich sind, wie besonders die beiden Feldzüge nach der Bretagne. Durch diese Wahrheit und Anschaulichkeit, mit welcher das damalige Leben geschildert wird, durch eine gewisse Naivetät der Darstellung, die sich bis ins possenhafte verlieren kann und durch die Lebendigkeit, mit welcher der Autor sich zuweilen in den Vordergrund stellt, auch durch einzelne Anklänge an Virgils Eclogen, wie im Wechselgesange

1) Vita Hlud. c. 40. — 2) ib. c. 53. — 3) Vita Ben. An. Mab. Act. Ben. sec. IV. P. 1. p. 192.

zwischen Rhein und Wasgau erhalten seine Mittheilungen einen gewissen Reiz, der in komischer Weise erhöht wird, wenn er, der unbeholfenste Versemacher in Anbetracht seiner Neigung zum überlustigen Lebensgenuß und der ihm dafür gewordenen Verbannung sich dem hochbegabten römischen Dichter vergleicht, welchem sich fast unwillkührlich die Rede in die tadellosesten, anmuthigsten Verse verwandelt. Der Eingang der ersten Elegie an den Pippin ahmt deutlich Ovids Gedichte aus dem Pontus nach, wo er den Weg beschreibt, welchen seine poetische Bittschrift in Rom zum Augustus nehmen soll[1] und das Gedicht an den Consul Sex. Pompejus[2], wo er die verschiedenen Situationen im täglichen Geschäftsleben eines römischen Consuls sich vergegenwärtigt, unter denen den Freund seine poetische Epistel vielleicht trifft. Ja es scheint fast, als wenn Ermold durch die Worte des Ovid[3] auf den Gedanken gekommen wäre, sich durch eine poetische Darstellung der Thaten Ludwigs auch die Gnade s e i n e s Augustus wieder zu verschaffen. Unter diese Nachahmungen des Ovid gehört offenbar, daß er, wie dieser von dem Orte seiner Verbannung den für uns so lehrreichen Stoff für seine Gedichte hernimmt, daß er ferner, wie dieser den Grund seiner Verbannung unausgesprochen läßt und nur einige geheimnißvolle Winke und Andeutungen darüber giebt, seine Schuld dem Kaiser gegenüber anerkennt, wie Ovid, und doch sie zu verringern und in milderem Lichte erscheinen zu lassen bemüht ist. Daß der Kaiser, wie der römische Augustus von Ovid, sich persönlich von ihm verletzt fühlte, ist wohl anzunehmen. Das lustige Leben am Hofe des jungen Pippin,

[1]) cf. Trist. I. 1. III. 1. V. 1. — [2]) epist. ex. Ponto IV. 5. — [3]) Trist. II. 1. divitis ingenii est, immania Caesaris acta Condere; materia ne superetur opus. E t t a m e n a u s u s e r a m.

bei welchem Ermold den Possenreißer abgab, wie man aus seinen eigenen Worten entnehmen kann, mochte dem frommen Ludwig überhaupt nicht behagen. Nach seinem Herzen war vielmehr ein politisch so anspruchloser und dabei für seine ascetischen Zwecke so thätiger Mann, wie Witiza, der wider seine Neigung bei Hofe verweilend Mönch blieb. Welch ein Gegenstück zu ihm war Ermold, der noch dazu als Benediktinerabt und vielleicht eben jenes anianensischen Klosters, das Witiza gegründet, zur Vergleichung mit ihm herausforderte. Ermolds und Pippins Leben mußten dadurch für Ludwig doppelt widerwärtig sein. Die possenhaften Lebensregeln, wodurch Ermold den jungen Pippin, der damals etwa 25 Jahr war, in den Elegien zur Ordnung ermahnt, sehen fast aus wie eine Karrikirung der väterlichen Ermahnungen, an denen es Ludwig gewiß nicht hatte fehlen lassen, da er ihn 832 noch strenger behandelte. Er ließ ihn damals um seine schlechten Sitten zu bessern nach Trier führen[1]. Gewiß ist, daß die Elegien nur für Pippin bestimmt waren und nicht für den Kaiser, der daran ein großes Aergerniß genommen hätte. Das Geringste, womit sie Ermold bei dem Kaiser hätte entschuldigen können, wären die Worte Ovids gewesen, womit er seine Ars bei August entschuldigt: dergleichen sei eben für ernste Stimmung nicht gemacht und eines so großen Fürsten nicht würdig[2]. Aber hinter den lustigen Streichen und Possen waren sicher, wie im Jahre 832, wo es besonders der Einfluß Bernhards von Septimanien war, der Pippin gegen Ludwigs Maßregeln stimmte, auch politische Umtriebe im Gange, und da Ermold von gewissen Personen

[1]) Vita Hlud. 47. — [2]) Trist. II. 1. 241: Illa quidem fateor fronti non esse severae scripta nec a tanto principe digna legi.

spricht, die ihn beim Kaiser verschwärzt hätten, so ist es mehr als wahrscheinlich, daß Ermold seine Stellung als Spaßmacher und Günstling Pippins zu spöttischen und aufreizenden Bemerkungen über das Hofleben und die Maßregeln Ludwigs und der Kaiserin Judith benutzte, welche von seinen Feinden dem Kaiser hinterbracht wurden. Denn diese politischen Umtriebe durchziehen die ganze Regierung Ludwigs. Sie beginnen schon mit der ersten Theilung des Reichs und nahmen an Erbitterung zu wie die Leidenschaften stiegen. Der Vertrag von Verdun mäßigte sie endlich, aber nachdem Gräulscenen voraufgegangen waren zwischen Ludwig und seinen Kindern, unter denen der Vater sein Leben beschloß. Sie bilden den düstern Hintergrund, über den Ermold seine Erzählung gebreitet hat. Grade die Rheininsel unfern Ingelheim, die er so lebendig schildert als Schauplatz des Hoffestes mit seinen ländlichen Zelten, erinnert daran, daß der Kaiser auf einer Rheininsel bei demselben Ingelheim und wieder unter einem solchen Sommerzelte starb. Für die Beschreibung der historischen bildlichen Darstellungen in der nahen Pfalz ist es nicht unwichtig, daß sämmtliches Material dazu bis zu Theodosius herab in Orosius Geschichtswerk sich beisammen findet, also mittelbar oder unmittelbar aus ihm entnommen war.

Berlin, März 1856.

Dr. Pfund.

Ermoldus Nigellus

Lobgedicht auf Kaiser Ludwig.

Heil'ge Maria, getreu steh' meinem Anfange bei.

Erdengründer, der glänzt in des Vaters lichtvollem HausE,*
Recht regierend die Welt und erquickend, Heiland und SchöpfeR,
Mild, so würdig der Streiter, erschließ' Du das himmlische Reich ihM.
Ob auch einst ihn zum Orkus des Ahnherrn Frevel gebannt, sO
Läßt Du, Christus, ihn kehren zum Thron im ewigen LichtstrahL.
Du auch Sänger des Psalms, voraus es verkündend im NeubunD.
Uebend Prophetengabe, du Seher David, von JesU
Sagtest du lange vorher die heilige Lehre des WunderS.
Leih' dem Ermangelnden Kraft, den erhabenen Kaiser im KriegsstahL
Ob der Sieg' im bescheidenen Liede, so treibt es mich jetzO,
Bieder und recht zu besingen. Doch nimmermehr statt des CheruB
Schwör' ich die Nymphen herbei, wie berauscht die Dichter vor AlterS.
Abseit bleibt, Pieriden, nicht such ich die Hülfe zu KrissA,
Nahend der Schwelle des Phöbus, noch ruf' ich zu dir, o ApolloN.
Ganz dann thät' ich wie jene mit eitler Weisheit VerblendunG,
Denen die Herzen bethörte das grausige Scheusal, der ErbfeinD.
Ewigen Lichtes himmlischen Pfad ertracht' ich damit diE
Sonne gerechten Gerichts mir milde verleih', o geschäh' eS,

* Anfangs- und Endbuchstaben der Verse bilden im Original einen Hexameter, der in der Uebersetzung nachgeahmt ist: Ermoldus lobsang des Kaiser Ludwig Siege.

1*

Köstliches Gnadengeschenk. Denn diesen Gesängen ist nicht ZwecK,
Alle die Heldenthaten mit schwachen Künsten der LyrA
Im Lobliede zu preisen, kaum könnt' es Virgil und HomerI
Sängergewalt, daß schwinde des Kaisers Zürnen, ja dies, dieS
Endziel des Liedes erfleh' ich. Dazu gieb, Christus, mir GnadE,
Recht zu bitten im Liede, wofür in Erbarmen der KaiseR
Leicht aus Elend und Bann mich erlöse, der fürstlich im HofsaaL,
Unterdrückten ein Trost, schont Frevler und fernestem Raum zU
Dringt wie die Sonne, mit hellem Glanze die Klarheit verbreitenD
Volksfürst, machest die Welt mit dem heiligen Stabe des Herrn braV,
Innerlich frommer Gebieter, die Frömmigkeit aber ist ChristI
Gabe, das ist Dein Verdienst, Du glänzest durch seine BelehrunG.
Sei mir gnädig und nimm das Geschenk, das bietet NigelluS.
Ich hab' schüchtern gewagt, Dein Walten zu singen. Bei ChristI
Ewiger Kron', deß Liebe die Brust Dir immer erfülltE,
Gnädiger Kaiser, erhebe den Knecht, der fiel in VerschuldunG;
Einst dann fleh' ich, daß Christus auf Wolken zum Himmel Dich tragE.

Hier beginnt das erste Buch des elegischen Gedichtes des Ermoldus Nigellus zum Preise Ludwigs des allerchristlichsten Cäsar Augustus.

Vor den gepries'nen Augusten an Macht und Waffenruhm strahlst Du,
Ludwig, aber noch mehr wegen der Liebe zu Gott.
Jetzo den Ruhm des erhabenen Fürsten zu künden begehr ich.
Dazu belehne mich Gott, der es vermag, mit der Wehr.
Hier zu verzeichnen die Thaten des krieg'rischen Kaisers versuch' ich,
Welche verkündet mit Recht treulich ihn liebend die Welt.
Besser wär' es vielleicht, nun zunächst mein Beginnen zu fördern,
Weinend um meines Vergehns höchst zu verwünschende That;
Denn die Gelehrsamkeit fehlt, fremd sind mir der Musen Reviere,
Und kein glänzendes Lied brächt' ich künstlich hervor.
Doch mich Zaudernden hebt und belebet die Milde des Königs,
Der mehr als das Geschenk siehet des Gebenden Wunsch.
Auch mein Bann, ich gesteh's, er drängt mich, solches zu bringen.
Da mir Geschenke versagt, geb' ich das was ich hab'.
Seine Thaten nicht will ich im Einzelnen alle berichten.
Weder gebührt es sich so, noch auch vermag's mein Talent.
Wär' es Virgil und Ovid, Cato, Flaccus, Lucanus, Homerus,
Tullius Cicero mit Macer und Plato zugleich,
Sedulius und du, Prudentius oder Juvencus,
Und Fortunatus, käme auch Prosper dazu:

All' das vermöchten sie kaum in berühmtem Gesang zu umfassen,
Um ihr gefeiertes Lied doppelt zu schmücken dadurch.
Dennoch will ich auf kunstlosem Nachen mit splitterndem Ruder
Schiffen hinaus in die See dieses unendlichen Meers
Aber die Hand, die den gläubigen Petrus aus jähem Verderben
Hob, als er sank in die Flut, und ihn geborgen im Kahn,
Sie mag gnädig mich retten, der hülflos kämpft in den Wogen,
Tragend in Deinen Port, herrlicher Kaiser, mich nun.
Auf denn, beginne, mein Lied, zu besingen die Thaten des Kaisers,
Und aus der Fülle erlies weniges nur, mein Gedicht.
In den fränkischen Zeiten, da noch Karls Scepter in Kraft war,
Welchen als Vater die Welt grüßet mit Ehren und Preis,
Als sein Frankenland rings in die Ferne den Schrecken verbreitet
Und sein Namen erscholl rühmlich in jeglichem Land,
Da vertheilte der weise Karl die Zeichen der Herrschaft
Seinem Geschlecht, ihm gab Beifall der Großen Senat.
Sein Gleichnamiger also erlangte die Herrschaft in Franken,
Wär' es ihm endlich vergönnt, Erbe des Vaters zu sein.
Dann erlangt' Italiens Reich Pippin der Geliebte.
Doch Aquitaniens Reich gab er, o Ludewig, Dir.
Bald verbreitet die Kunde der Theilung sich über den Erdkreis,
Und mit Jubel betritt Ludwig sein königlich Lehn.
Vorbedeutend nannten ihn also Vater und Mutter,
Daß er im Krieg sei berühmt, ebenso mächtig wie fromm.
Denn von ludus dem fröhlichen Scherz ist Ludwig geheißen.
Frieden bracht' er und ließ Fröhlichkeit walten im Volk;
Doch wer lieber begehret die Deutung fränkischer Rede,
Daß er des Namens Begriff möge noch besser verstehn,
Dann heißt Hluto glänzend und Wiegch bedeutet den Kriegsgott.
Klar ist's, beide vereint bringen den Namen hervor.
Schon als fürstlicher Knab' erfüllt von heiligem Odem
Schmückt' er mit Ruhm die Geburt. Denn er war tapfer und fromm.

Schätze zu spenden eilt er den Domen der Christusverehrer,
Aeltere Schenkungen gab neu er den Kirchen zurück.
Erst bracht' Ordnung und Fried er dem Land, dann erquickt' er die Völker
Seines Reichs und das Recht waltet vom Glauben beschirmt.
Fromm bezähmt er mit Hülfe der Bildung die wüthenden Wasken
Wandelnd in Lammesnatur reißender Wölfe Geschlecht.
Endlich zu den Hispanern gewendet in eiligem Feldzug
Trieb er sie selber hinweg weit von dem eig'nen Gebiet.
Wie viel ragende Thürme des Landes und Burgen im Feldzug
Seinem Scepter er beugt' unter dem Schilde des Herrn,
Weniger ist's mir bekannt, und wär' es auch noch so bekannt mir,
All' das könnte doch nie schildern die kunstlose Hand.
Doch was staunenden Ohren die frischeste Kunde gebracht hat,
Das nur besinget mein Lied. Jenes sei Künstlern verwahrt.
Also es gab eine Stadt ungastlich den fränk'schen Geschwadern,
Aber viel lieber gesellt war sie der Mauren Partei.
Barchinona benannten die alten Latiner sie früher,
Welche nach römischer Art jeglicher Bildung genoß.
Immer war diese zur Hand als Hort für die maurischen Räuber
Und stets reichlich gefüllt von dem gewappneten Feind.
Jeglicher der in der Stille von Spanien kommend und gehend
Jene betreten, er fand alles gesichert für ihn.
Jährlich war sie gewohnt zu verwüsten unsere Ernten
Und Heimkehrender Raub barg sie mit Freuden bei sich.
Vielerlei Feldhauptleute mit mannigfach krieg'rischem Anschlag
Lagerten lange davor, ach bei den Wünschen verblieb's,
Jeglicher wie er dem Schwerte, der List, den Künsten vertraute;
Doch ihr krieg'risch' Bemühn scheuchte sie weit von sich ab.
Denn durch mächtige Wucht ihrer Mauern ward sie beschirmet,
Härtestes Marmelgestein bildet das alte Gebäu.

Wann zum Aether erhebet die bleichenden Aehren der Juni,
Und wenn Ceres Geschlecht reif für die Sichel erscheint,
Liegt vor den Mauern der Franke, durchstreifend die Fluren und Oerter,
Und daß darbe der Feind leget er wüste die Saat.
Und wenn sonst er gepflegt in dem Weinberg Bacchus so süße
Trauben zu lesen, auch die Mühe war nun ihm erspart.
Gleichwie bei herbstlichen Zeiten in dichten Schaaren die Drosseln
Und der gefiederte Schwarm, der an der Traube sich letzt,
Hin durch die Weinberge fliegen und rauben und tragen die Stengel
Und unter Schnabel und Krall' schwindet die liebliche Traub', —
Doch der unselige Winzer betrübt auf dem äußersten Firste
Schwinget die Cymbel und bringt künstlich Getöse hervor;
Und nicht leicht ist die Arbeit, zu hindern daß böslich sich diese
Einen im dichtesten Schwarm und sich erplündern den Schmaus: —
Gar nicht anders die Franken, sobald nur die Zeiten der Feldfrucht
Da sind, plündern sie auch jegliche Gabe der Flur.
Dennoch vermochte dies nimmer die harten Mauren zu beugen,
Noch das wechselnde Glück häufigen Rittergefechts;
Kaum auch zerstörten die reisigen Franken soviel an der Feldfrucht,
Als was in Fülle vom Meer brachte das eilende Schiff.
Ohne Entscheidung begab es sich so zu verschiedenen Zeiten
Und man saget, es war beiderseits grimmig der Krieg.
Jetzt in den Zeiten des Lenzes da grünt das erwärmete Erdreich
Und da den Winter hinweg scheuchet der himmlische Thau,
Wieder dann kehrend das Jahr die entflohenen Düfte zurückbringt
Und nun erfrischet vom Naß woget auf's Neue die Au';
Bringen die Fürsten in Gang ihr Gericht, erneuend des Reiches
Pflegung und jeder bereist ihr zum Schutze die Mark.
Jetzt nicht minder entbeut nach der Franken alter Gewohnheit
Auch Karls Sohn sein Gebot seiner so ruhmvollen Schaar,

Nämlich den Auserlesʼnen des Volks und den Spitzen des Reiches,
Deren Berathung bedarf jedes Regierungsgeschäft.
Eilig erscheinen die Fürsten, mit redlichem Willen gewärtig,
Denen gar nahe gedrängt folget der zahllose Troß.
Sitzen dann rings auf die Ladung, es steigt auf den Hochsitz der Ahnen
Ludwig, und draußen die Mengʼ rüstet, wie ziemt, ihr Geschenk.
Und die Berathung beginnt, Karls Sohn hub an mit der Rede,
Was er im Herzen gedacht, äußert er also im Wort:
„Hochgesinnte Magnaten, des Amts nach Verdiensten gewürdigt,
Welche zum Bollwerk gesetzt Karl mein Erzeuger dem Reich,
Deshalb hat uns verliehn der Allmächtʼge den Gipfel der Ehre,
Daß wir, so wie sich gebührt, Hülfe gewähren dem Volk.
Wieder im Umlauf kehret das Jahr, wo sich Völker auf Völker
Drängen, mit gleicher Begier stürmend zum Kampfe des Mars.
Euch ist das Ding zur Genüge bekannt, uns ist es ein neues.
Sagt drum eueren Rath, wie wir vollenden die Fahrt.“
Also der König und drauf entgegnete Sancio Lupus,
Sancio, der des Gebiets eigene Sache betrieb
Als Fürst über die Wasken und als Karls Zögling sich fühlend,
Welcher an Klugheit und Treu weit übertraf sein Geschlecht:
„König, so wie Du beschließest, so ziemet es uns zu gehorchen,
Dir, deßʼ Lippen entströmt stets unerschöpflicher Rath.
Doch wenn allein von unserer Seite die Sache bestimmt wird,
Meinerseits bleibet sodann Friede, so stimmʼ ich, und Ruh.“
Wilhelm, der Herzog der Burg von Tolosa, ergreifet das Wort dann,
Beuget das Knie und der Mund küsset des Königes Fuß:
„Sonne der Franken, Du Vater und Fürst, Schutzwaffen und Zierde,
Der Du mit Thaten und Geist alle die Väter besiegst.

Mächtige Hoheit, leitende Weisheit strömet, o Großer,
In einträcht'gem Begehr Dir aus der Quelle des Ahn's.
Bin ich, o König, es werth, sei meinem Rath der Berather,
Meinem Wunsche verleih', König, ein günstiges Ohr.
Da ist ein grausam Geschlecht von der Sarah Namen bezeichnet,
Welches in unsere Mark pfleget verheerend zu ziehn.
Tapfer, auf's Roß sich verlassend, zugleich auf die kräftigen Waffen,
Welches mir nur zu bekannt, das mich auch ebenso kennt.
Mauern und Burgen und Lage der Oerter und alles erspäht' ich,
Führer für euch kann ich sein auf dem geruhigsten Pfad.
Eine abscheuliche Stadt noch lieget in jenen Gebieten,
Die sich so übeln Geschicks Ursach' beharrlich gesellt.
Wenn in der Liebe zu Gott mit Deiner erwirkenden Arbeit
Wir sie erobern, so hat Ruhe und Frieden Dein Volk.
Dorthin leit', o König, den Schritt, auf die Fluren den Segen,
Und Dein Wilhelm, o Herr, schreitet als Führer voran."
Also darauf spricht lächelnd der König mit freundlichen Worten,
Haltend den Treuen umfaßt giebt und empfängt er den Kuß:
„Unsere Gnade, die Gnade von Karl dem Vater sei mit dir,
Trefflicher Herzog, und stets folge den Thaten ihr Lohn.
Auch was du offen hier kündest, schon längst in der Burg meines Herzens
War ich's zu bergen bedacht: nun es verlautet, so sei's.
Will ein Berather dir sein, wie du flehst, bei'm Rathen und Wünschen,
Auf mein beschleunigtes Nah'n rechne, o Franke, fortan.
Denn frei sprech' ich's heraus, eins muß ich, mein Wilhelm, dir sagen
Und mit gespanntem Gemüth höre du jetzo mein Wort:
Falls mir das Leben erhält zum Genossen die Gnade des Herren,
Wie ich gedenk', und er selbst Segen mir giebt zu der Fahrt,
Deine Mauern ich mag, Barcinona, du trotz'ges erblicken,
Das du den Meinen so viel Fehde verkündet mit Lust,

Schwör's bei unseren Häuptern (denn grad' auf die Schulter des Grafen
Wilhelm gelehnet er stand, als er zu reden begann),
Entweder halte mir Stand der Mauren heidnischer Haufe,
Sich und den Seinen zum Schutz biet' er entschlossen die Schlacht,
Oder ob willig ob nicht, sollst du, Barcinona, die Thore
Oeffnen auf eignes Geheiß, bittend um meinen Befehl."
Als er gesprochen erhob sich der Fürsten Beifallgemurmel,
Seinen erhabenen Fuß ehret ihr brünstiger Kuß.
Drauf ruft seinen geliebten Bigo des Königes Wort an,
Seinen Ohren er läßt tönen das freundliche Wort:
„Eil' dich, reisiger Bigo, verkünde der Unsrigen Schaar dies,
Aber gar fest im Gemüth halte bewahret mein Wort.
Alsbald wenn in der Jungfrau Gestirn der Titane gestiegen
Und in dem eig'nen Gebiet folget die Schwester dem Pfad [1],
Soll mein siegendes Heer in gedrängten Haufen die Mauern
Obengemeldeter Stadt stürmen, die Wehr in der Hand."
Bigo nun tummelt sich rüstig, belehrt von dem Willen des güt'gen
Herrn, rasch geht er und kommt, bringend den hohen Befehl,
Während der König indessen entbrannt von der Liebe zu Christus
Gottes Verehrern bescheert fromme Gebäude gar werth.
Denn man erzählt, viel Schaaren von Mönchen nach Regel und Herkomm
Hab er gestiftet zur Ehr' Gottes in seinem Gebiet.
Wer's zu erkunden begehrt, mag durch Aquitanien wandern;
Sieh', es besinget davon eines allein unser Buch.
Da ist ein Ort, gar berühmt durch Gottesverehrung und Weihe,
Welchen ein früherer Fürst selber hat Conca benannt.
Denn einst war er genehm nur dem Wild und zwitschernden Vögeln,
Menschen jedoch nicht bekannt wegen der wilden Natur;
Der nun glänzt durch das Häuflein der Christo dienenden Brüder,
Sie, deren Ruhm sich erhebt weit zu den Sternen hinan.

1) im Herbste.

Auch dies Kloster erbaute des frommen Königes Schenkung,
Gründet's und hielt es in Ehr stets mit der That und dem Wort.
Liegend in weitestem Thal umfließt es gar lieblich der Waldbach
Mitten in Gärten mit Wein, Aepfeln und allerlei Frucht.
Durch den gehauenen Fels mit der Kraft schweißtriefender Arbeit,
Daß sich eröffne der Ort, schaffte der König den Weg.
Einst war ein Bruder gar fromm mit Namen Datus geheißen,
Der, wie erzählt wird, zuerst dort in der Gegend gewohnt.
Als er nun selber beschützt vor den Feinden die Herde des Landes,
Während geborgen im Haus wohnte die Mutter bei ihm,
Sieh, da verwüsten die Mauren im plötzlichen mächtigen Anfall
Rings anstürmend, o weh, sein Dorf Rotinicum.
Nun wird berichtet, es sei bei dieser so reichlichen Beute
Seine Mutter, zugleich alle die Habe im Haus.
Als sich die Feinde entfernt, wetteifert ein jeder zu suchen
Eilig das eigene Dach, kehrend zum heimischen Herd.
Als nun Datus erkannt, die eigene Mutter und Wohnung
Hab' er verloren, so preßt doppeltes Leid ihm die Brust.
Plötzlich schmückt er das Roß mit dem Zaumwerk, sich mit den Waffen,
Schnell den Gefährten gesellt, nur die Verfolgung im Sinn.
Nun war grad' ein Kastell mit steinerner Mauer bewehret.
Dorthin kehrte der Feind beutebeladen zurück.
Hier traf Datus, die Freund' und der ganze Haufen zusammen
Mit wetteiferndem Lauf, um zu erbrechen das Schloß.
Aber wie hoch aus den Wolken sich schwingend ein Habicht herabstößt,
Raubend den Vogel im Fang, in sein Geklüfte dann fliegt,
Doch rings krächzen die Freunde und rauhe Tön' in die Lüfte
Rufen vergeblich und nach folgen dem Vogel im Flug,

Aber der sitzet im Sichern und reißet und hacket die Beute,
Wendend sie überallhin wie es ihm immer gefällt;
Nicht mehr scheuen die Mauren, besitzend die Burg und die Beute,
Datus krieg'rische Fehd', noch sein Geschoß und sein Droh'n.
Da ruft an von der Zinne der Mauern einer den Jüngling
Und mit verspottender Stimm' spricht er das gottlose Wort:
„Datus, du Kluger, ich bitte, sag' an, welch' Umstand zu unsrer
Beste geführet dich selbst und die Genossen dazu.
Bist du gewillt, für solche Geschenke das Roß, das du reitest,
Herzugeben an uns, tragend dahin dich im Schmuck,
Unversehrt dann soll dir die Mutter nebst anderer Beute
Werden, wo nicht, so erblick', wie nun die Mutter dir stirbt."
Drauf sprach Datus die Worte die gerne man nimmer berichtet:
„Bringe die Mutter nur um, nicht drum gräm' ich mich sehr.
Denn dies Roß das du forderst, das will ich dir nimmermehr geben,
Schurke, mein Roß ist zu gut für einen Reiter wie du."
Und kein Verzug, der Grausame führet die Mutter zur Zinne,
Und vor den Augen des Sohns haut er in Stücken das Weib.
Erst, so erzählt man, schnitt er die Brust mit dem Schwert ihr vom Leibe,
Schlug dann ab ihr das Haupt, sprechend: die Mutter steh' hier.
Datus, der arme, er knirschte vor Schmerz beim Tode der Mutter;
Hiehin und dorthin gewandt schwankt er in Aengsten und seufzt.
Kein Thor öffnet sich ihm und die Macht, zu rächen der Mutter
Glieder, sie fehlet, er flieht traurig, der Sinne beraubt.
Waffen und Wehr gab er hin und legte sich bess're dafür an,
Und nun begann er des Walds frommer Bewohner zu sein.
Doch so gefühllos er war und hart bei dem Tode der Mutter,
Kehrt desto fester, o Christ, Deinem Joch' er sich zu.
Tagelang sann er darüber und Jahr' in einsamer Oede,
Wie dem ird'schen Gebot Hohn er gesprochen dereinst.

Als die Kunde zum Ohre des frommen Königs gelangte,
Ruft er den Diener des Herrn alsobald unter sein Dach;
In gleichmäß'gem Gespräche verbrachten zusammen den Tag ganz
König und Diener des Herrn, beide an Frömmigkeit gleich.
Concha's Grundstein legte sodann mit Datus der König,
Schaffend den Mönchen ihr Haus fest für die künftige Zeit,
Und wo noch eben im dichtesten Rudel das Wild sich gelagert,
Von dort erntet man jetzt gottesgefällige Frucht.
Aber es folgten des Königes Große und sämmtlicher Heerbann
Längst entboten indeß seinem Befehle mit Lust.
Ringsher kommen zusammen nach fränkischer Sitte die Schaaren
Und um die Mauer der Stadt schlingt sich der dichteste Kranz.
Diesen vereint Karl's Sprößling vor allen mit prächtiger Schaar sich
Und zum Sturze der Stadt bringt er die Fürsten herbei.
Hier schlägt seinerseits auf Fürst Wilhelm seine Gezelte,
Heriperth, Liuthard, Bero und Bigo zugleich.
Sancio dann und Libulf, Hiltibreht und auch Hisimbard
Und viel andere noch, die zu erwähnen nicht Zeit.
Hin auf den Anger gebreitet kampiret die übrige Jugend,
Waske und Gothe und Frank' und Aquitaniens Schaar.
Himmelwärts steiget der Lärm, vom Getös' erdröhnet der Aether,
Doch in der Stadt ist Geschrei, überall Weinen und Furcht.
Während sich dieses begiebt, bringt Hesperus wieder das Dunkel
Und, Barcinona, der Feind nimmt in Besitz dein Gebiet.
Aber sobald zu den Menschen der leuchtende Morgen zurückkehrt',
Eilen die Grafen dem Ruf folgend zu Königes Hof.
Und wie der Rang es bestimmt sitzt jeglicher da auf dem Rasen,
Mit aufmerkendem Ohr forschend des Königes Wort.
Folgendes redete drauf Karls Sohn mit dem Munde voll Weisheit:
„Hört jetzt unsern Entschluß, Fürsten, mit ganzem Gemüth;
Wenn dies Volk da verehrte den Herren und Christo gefiele,
Und von der heiligen Tauf' Salbungen wäre benetzt,
Wäre zu schließen ein Bündniß und dieser Bund auch zu halten,
Weil mit Gott er sich auch knüpfte durch Religion.

Doch nun trotzt es im Fluch, nicht achtet es uns'rer Erlösung
  Lehren und folget allein Satanas Herrscherbefehl.
Deshalb kann es uns auch in Erbarmen des Wolkengebieters
  Gnade nun bringen ins Joch unseres mächtigen Arms.
Auf denn, gleich zu den Zinnen und Mauern lasset uns eilen,
  Franken, den Seelen zurück kehre der frühere Muth."
Wie mit Gebrause die stürmischen Wind' auf Aeolus Mahnung
  Hin über Fluren und Wald jagen und jegliches Meer
Und fortreißen Gebäud' und Saaten, die Wälder erzittern,
  Mühsam der Vogel sich hält fest mit gebogener Krall';
Segel und Ruder verlassend der elende Schiffer herabzieht
  Auf hochflutender See flatterndes Linnen sogleich: —
Also bewegt auf Geheiß sich der Franken sämmtliche Heerschaar
  Hin und her mit Gejauchz, sinnend Verderben der Stadt.
Hin zu dem Walde man rennet, es tönt in die Runde der Axt Hieb,
  Pinien werden gefällt, ragende Pappeln dazu.
Leitern fertiget dieser und der setzt Pfähl' in die Reihe,
  Der bringt Waffen in Eil', Steine schafft jener herbei.
Dicht fällt leicht'res Geschoß und dazu die geschleuderte Lanze.
  Bockstoß dröhnet am Thor, Schleudern treffen es oft.
Ebenso häufig bemüht sich indessen der Haufe der Mauren,
  Dicht auf die Thürme gestellt, tapfer zu halten die Burg.
Fürst in der Stadt war ein Maure mit Namen Zadun geheißen,
  Welcher mit kräftigem Sinn führte das Stadtregiment.
Dieser nun eilet zur Mauer, umgeben von zagenden Schaaren.
  „Freunde, so fragt er, was ist dies für ein seltsamer Ton?"
Nicht wie er wünschte jedoch entgegnet ihm einer der Freunde
  Also und krächzet das Wort übeler Ahnungen voll:
„Nicht ist's Bero der gothische Fürst, der Fehd' uns bereitet,
  Welchen so oft unser Speer scheucht' in die Ferne hinweg.
Vielmehr Ludewig selber erschien, Karl's ruhmvoller Sprößling,
  Setzet die Obersten selbst, führet das Schwert in der Hand.
Wenn nicht Cordoba eilend uns Zuzug thut in dem Unglück,
  Dann wird fallen das Volk, wir und die theuere Stadt."

Niedergeschlagnen Gemüthes hervor stößt jener die trüben
Wort' und siehet vom Thurm unten die Waffen so nah:
„Rührt euch, Freund', und laßt vor dem Feinde die Mauer uns schützen,
Hülf' auch wird uns vielleicht Cordoba bringen sodann.
Doch, Landsleute, mir lieget im Sinn gar vieles was peinigt
Und was offen ich euch trotz der Bestürzung gesteh'.
Dort dies stolze Geschlecht, ihr erblickt's, das unsere Stadt stürmt,
Tapfer und waffengewohnt ist es, gar hart und gewandt;
Sieh', ich muß es verkünden, was wahrlich zu sagen mir hart fällt.
Ob ich es sag' oder schweig', nimmer doch wird es euch freu'n.
Jeden mit dem es, durch Krieg so berühmt, sich je hat gemessen,
Ob er nun wollt' oder nicht, zwingt es ihn unter sein Joch.
Jenes romulische Volk, das einst dies Schloß hat gegründet,
Bracht es in seine Gewalt und sein ganzes Gebiet.
Stets in den Waffen gehn sie, an Fehden gewöhnt ist die Jugend,
Jünglinge fechten es aus, Greise erdenken den Plan.
Selber den Namen der Franken vermag ich nur schaudernd zu nennen,
Vom unbändigen Sinn trägt ja den Namen der Frank'.
Bürger, was soll ich noch weiter verkünden mit traurigem Herzen?
Weh, nur zu gut ist's bekannt und auch gesprochen betrübt's.
Lasset uns sichern die Mauern und halten mit kräftiger Mannschaft,
Zuverlässig und wach seien die Pförtner des Thors."
Doch es berennet indessen in hellen Haufen die Jugend
Mit Sturmböcken das Thor, ringsher lärmet die Schlacht.
Stoß erschüttert die Mauern mit Quadersteinen bekleidet,
Dicht fällt hin das Geschoß und Unselige trifft's.
Da ruft nieder vom ragenden Thurme der maurische Durzaz
Und mit höhnender Stimm' schreit er das gellende Wort:
„Höre, du hartes Geschlecht, das sich breitet über das Erdreich,
Weshalb bestürmst du das Schloß, störend der Gläubigen Ruh?

Meinest geschwinde die Häuser von Grund aus jetzt zu vernichten
Die ein Jahrtausend hindurch römische Arbeit erschuf.
Flieh', unbändiger Franke, entzieh dich unsrem Gesichtskreis,
Weder dein Anblick behagt, noch auch gefällt uns dein Joch".
Nicht mit ruchlosen Worten begegnete drauf seiner Rede
Hilthiberth, mit der Hand, schau', nach dem Bogen er greift.
Nämlich dem schreienden Feind gegenüber stand er gar hurtig,
Haltend die Fiedel von Horn spannet und schlägt er die Sait'.
Fort schoß fliegend der Pfeil und drang in's dunkle Gehirn ein,
Und in den schreienden Mund sank das verwundende Rohr.
Jener verläßt, wie er stürzt, nicht gerne die ragenden Mauern
Und noch im Tode bespritzt Franken sein schwärzliches Blut.
Siegesgeschrei nun erheben mit freudigem Herzen die Franken,
Aber die Mauren erfüllt Jammer bei ihrem Geschick.
Manchen entsendet darauf mit mancherlei Tode zum Orkus,
Wilhelm den Habirudar, Ljuthard jedoch den Uriz,
Zabirizun durchbohret die Lanze, den Uzak der Wurfspeer,
Schleuderwurf Colizan, herbes Geschoß den Gozan.
Anders vermochten die Franken sich nicht im Gefechte zu nähern,
Als mit geworf'nem Geschoß oder mit Schleudergeräth.
Zadun der Kräftige warnt sie, nicht offene Schlachten zu wagen,
Noch von den Zinnen sich je etwa zurückezuziehn.
Und so begab sich das Ding stets wechselnd in zwanzig Monden
Und gar verschiednen Erfolg bracht' es für jede Partei.
Keine Geschütze vermögen die Pfosten der Mauern zu brechen,
Und zu des Feindes Versteck finden sie nirgend den Weg.
Nimmer jedoch läßt los den begonnenen Kampf die Belag'rung,
Mit Sturmböcken der Burg Thore berennend gar oft.
Aber des mächtigen Karl so erlauchter Sprößling, er schreitet,
Haltend das Scepter, umher, mit ihm die Schaar des Gefolgs,

Und er ermahnet die Führer, ermahnt nach der Ordnung die Haufen,
Ruft sie nach Vätergebrauch auf zu den Waffen des Mars.
„Glaubt mir, Jünglinge, nun, glaubt all' ihr Fürsten mir jetzo,
Und tief in dem Gemüth bleibe geheftet mein Wort:
Nimmer gedenk ich zuvor, wenn der Herr es gewähret, des Vaters
Hochsitz wiederzusehn, noch mein Landesgebiet,
Ehe dies Schloß sammt seinen Bewohnern durch Fehden und Hunger
Sich mir ergeben und eilt flehend zu meinem Gericht."
Drauf rief wiederum einer hinaus in die Lüfte die Worte,
Hoch von der Mauer herab höhnend aus sicherem Ort:
„Franke, wie bist du so rasend, was plagst du unsere Mauern?
Keiner vermöchte die Stadt je zu gewinnen mit List.
Reichlich besitzen wir Speise, das Fleisch wie die Gabe des Methes
Ist hier genug in der Stadt, grausiger Hunger bei euch."
Ihm antwortete drauf in der Gegenrede die Worte
Wilhelm und unmuthsvoll rief er ihm solcherlei zu:
„Hör', ich bitte, mein Wort, hochmüthiger Maure, nicht sanft ist's
Und dir wenig genehm, wahr jedoch ganz, wie ich glaub'.
Siehe mein Roß mit dem Panzer und bunten Farben geschmücket,
Welches ich reite, von fern sprengend an euere Burg.
Eher soll es von unseren Bissen zum ekelen Mahle
Sterben, und unserem Zahn sei's zu zermalmen gegönnt,
Als daß unsere Schaar die so hart verweigerten Mauern
Aufgiebt; ruhen nicht soll einmal begonnen der Krieg."
Drauf schlug jener die schwärzliche Brust mit den schwärzlichen Fäusten,
Ach, mit den Nägeln zerkrallt schnöd' er das Mohrengesicht.
Und von Schrecken gelähmt in dem Herzen stürzt er auf's Antlitz
Füllend mit gellendem Schrei traurig die luftigen Höh'n.

Fort von den Zinnen weichen die Freund' und voll von Entsetzen
Staunen die Franken sie an und ihren grimmen Bescheid.
Zado durcheilet in schnaubendem Zorne die wimmelnden Haufen:
„Bürger, wo fliehet ihr hin, und wohin lenkt ihr den Gang?"
„Zado [1], die Franken vermelden dir jetzo solcherlei Antwort,
Welche dich sicher erfreut, wenn du sie völlig gefaßt.
Lieber verzehren sie schimpflich mit eigenem Zahne die Rosse,
Eh' sie gefaßt den Entschluß, ab von der Veste zu ziehn."
„Weh' [2] euch, Bürger, ich habe schon längst es zuvor euch verkündet,
Welcherlei Feind' uns sind jetzo im Kampf zu besteh'n.
Aber auch so, wenn irgend ein Rath, der nützet, zu finden,
Redet, auf daß ich danach handle so wie ich vermag."
„Wohl [3], rings siehst du wie dichteste Haufen durchbrechen die Mauern
Und wie die Deinen zerfleischt tödtend das Eisengeschoß.
Keinerlei Hülfe entsendet dir Cordoba, wie es versprochen,
Ringsher hetzen uns ab Fehden und Hunger und Durst.
Denn was bleibet noch übrig als Boten den Franken zu senden,
Welche den Frieden erflehn? Doch es geschehe sogleich."
Auf knirscht jener vor Wuth, die Kleider zerreißt er und rauft sich
Aus das dunkele Haar und er zerfleischt sein Gesicht.
Scheltend ertönet sein Ruf, von Neuem und wieder von Neuem
Schreit er mit gräßlicher Stimm: „Cordoba", weinend gar lang.
„O ihr reisigen Mauren, wohin ist der Muth euch gewichen?
Holt jetzt, Freunde, hervor euere Kraft, wie gewohnt.
Falls nur ein Rest von Liebe zu mir bei euch noch zurückblieb,
Bitt' ich um eins, mir genügt schon dies einz'ge Geschenk.
Selber gewahrt ich den Fleck, wo das dichte Lager sich abwärts
Zieht von der Mauer und wo selten die Zelte nur stehn.
Dort wohl kann ich mich heil durch jenen Hinterhalt bringen,
Eilend erreich' ich vielleicht Hülfe der Freunde wie sonst.
Ihr nun schützet die Thore indessen mit äußerster Mühe,
Wackere Brüder, so lang' bis daß ich kehre hieher.

1) Antwort der Bürger. — 2) Zado spricht. — 3) Antwort der Bürger.

2*

Keine Gewalt des Geschicks darf zwingen die Burg zu verlassen,
Noch auch hinaus zu der Schlacht mahn' ich zu ziehen ins Feld."
Mancherlei Auftrag gebend den Seinen verließ er die Stadt und
Heimlich verstohlen vorbei kam er am Heere gar froh.
Und schon zog er in Ruh seine Straße bei nächtlichem Schweigen,
Siehe da wieherte laut plötzlich das Unglücksroß.
Dieses Getöse vernehmend erwecken die Wächter des Lagers
Schaaren beim Wiehern und bald jagen sie hinter ihm drein.
Jener verläßt im Schrecken die Straß' und wendet das Pferd um.
Doch da gerieth er hinein mitten ins dicht'ste Gewühl.
Nicht mit heiterer Stirn erkennt er die Schaar, die verhaßte,
Wie er entwische mit List, suchet der Arme umsonst.
Und bald ist er ergriffen, nach Würden gefesselt im Umsehn,
Und zu des Königes Zelt wird er mit Zittern gebracht.
Fama füllet im Fluge die ganze Stadt mit Entsetzen
Und es berichtet ihr Mund, daß man den König ergriff.
Zwiefach erheben den Jammer die Mütter und Väter und Söhne,
Dieses beschäftigt allein Knaben und Mädchen zugleich.
Doch nicht weniger füllet der Lärmen im Lager den Aether.
Mit einstimmiger Lust jauchzet im Jubel das Volk.
Nächtliches Dunkel verliert sich indessen, die hehre Aurora
Bringet den Tag und zu Hof strömen die Franken herbei.
Jetzo begann Karls Sprößling geruhigen Herzens zu sprechen
Und mit gütigem Wort redet den Dienern er zu:
„Zadun, während er trachtet das spanische Heer zu ereilen,
Beistand fordernd, sowohl Waffen als Freunde dazu,
Ist hier gefangen und liegt wider Absicht wehrlos in Fesseln
Draußen an unserer Thür, mir vor Augen noch nicht.
Wilhelm, sorge dafür, daß er möge von ferne die Mauern
Schauend befehlen sogleich, daß man uns öffne das Thor."
Also geschieht es, der Hand folgt Zado gebunden am Stricke,
Künstlich gelenkt aus der Fern' hob er die Hand in die Höh'.
Denn selbst hatt' er den Freunden verkündet, bevor er entwichen:
„Ob das Geschick mir nun schlimm ausschlägt oder zum Glück,

Ist mir verborgen, gerath ich jedoch in die Hände der Franken,
Dann trotz dem, wie gesagt, fleh' ich, vertheidigt die Stadt."
Hierauf die Hand ausstreckend zur Mauer rief er die Freunde:
„Oeffnet, Genossen, das Thor, welches ihr lange versagt."
Hierbei krümmt' er gar listig die Finger und drückte die Nägel
Ein in die Hände; er that dieses mit trüg'rischem Sinn;
Daß sie beschützten die Burg, dies deutet er an mit dem Zeichen.
Ungern zwar, aber doch ruft er die Worte: Macht auf.
Aber sogleich traf Wilhelm, sobald er dieses bemerkte,
Ihn mit dem Schlag seiner Faust; hinterrücks handelt er nicht.
Knirschend vor Wuth wälzt dieser im Herzen die bitteren Sorgen,
Jener bewundert den Mohr, aber noch mehr sein Geschick.
„Glaube mir, wäre nicht Lieb' und Furcht vor dem König im Wege,
Kommen dann wäre für Dich jetzo die Stunde des Tod's.
Streng wird Zado indessen im fränk'schen Gewahrsam bewachet;
Aber die Freunde, voll Angst, sorgen zu halten die Burg.
Wiederum füllte der andere Mond in der Reihe die Tage,
Vor der verweigerten Burg liegt mit den Franken der Fürst.
Häufiger dröhnt das Geschütz, rings werden die Mauern getroffen,
Grimmiger raset der Krieg, als man es früher erlebt.
Dicht fällt nieder der Pfeil, es bedrängt die geschwungene Schleuder.
Selber der König betreibt's, mahnend die Obern zur Eil'.
Schon nicht wagen die Mauren empor zu den Zinnen zu steigen
In ihrer Noth, und zu schau'n nieder zum Lager vom Thurm.
Wie Schwimmvögel gescheuchet in Schaaren dann wieder sich senken,
Grade dem seichteren Fließ trauend zu ihrem Ruin;
Siehe da fährt er vom Himmel herab, der Waffen dem Zeus bringt,
Und die erschöpften umkreist lange der Adler im Flug;
Jene nun strecken den Kopf auf den Grund und hinaus in die Lüfte,
Einer verbirgt sich im Kraut, andere ducken im Schlamm.

Doch der drängt mit den Flügeln von oben und ängstigt die Armen,
  Jeglichen packt er sofort, der vorstecket den Kopf: —
Also ereilt in der Stadt hinjagend die furchtsamen Mauren
  Rings der verfolgende Spieß, Sterben und panischer Schreck.
Selbst drauf schwinget den Speer mit der Armkraft Ludwig der Fromme
  Und in die feindliche Stadt jagt er ihn rüstig dahin.
Tief in die Stadt hineilt durch's Blaue die Lanze im Fluge,
  Bis sie im Stein, den sie trifft, haftet vom kräftigen Wurf.
Dies Wahrzeichen erfüllet mit Beben die Herzen der Mauren,
  Sehend mit Staunen den Speer, mehr noch des Schleuderers Werk.
Was blieb übrig? Nun fehlte der König, es brannte die Kriegswuth,
  All' die Besten geraubt hatte den Mauren das Schwert.
Grimmig besieget von Krieg und von Hunger ist endlich ihr Wille,
  Auf einhelligen Schluß jetzt zu ergeben die Stadt.
Weit aufthun sich die Thore, geöffnet sind alle Verließe,
  Unter des Königs Gebot kommt die gefallene Stadt.
Alsbald drängen sich ohne Verzug in die Stadt, die ersehnte,
  Franciens Sieger, der Feind wartet auf ihren Befehl.
Grade den heiligen Sabbath beging man, als es sich zutrug,
  Daß die Thore zuerst öffnet' den Franken die Stadt.
Dann zog ein zu der Burg im Triumph' am folgenden Sonntag
  Ludwig der König, um Gott, was er gelobt, zu erfüll'n.
Reinigen ließ er die Orte, wo Teufels Dienst man betrieben,
  Christo bracht' er dann selbst fromme Gebete voll Dank.
Dann, wie er Wächter zum Schutze gesetzet, begiebt sich nach Hause
  Siegreich der König zurück wie sein sämmtliches Volk.
Hierauf führt man zu Karl in langem Zuge die Beute,
  Allerlei Maurentrophä'n und ihrer Helden Geräth,

Waffen und Brünnen und Kleider und Helme mit buschigen Schweifen,
Parthische Rosse mit Zaum und die Gebisse von Gold.
Zado, der zitternd sich sträubet die Franken noch einmal zu sehen,
Wandelt, zu ihnen gesellt, lässigen Schrittes dahin.
Bigo der Kluge, der eilet dem Heere voraus und erscheinet
An Karls Hofe zuerst, bringend die fröhliche Mähr.
Völlig in Aufruhr setzte der Neuigkeit Kunde den Hof jetzt,
Drang dann hinein im Triumph, bis auch der Kaiser es hört.
Bigo gerufen erscheinet, er küßt die erhabenen Füße
Und kommt nach dem Befehl alles erzählend genau.
„Sieh', es sendet Geschenke der Sohn dem gütigen Vater,
Nämlich an Karl den August Ludwig der König hieher.
Diese Geschenke, die selbst er gewann von den Mauren zu Eigen,
Siegend mit Schwert und mit Schild und mit dem eigenen Arm'
Und auch den König der Stadt, die er waffengerüstet genommen,
Hat er geschickt. Zadun schauet Dein kaiserlich Aug'.
Niedergelegt ist die Stadt, die früher so viele der Franken
Plagt', im Kriege besiegt, horchend des Königs Befehl."
Solches entgegnete Karl nun der Kaiser mit gnädigem Munde,
Auf zu dem Himmel empor hebend das Aug' und die Hand:
„Fülle der Gnade vom himmlischen Vater umgebe den Sprößling,
Der mir so theuer, es bleib' meine Gnade mit ihm.
Welch' einen Dank für ein solches Geschenk dem Herren wol kann ich
Bringen, o würdiger Sohn, ganz nach dem vollen Verdienst?
O mein treffliches Kind, das heiß ich immer geliebet,
Treu hat bewahrt mein Gemüth, was mir der Heil'ge gesagt."
Also erzählt man: es war Paulinus, der gütige Heil'ge,
Einst zu dem Hause des Herrn kommen auf Königs Geheiß.
Während er nun eines Tags sich befand in der heiligen Kirche
Und von Begeisterung voll Christum in Psalmen besang,

Fügt' es sich so, daß Karl, der blühende Sohn, zu dem Vater
Kam zu beten, es war um ihn der Großen Gefolg.
Und als dieser in Eile nun schritt zu jenem Altare,
Dort, wo der Priester so fromm pflegt des erhabenen Amts,
Da fragt, wer es wol sei, Paulinus aus eigner Bewegung;
Merkend die Worte ertheilt Auskunft der Diener sogleich.
Als er vernommen, es wäre der älteste Sprößling des Königs,
Schwieg er; und jener verfolgt, wie er begonnen, den Weg.
Endlich, nach einiger Zeit kam Pippin auch, der Gewalt'ge,
Von der begleitenden Schaar edelster Jugend umringt.
Schleunig beruft Paulinus denselbigen Diener wie früher,
Um ihn zu fragen und der macht ihm genauen Bericht.
Als der Prälat nun den Namen erfahren, so bückt er hernieder,
Ehrend den König, das Haupt; der geht eilig vorbei.
Aber, o siehe, zuletzt kommt Ludwig. Schnell hat den Altar
Dieser umfaßt, im Gebet liegt er mit Demuth im Staub.
Und mit Thränen erfleht er von Christo, dem Herrscher des Himmels,
Betend, daß er ihm dazu möge gewähren die Kraft.
Als es der Heil'ge geschaut, so erhob er begeistert vom Stuhl sich,
Liebreich zu richten das Wort an den so heiligen Mann.
Denn als Pippin und Karl war früher gekommen, da saß er
Fest in den Sessel gelehnt, still, kein Wörtchen er sprach.
Endlich verehrt', im Staube den Leib, den Propheten der König,
Siehe den König so fromm hebet Paulinus empor:
Mit Psalmworten begrüßt er ihn dann voll mancher Bedeutung:
„Gehe, so spricht er, zu Karl, fromm wie Du bist, lebe wohl.“
Aber sobald zu dem Ohre des Kaisers der Seher gelangt war,
Legt er in Worten ihm dar alles, sowie es hier folgt:
„Wenn Gott einen zum König der Franken aus Euerem Saamen
Ordnet, so wird für den Thron jener der dienlichste sein.“
Dieses eröffnete Karl der Weise, der Zöglinge wen'gen,
Deren Charakter ihm treu schien und gefällig zu sein.

Wiederum ruft er den Boten zurück und erkundet vom Hergang
 Jegliches, wie eine Stadt, die so berühmt, man besiegt,
Durch was Listen man Zadun, den König gefangen hieher führt',
 Welche der Obern er selbst traf im Gefecht mit dem Schwert.
Bigo der Gute erzählt und berichtet in allem die Wahrheit,
 Ehrend den Vortrag gewährt mild ihm der Kaiser Gehör.
Fröhlich reicht ihm der Kaiser den Becher, aus dem er so eben
 Trank, mit rüstigem Zug schlürft er die Labe des Weins.
Hierauf beehrt er mit Gaben und vielerlei Gütern[1] den Diener
 Und manch' großes Geschenk sandt er dem eigenen Sohn.
Der zieht schleunig mit Lob und Geschenken beladen von dannen
 Fröhlichen Muths und gelangt dort bei dem Könige an.
Daß froh kehrt der Gebannte ins Reich des gewaltigen Pippin
 Gebe der himmlische Herr und auch der Kaiser voll Macht.
Also im Namen der Freude, mein Büchlein, finde dein Ende,
 Daß drei Brüdern zugleich jetzo du gehest gesellt.

Hier endet das erste Buch.

Hier beginnt das zweite Buch.

Rings nun wohnte der Friede mit Hülfe des Herrn bei den Franken,
 Beide, der Krieg und der Herr schlugen danieder den Feind.
Da ruft Karl, der greise vom Erdkreis verehrte Gebieter,
 Wieder den Reichstag herbei unter sein gastliches Dach.
Sitzend auf gold'nem erhabenem Throne begann er zu reden,
 Während erlesene Herrn saßen im Kreis' um ihn her:
„Hört mich jetzo, ihr Fürsten, auf unsere Lehne vertrauend,
 Kündliches sag' ich euch ja, denk' ich, und wahrhaft genug.
Nämlich so lange mir wohnt' im Leibe die Mannheit der Jugend,
 War ich auf Spiel mit der Kraft und mit den Waffen bedacht.

1) honor. Einkünfte.

Wahrlich mit nichten durch unsere Trägheit und schimpfliche Feigheit
  Hat je feindliches Volk fränkische Marken verrückt.
Doch schon stockt das Geblüt, stumpf zeigt sich das übele Alter,
  Milchweiß sinket das Haar nieder zum Nacken so stark.
Und mein tapferer Arm, so berühmt einst über den Erdkreis,
  Fällt mit erkältetem Blut schon mir erzitternd herab.
Söhne, die einst ich gezeugt, entschwanden mir schon von der Erde,
  Wehe, sie liegen im Grab', nun sie ihr Schicksal erfüllt!
Aber der Sohn, der dem Herrn einst besser erschien und gefäll'ger,
  Der wird immer mir noch gnädig hienieden gegönnt.
Und nicht hat euch versäumet der Herr, aus unserem Saamen
  Jetzo bewahrend den Sproß, Franken, der wohl ihm gefiel.
Dieser erlauchte, der stets an meinem Gebot sich ergötzet,
  War mir gehorsam und that alles so wie ich befahl.
Immer in Liebe zum Herren belebt er die Rechte der Kirchen,
  Das ihm verliehene Reich hat er zum Bessern gewandt.
Was er für Gaben vom maurischen Sieg mir gesendet, ihr sah't es,
  Waffen, den König, zugleich Feind' und große Trophä'n.
Selber nun sollt ihr, Franken, mir jetzo mit treuer Gesinnung
  Rathen und schleunig sodann will ich es richten ins Werk."
Dazumal war Heinardus erkorener Liebling des Kaisers,
  Ebenso scharf von Verstand wie auch von edlem Gemüth.
Dieser nun sank ihm zu Füßen und küßt' die erhabene Fußbank.
  Trefflich erfahren im Rath redet er also zuerst:
„Kaiser, berühmt im Himmel, auf Erden und auch auf dem Meere,
  Der Du den Deinen gewährst kaiserlich Recht zum Besitz;
Nichtig ist unser Vermögen, den Plan Dir zu bessern und keinem
  Sterblichen gab es der Herr, Rathes zu pflegen vor Dir.
Was in Erbarmen Dir Gott in das Herz hat geleget, ermahn' ich,
  Daß Du es führst alsbald alles als Vater hinaus.

Dir, Erhabener, lebet ein Sohn gar lieblich von Sitten,
Welcher nach seinem Verdienst werth ist zu lenken Dein Reich.
Ihn erflehen wir alle, das Volk nebst Großen und Kleinen,
Ihn erflehet die Kirch', Christus ist selber ihm hold.
Dieser vermag nach betrübter Verwüstung Eueres Reiches
Rechte zu wahren durch's Schwert, Klugheit und treues Gemüth."
Da winkt fröhlich ihm Beifall der Kaiser betend zu Christo,
Und drauf schickt er sogleich hin zu dem Sohne mit Eil'.
Dazumal aber, wie früher erwähnet, regierte der gute
Ludwig heiteren Muths sein aquitanisches Reich.
Doch was zöger' ich noch? schnell kam er zum Hofe des Vaters;
Froh ist zu Aachen das Volk, Geistliche, Vater und Herrn.
Wieder begann Karl hievon und in ausführlichen Worten
Legt er's dem theueren Sohn dar und erklärt es genau:
„Sohn, den der Herr und der Vater, dein Volk auch, das du regierst, liebt,
Welchen in Gnaden als Trost Gott zu behalten mir ließ.
Siehst du doch selbst, wie die Schwäche mir steiget, dem Greise gebricht schon
Jegliche Kraft und heran rückt mir die Stunde des Tod's.
Mein vornehmster Gedanke besteht in des Reiches Regierung,
Welche mir wider Verdienst selber der Herr hat verliehn.
Nicht Gunst oder des menschlichen Sinns Leichtfertigkeit treibt mich
Zu dem Worte, bei Gott, sondern der Frömmigkeit Werth.
Francien hat mich erzeugt und die Würd' ertheilte mir Christus.
Christus verlieh mir das Reich, das ich vom Vater ererbt.
Selbiges hab' ich bewahrt und dazu noch bess're erworben,
Und nicht fehlte des Herrn Heerde der Hirt' und der Schutz.
Unter den Franken erwarb ich zuerst mir den Namen des Kaisers,
Romulus Namen verschafft hab' der Franken Besitz."
Sprach's und die Krone, die strahlet von Gold und von Edelgesteinen,
Setzt er dem Sohn auf das Haupt, seines Kaiserthums Pfand.

„Nimm die Krone, mein Sohn, die Christus selbst dir ertheilet,
Sohn, empfange zugleich hiemit des Kaiserthums Schmuck;
Der dir gewährt in Erbarmen zu steigen zum Gipfel der Ehren,
Gebe dir selber die Kraft stets ihm gefällig zu sein.“
Jetzo erfreuen sich Vater und Sohn am Geschäfte der Spenden,
Feiern manch' herrliches Mahl, denken auch fromm an den Herrn.
O welch' festlicher Tag, viel Jahre gedenket man seiner.
Fränkisches Land, du gewannst jetzt zwei Kaiser zumal!
Francien jauchze dazu, und die goldene Roma erjauchze,
Rom, deß' Hoheit verehrt jegliches andere Land.
Vielfach ermahnte darauf der erfahrene Kaiser den Zögling
Christum zu lieben, zugleich Ehrfurcht der Kirche zu weih'n.
Fest umschloß ihn sein Arm und er herzet' und küsset' ihn zärtlich,
Heim entließ er ihn dann, Worte des Scheidens er sprach;
Denn nicht lange darauf an Alter gereift und an Jahren
Ging im Leichengepräng heim zu den Vätern der Fürst.
Würdig beging man die Feier, dem Grab übergiebt man den Leichnam
Dort im eigenen Dom, den er zu Aachen sich baut'.
Boten schickt man indessen zu melden dem Sohne des Vaters
Scheiden, und Rampho erscheint eilends zu gehen bereit.
Vorwärts fliegt er bei Tag und bei Nacht; durcheilend die weiten
Fluren gelangt er dahin endlich, wo Ludewig war.
Nämlich ein Gut, gar gelegen und reich, ist jenseit des Flusses,
Wald umkränzt es von hier, dorther ein flaches Gefild,
So liegt's mitten im Grün an der ruhigen Tiefe des Stromes
Liger; den Fischern genehm ist's und mit Wildpret erfüllt.
Ludwig hatte sich dort einen ragenden Prachtbau gegründet,
Thedwat heißt es, o Freund, so du's zu wissen begehrst.
Dorthin floß, was in Liebe sein Volk für die Schatzung ihm brachte,
Ihm, der Priester und Volk lenkte mit christlichem Sinn.

Plötzlich herein drang Rampho, in Aufruhr bracht' er den ganzen
Hof mit der traurigen Post, todt sei der Kaiser so fromm.
Als die Mähr zu den Ohren des gütigen Königs gelangte,
Wird er von Herzen betrübt, weint um den Vater und klagt.
Rathlos stehen die Diener, doch schleunig heran eilt Bigo,
Dem sein Herr in der Früh Eintritt zu haben gewährt,
Dieser ermahnt ihn zu trocknen die Wangen, zu lassen das Weinen,
Saget: „Ein and'res Geschäft bleibt zu beschicken Dir jetzt.
Ach, Du erfuhr'st es bereits in dem eigenen Herzen, o König,
Dies ist das menschliche Loos, welches die Männer beherrscht.
Wahr ist, sämmtlich ja werden auch wir gar balde dahingehn,
Aber nicht einer vermag wiederzukehren von dort.
Stehet nun auf, laßt alle zum heiligen Tempel uns eilen,
Siehe, die Stunde ist da, Psalmen zu singen dem Herrn."
Horchend den Worten des Dieners erhob er sich endlich und alle
Mahnt er, dem Herren mit ihm sich im Gebete zu nahn.
Jene Nacht ward gänzlich erfüllt von Psalmen und Hymnen,
Und es verging auch der Tag unter der Messen Gesang.
Und zum drittenmal stieg von dem hellen Olymp schon der Tag auf
Und auf's Neue erglänzt Phöbus im goldenen Haar.
Da stürzt rings aus den fränkischen Reichen in Hast sich die Menge,
Froh strömt sämmtliches Volk her zu des Königes Gruß.
Und Karls Fürsten zumal und die mächtigsten Herren des Reiches
Und die befreundete Schaar Priester, sie eilen herbei.
Dicht sind die Straßen gedrängt und erfüllet die Thüren der Häuser,
Raum nicht giebt noch das Haus, hoch auf die Dächer man steigt.
Ströme nicht halten die Eiligen auf, noch waldige Wildniß,
Weder der eisige Frost, noch auch der regnige Tag.

Wer es zu Schiff nicht vermag, er behilft wie es geht sich mit Schwimmen,
Jenseit des Liger zuerst eifernd der erste zu sein.
Welch' eine Meng' erblickte man da von der Höhe der Felsen,
Denen ein Nachen gefehlt, köpflings dem Strom sich vertrau'n.
Aurelianum's Bürger verspotteten also die Schwimmer,
Rufend vom ragenden Thurm: Huldigt, ihr Leute, dem Strand.
Ein Wunsch regt sich in allen, bei sämmtlichen lebt nur ein Wille,
Daß sie doch endlich erschau'n möchten des Königs Gestalt.
Endlich sind alle zur Stelle, der gütige König empfängt sie,
Jeden nach seinem Rang, so wie die Liebe ihn treibt.
Festlich in Aurelianum beschauet der Kaiser die Stadt nun,
Da wo des Kreuzes Panier weht, wo Du wohnst, Anian,
Glücklicher Geburt, der Du zuerst die Veste vollendet,
Wo Du strahlst, Maximin, auch Du, heil'ger Avit.
Von hier eilen sie gleich nach Paris, zu besuchen die Stätten,
Wo im erhabenen Dom Stephan der Märtyrer wohnt.
Wo Dein Leib, o Germanus, Du Heiligster, fromm wird verehret,
Wo Genovefa die Maid glänzt, die dem Herrn sich geweiht.
Irmin, jauchze nun froh, fleh, was du so oft dir erfleht hast,
Jetzt durch Gottes Geschenk schaust du des Kaisers Besuch.
Nicht Dein Haus, Dionys, Du Märtyrer, mocht' er vorbeigehn,
Ohne sich nahend von Dir Hülf' und Beistand zu flehn.
Weiter dann geht es von hier, sie ziehn durch die Reiche der Franken,
Friedlichen Weges betritt Aachen der Kaiser darauf.
Auf, mit Feiergebeten den Herren zu preisen, o Muse,
Lieget dir ob, aber uns woll' er den Ausdruck verleih'n.
Was nun beginn' ich zuerst, da sich all' sein Thun als vorzüglich
Zeiget und glänzen des Manns gütige Thaten so hell?
Nun denn, als nach der Satzung des Landes die Grenzen gesichert
Und die Gebiete des Reichs gleichfalls in Ordnung gebracht,

Theilt er die Schätze der Ahnen sogleich mit spendender Hand aus
Für des Vaters Erlös und für den Frieden der Seel'.
Und was die mächtigen Väter, und was Karl selber gehäuft hat,
Gab für die Armen er hin und für die heilige Kirch'.
Gold'ne Gefäße verschenkt er, und Kleider und viele Gewänder,
Häuft dann reiches Gewicht lauteren Silbers dazu,
Vielerlei Reichthum theilet er aus, unzählbare Waffen;
Armer, er spendet auch dir Gaben zu deinem Besitz.
O glückseliger Karl, der ließ einen Sprößling auf Erden,
Dem schon genügt, wenn geht himmlische Pfade sein Ahn.
Aufthun läßt er die Höhlen der Kerker und löst die Gefang'nen
Und der Verbannung entläßt fromm er manch' elenden Mann.
Wunder vollbringt er gar werth des Berichts in bewahrender Rede,
Ueber die Sterne hinaus dauert sein Ruhm nun dafür.
Gleich Sendboten erwählt er zu schicken sie über das Land hin,
Die, deren Wandel erprobt und deren Treue voll Herz,
Welche nicht mögen der Mächt'gen Geschenke noch widriges Schmeicheln,
Gunst und Uebel des Trugs abwärts beugen vom Recht,
Daß sie geschwind durchwandern die weiten Gebiete der Franken,
Daß sie Gerechtigkeit dort schaffen zugleich und Gericht.
Denen, die drängte der Vater und drückender Dienst in des Vaters
Zeit mit Bestechung und Trug, sollten sie Nachlaß verleih'n.
O wie viel und treffliche Männer, die drückte das rauhe
Recht und das goldne Gesetz, mächtig ja fordernd das Geld!
Diese befreiet der Mächtige selbst und der Ruhm der Befreiung
Freuet den Kaiser noch mehr, weil's für den Vater geschah.
Und mit der eigenen Hand vollzieht er die Schenkung zu Urkund,
Daß allzeit sie danach halten sich könnten zu Recht.
Während der krieg'rische Vater die Reich' erwarb mit den Waffen,
Stets war auf Kriege bedacht, sinnend auf diese allein,

Da wuchs auf dies Uebel in dichten Aehren gar vielfach.
Doch Du kamest darauf, Ludwig, und mähtest es ab.
Welcherlei Werke der Schlange hat er nicht vertilget auf Erden,
Was für Geschenke verlieh er nicht den Dienern des Herrn!
Fröhlich verkünden die Länder es rings und überall jauchzt man,
Mehr als ein kunstloses Lied singet, ertönt es im Volk.
Wachsend erglänzt stets heller die Kunde von ihm auf dem Erdrund,
Wie er das Reich, ihm vertraut, ordnet und rüstet und nährt.
Laden dann läßt er vom römischen Sitze den heiligen Vater,
Welchem die Mitwelt froh Stephanus Namen verlieh.
Liebreich gehorchet der Bischof und folgt der erhabenen Mahnung,
Macht sich in Eil' zum Besuch auf nach dem fränkischen Reich.
Froh ausschaute der Kaiser nach ihm von Remi der Stadt her,
Wo er dem Reichstag zuvor seiner zu warten befahl.
Jeder erscheinet. Es kehren nach Ordnung die reisenden Grafen
Heim, dem Gesalbten gebracht haben sie segnenden Gruß.
Eilend voraus kommt meldend der Bote, erhitzt von dem Wege,
Gehend mit eifrigem Schritt: nah sei der Bischof von Rom.
Da bringt Ludwig herbei den Senat und das Volk und die Priester,
Vorkehr trifft er, bestimmt, richtet es ein und bestellt,
Wer einnehme die Seite zur Rechten und welcher zur Linken,
Welchem der Vortritt gebührt, welcher dann hinter ihm folgt.
Lang ist der Zug auf der Rechten, wo stehet die Schaar der Prälaten,
Singend und ehrfurchtsvoll blicken sie hin auf den Papst.
Doch auf der anderen Seite da stehn die erlesenen Fürsten,
Mächt'ge des Reiches, das Volk füllet den Hintergrund aus,
Aber in Mitten der Kaiser, von Gold und Edelstein funkelnd,
Wie auch erglänzet sein Kleid, schimmert durch Frömmigkeit mehr.
Endlich nun treten sie beide sich nah von verschiedenen Seiten,
Jener durch Würden erhöht, dieser von Güte erfüllt.

Als nun der eine den Blick auf des anderen Auge gelenket,
Eilt zu umarmen in Lieb' jeder den andern sogleich.
Doch schnell grüßt mit gebogenen Knieen zuerst ihn der König
Dreimal und viermal zur Ehr' Gottes und Peters zugleich.
Ihn zieht Stephan empor im Gebet, mit den heiligen Händen
Hebt er vom Boden ihn auf, küßet ihn froh mit dem Mund,
Bald auf Augen und Mund, auf die Stirne, die Brust und die Schulter
Küssen einander die zwei, König und frommer Prälat.
Dann in den Händen die Hand, mit den Fingern die Finger umfassend,
Geht in den heiligen Dom ein mit dem Kaiser der Papst.
Erst durch die Kirche nun wandeln sie hin und dankend von Herzen
Rufen den Herren sie an lobend und preisend im Lied.
Kehren nach Hofe dann heim, hineilend zum festlichen Gastmahl,
Setzen sich, über die Hand sprengen die Diener das Naß.
Würdiges Mahl wird gehalten, sie kosten die Gaben des Bacchus,
Und zum frommen Gespräch regt sich die Lippe dabei.
„O Du heil'ger Prälat, Du Hirte der römischen Hürde,
An apostolischer Statt weidend Sankt Peters Gemeind',
Welch ein Beweggrund, sagte der Kaiser, hat nun Dich zu diesem
Lande der Franken gebracht? Antwort ertheile darauf."
Der, wie er sanft von Gemüth, spricht also friedvollen Herzens,
Wieder und wieder den Blick lenkend zum Könige hin:
„Eben der Grund, der die Königin Saba's in Liebe zum Weisen
Einst durch mancherlei Volk, Wasser und Schnee hat geführt,
Der hat zu Deinem Pallaste hieher mich jetzo getrieben,
Der Du Bewirthung mir giebst völlig nach Salomo's Art.
Fürst, schon länger gelangte zu meinen Ohren die Kunde,
Wie Du dem Volke des Herrn väterlich Hülfe gebracht,
Und wie fern in die Welt hin Deine Verdienste erglänzen.
Thuend an Glaub' und Talent weit es den Ahnen zuvor.

Da vermochte durchaus kein hindernder Umstand zu brechen
Meine Beschlüsse, zu sehn selber mit Augen Dein Thun.
Nicht war im Stande die Rede, so mächtige Thaten der Liebe
Treu mir zu schildern wie Du nun mir vor Augen gestellt.
Drum der Königin Wort erzähl' ich Dir jetzo von Neuem,
Welches vor Salomos Ohr selber sie damals gebracht.
Als sie den König erblickt und die Diener in reichen Gewändern,
Seine Schenken dazu, dann auch das glänzende Haus:
„O wie glücklich die Diener, ja glücklich sogar sind die Knechte,
Welche da stehen und schau'n wie Du so Herrliches schaffst.
Selig auch wer kann lauschen mit frommem Ohr wie Du redest,
Ebenfalls glücklich das Volk, selig zugleich ist Dein Reich.
Hoch sei gelobet der Herr in der Höhe mit ganzem Gemüthe,
Der Dir als Vater gewährt solch' einer Weisheit Besitz,
Der es so fügt' und den Thron des Vaters zu Eigen gewährt hat,
Und der den Seinen zu Lieb' Dich über sie hat gesetzt.
Hiermit grüßte den mächtigen Fürsten die Königin Saba's
Hiermit hab' ich gewagt Dir nun in Demuth zu nahn.
Doch weit besser bist Du, mit Recht erscheinst Du gewalt'ger,
Jener verblieb in der Nacht, während Du Wahres verehrst,
Weise genug war jener, doch ist er der Liebe gewichen,
Du bist weise, Du lebst keusch in der Liebe zu Gott.
Jener war nur der Gebieter der Israelitischen Veste,
Doch Du herrschest mit Macht über Europa gar fromm.
Rufen wir also zusammen den Herrn mit reichem Gebet an,
Daß für die fernste Zeit er Dich den Seinen bewahrt."
Dieses und anderes sagte zum Gruße der Bischof dem hehren
König, es bringt auf den Papst solches der Kaiser auch aus.
Häufig nun kreisen die Becher und Bacchus berührt die geneigten
Herzen, es jauchzet das Volk stimmend in Freud' überein.
Auf nun stehn sie beim Schlusse des Mahles verlassend die Tische
Und zum geheimen Gemach geht mit dem Kaiser der Papst.
Bringen die Nacht dann hin mit Geschäften und mancherlei Arbeit,
Jedes besorgend; der Schlaf blieb ihren Augen entfernt.

Frühe des Morgens berufet der Kaiser den Papst und die Fürsten
Nebst dem Senate, doch sie folgen des Königs Befehl.
Da saß hoch auf dem Thron in festlichem Kleide der Kaiser,
Vieles erfüllt sein Gemüth, was zu beginnen er sinnt.
Seiner befreundeten Rechten gesellte den Heil'gen ein gold'ner
Sessel und jeglicher Fürst sitzet nach Ranges Gebühr.
Drauf sprach Ludwig der Fromme zum Papst und den Schaaren der Diener
Goldene Worte zuerst also mit deutlicher Stimm':
„Fürsten, vernehmet nun dieses, und Du hochheiliger Bischof,
Und blickt einigen Sinns auf das gemeinsame Wohl.
Siehe, mir gab der allmächtige Gott in Erbarmen des Vaters
Reich zum Besitze, dazu schenkt' er mir jeglichen Preis.
Nicht für eigne Verdienste, so glaub' ich, vielmehr aus Erbarmen
Gab mir die Würden der Herr, welche mein Vater besaß.
Drum die Getreuen ersuch' ich und Dich, höchst ruhmvoller Bischof,
Daß ihr eueres Raths Hülfe mir leiht nach Gebühr.
Beistand leistet mir also, die meine Herrschaft ihr helfet
Wahren, ihr Diener und Du, heiliger Priester dazu,
Daß mein Volk und der Klerus, der Arme sowohl wie der Große
Möge mit meinem Geheiß folgen des Vaters Gebot.
Heilige Regel der Väter umschließ' im Orden den Klerus,
Altehrwürd'ges Gesetz möge verbinden das Volk.
Nach Benediktus Gebot soll wachsen der Orden der Mönche,
Trachtend durch Wandel und Sitt' einzig nach himmlischer Speis'.
Achtung erweise der Reiche dem Recht, das den Armen auch bindet,
Ansehn werde versagt oder Verlaub der Person.
Keinerlei Statt sei gegeben den grausen Geschenken, verlockend
Mit dem Metalle, verpönt Gaben mit Arglist dazu.
Falls wir nun weiden mit Recht die erhabene Heerde des Herren,
Die er mir gab so wie dir, o mein geliebtester Hirt,

3*

Müssen wir Böse bestrafen, mit Gaben Gerechte belohnen
  Und wir heißen das Volk folgen der Väter Gebot.
Dann wird Gott in der Höh' uns sammt dem gehorsamen Volke
  Voll von Erbarmen verleihn himmlisches seliges Reich.
Und auch hienieden dann wird er uns halten in unseren Ehren,
  Auch hier läßt er uns fern bleiben den grimmigen Feind.
Muster nun wollen wir werden dem Klerus, dem Volke zur Richtschnur
  Laß uns Oberste zwei weisen den Unsern das Recht.
Israel, jenes Volk das Gott sich zum Liebling erkoren,
  Welches mit trockenem Fuß schritt auf den Pfaden des Meers.
Dem in der Wüste der Herr in so viel laufenden Jahren
  Manna zur Speise verlieh, Speise die troff vom Gestein,
Dem Gott Waffen und Lanz' und Schild und ein Führer des Weges
  Ward und mit Ehren es führt in das verheißene Land;
So lang als es die Satzung des Herrn und die Lehre bewahrte,
  Hielt es in Achtung das Recht, pflegend gerechtes Gericht.
Und weil frommen Gemüths sie geliebet den einigen Herren,
  Nicht auf's Fremde gehört, sondern auf Gottes Gebot,
Schlug er vor ihnen die feindlichen Völker allmächtig danieder,
  Wandelte jedes in Glück, schaffte das Widrige fort.
O glückseliges Volk, wenn's stets den Geboten des Herren
  Folge gegeben, noch heut' stände sein glänzendes Reich.
Aber sobald es in Thorheit dem üppigen Reichthum gehuldigt,
  Ließ von dem Rechten es ab und von der Tugend zumal,
Und fiel ab von dem Herrn und verehrte die eitelen Götzen,
  Deshalb mußt' es mit Recht dulden so vielfaches Leid.
Aber der himmlische Herrscher bestraft es mit Pein und mit vielen
  Geißeln, er lehrt es und gab wieder das alte Gebot.
Als es in Jammer und Noth, zu gedenken des Herrn sich bequemte,
  Hob es sein Nährer in Lieb' wieder vom Staub' in die Höh'.
Dies Volk einzig erkannte den Herrn und theilweis gehorcht es
  Gottes Geboten und gab diesem den Vorzug allein.

Alle die übrige Menge verehrte die Satzung des Teufels,
Kannte nicht den, der sie schuf, folgend des Satans Geheiß;
Dieser beherrscht', o Jammer, die drei Welttheile der Erde,
Sämmtliches Menschengeschlecht bracht er in seine Gewalt.
Gänzlich bereits war in Abgang gerathen des Salomo Satzung,
Priester und Kön'ge, dazu Opfer und heiliger Dienst.
Schmerzen erfüllen den heiligen Schöpfer, das Wort der Erlösung
Sandt er hinein in die Welt, daß uns der Fromme erlöst.
Der wusch rein mit dem eigenen Blute die sündige Menschheit,
Gab viel herrliche Lehr', hielt zur Gerechtigkeit an;
Und er zerbrach mit göttlicher Kraft die Pforten der Hölle,
Löst die Geliebten vom Fluch, raubte dem Satan das Schwert.
Trachtend nach oben schwang er sodann sich empor in den Aether,
Hat zum Besitz uns verlieh'n, Christen zu heißen fortan.
Nun strebt jeder zu führen den Namen Christi, beeifert
Auch zu betreten den Weg, der ihm entführte sein Haupt.
Wie auch mit Hülfe des Herren die sämmtliche Welt nun erfüllet
Seiner Gläubigen Schaar und das Bekenntniß der Kirch',
Auch nicht Märtyrerthum für den Namen der Christen verlangt wird,
Weil rings tönt auf der Erd' helle der Namen des Christ;
Und die heidnische Schaar, die verschmähet die Lehre vom Herren,
Flieht von dem christlichen Speer weit in die Ferne gejagt;
Wenn auch die Väter der Kirch' und unsere eigenen Ahnen
Raubte der Tod, es umfängt nun sie die Wohnung des Herrn:
Ist's nicht sterbend vergönnt, laßt ihnen uns folgen im Leben,
Lauteren Herzens bestrebt beides in Glauben und That.
Jeglicher Mensch soll lieben den Bruder, wie mahnet Johannes,
Welchen er siehet, damit geistig er Christum erblickt.
Petrum fragte der Herr, sprich Simon, ob du mich liebest.
Dreimal erwidert ihm der: selber ja kennst Du mein Herz,

Christus darauf: bin ich wirklich dir theuer, o Petrus, so weide,
Meine Schaafe, so weit reichet der Frömmigkeit Kraft.
Drum liegt, Heil'ger, uns ob für das Volk, das vertraute, zu sorgen,
Weil es zu weiden der Herr selber befohlen uns hat.
Heiliger Bischof bist Du, ich König der Christusverehrer,
Laß uns mit Glauben und Recht hüten das Volk und mit Lehr'.
Hiezu fügte noch dieses der Kaiser mit wenigen Worten,
Welche mit liebendem Ohr hörte der heil'ge Prälat:
„Wohl, wenn sicher noch stehet Dein Recht, der Du Petrus Regierung
Leitest, von wegen des Amts weidend des Petrus Gemeind'.
Wenn aber nicht, dann mahn' ich Dich ernst, daß Du mir, o Bischof,
Alles meldest, ich will gerne vollziehen Dein Wort.
Wie die Ahnen vordem schon verwahrten die Hoheit des Petrus,
Werd auch von mir sie beschützt, Bischof, aus Liebe zu Gott."
Her dann ruft er den Diener Helisachar, seinen Geliebten,
Richtet darauf an sein Ohr folgenden frommen Bescheid:
„Schreibe mir nieder in Eil' und bring' es in sichere Urkund,
Welchem für immer ich will dauernde Geltung verleih'n.
Also gebiet' ich, es soll in dem Reich das umfängt mein Gewaltwort
Und in dem Lande das mir hat der Allmächt'ge verlieh'n,
Was nur die Kirche besitzt und des Petrus erhabener Hochsitz
Ohne Verletzung gewahrt bleiben zur Ehre des Herrn.
Wie dies Heiligthum früher, auf's Amt der Hirten gestützet,
Einnahm höheren Rang, will ich, daß dieser ihm bleibt.
Petrus Ehre soll wachsen in unserer Zeit, wie sie früher
Wuchs in den Zeiten von Karl, meinem erhabenen Ahn.
Hier noch füg' ich hinzu wie schon oben gesagt ist, o Bischof,
Welcher da sitzt auf der Burg Peters: o bleibe gerecht.
Dies ist der Grund, weshalb ich Dich bat, o Heil'ger, zu kommen
Und drum sollst Du mir sein, Frommer, ein tapferer Trost."

Wendend darauf zu dem Himmel die Blicke zugleich mit den Händen,
Betet' der Heil'ge zu Gott, also ergreifend das Wort:
„Du allmächtiger Gott, der Du jegliche Obrigkeit schufest,
Christus, sein einiger Sohn, Du noch, o heiliger Geist,
Petrus ferner, der stehet als glänzender Pförtner des Himmels,
Welcher im Netze das Volk ziehet zum himmlischen Reich,
Und ihr Bewohner der himmlischen Burg, deren Leiber nun Roma
Einschließt und mit dem Fleiß würdiger Feier verehrt,
Für die Regierung des Volks, zur Zierde des Reichs und der Kirche,
Schirmet, so fleh' ich, gar viel Jahre den König allhier.
Weit übertrifft er an Muth, durch Weisheit und Glauben der Väter
Sitten, er sorgt für die Kirch' und er regieret das Reich,
Und überhäuft mit größester Ehre die Wohnung des Petrus,
Vater und Heil'ger ist er, Nährer der Seinen und Schild."
Sprach's und eilig umschloß er ihn fest in der Freundschaftsumarmung,
Froh der eigenen Ehr' nnd über Petrus Geschenk.
Hierauf beginnt er und Schweigen gebietend für All' und für Jeden,
Redet aus heiligem Mund also der Heilige mild:
„Rom überschickt Dir, o Kaiser, die Gaben des heiligen Petrus,
Völlig des Würdigen werth und eine passende Zier."
Läßt dann bringen die Krone von Gold und Edelgesteinen,
Konstantinus zuvor trug sie, der Kaiser, dereinst.
Sie nun ergreifet sein Arm, sie segnet sein Spruch und er betet,
Haltend den schimmernden Reif, schickt er zum Himmel den Blick:
„Du der lenket die Herrschaft der Welt und regieret hienieden,
Der Du beschlossen, daß Rom bleibe dem Erdkreis das Haupt,
Hör' auf meine Gebet', ach neige, Christus, ein gnäd'ges
Ohr, das fleh' ich, und sei günstig, o König, dem Fleh'n.

Peter, Andreas und Paul und Johannes, helfet mir bitten,
Und auch Maria, des Herrn strahlende Mutter zugleich.
Lang' andauernde Zeiten erhaltet als Kaiser uns diesen
Ludwig, in weiteste Fern' sei ihm das Trübe entrückt.
Jegliches wendet zum Glück, dies bitt' ich, und scheucht in die Weite
Uebles und lange gekrönt bleib' er von Glück und von Macht.
Also sprach er und wendet darauf an ihn selbst sich in Eile,
Seine so heilige Hand ruht auf dem Scheitel des Haupts.
„Mag der Allmächtige geben, der mehrte des Abraham Saamen,
Daß Du noch Enkel erblickst, welche Dich grüßen als Ahn.
Mag er mit Söhnen Dich segnen und Enkeln doppelt und dreifach,
Daß Dir aus Deinem Geblüt wachse gar herrliche Saat,
Welche die Franken beherrsche, dazu die mächtige Roma,
Ebenso lange wie tönt christlicher Nam' auf der Erd'."
Als er gesalbt ihn darauf und die Hymnen nach Ordnung erklungen,
Setzt er den krönenden Schmuck nunmehr dem Kaiser auf's Haupt.
Dieses Geschenk übertrug Sankt Peter mit Freuden Dir liebreich;
Weil Du zu eigen ihm giebst, was als gerecht ihm gebührt.
Dann auf die Kaiserin schauet er hin, die traute Gemahlin
Irmingart, ihre Hand faßt er, sie richtend empor.
Und er betrachtet sie lang', dann drückt er den Schmuck auf das Haupt ihr
Sprechend den Segen: o Weib, Heil Dir, Geliebte des Herrn,
Dir sei Wohlsein und Leben auf lange Jahre bescheeret,
Stets vom Gemahle geliebt bleibe der Pflichten gedenk.
Und mit manchem Geschenk überhäufte sie ferner der Bischof;
Gold und Gewänder dazu, welche gekommen von Rom,
Bringet er Kaiser und Kaiserin dar und den lieblichen Kindern,
Jeglichem Diener nach Rang theilet er zu sein Geschenk.
Fürstlichen Dank erstattet dafür der erhabene Weise,
Reich mit Geschenken versehn läßt er den Stephan sogleich.

Reicht zwei Becher ihm dar aus Gold und aus Steinen gefertigt,
Draus nun der Heil'ge den Trunk schlürfe, den Bacchus bescheert.
Rosse von edelstem Wuchs und solche, wie sonst sie gewöhnlich
Bringet das fränkische Land, giebt er in Menge dazu.
Goldene Gaben man bringt, drauf folgen die Silbergefäße,
Rothe Gewänder, zugleich Linnen von blendendem Weiß.
Was noch zähl' ich es auf? Denn hundertmal ward ihm ersetzet
Was er an Gaben daher führt aus der römischen Burg.
Dies für den Priester; den Dienern verehrte der Kaiser voll Güte
Gaben mit mildem Gemüth wie einem Jeden gebührt,
Bunte Gewänder und Kleider dazu, die rings an den Leib sich
Schließen, nach gutem Gebrauch fränkischen Landes gemacht,
Rosse mit farbigem Schmuck, hochtragend den herrlichen Nacken,
Daß ihren Rücken mit Müh' konnte besteigen ihr Herr.
Froh der Gaben nun macht sich der Heilige nebst den Begleitern
Fertig, so wie er es wünscht, wieder zum Heimweg nach Rom.
Ihm zur Ehre noch wurden erlesene Boten gesendet,
Daß sie den heiligen Mann führten zurück in sein Reich.
Nach Kompendiums Schloß indessen begab sich der fromme
Kaiser gar fröhlich sodann selber mit Weib und mit Kind.
Da stirbt Bigo der Treue, man meldet dem König den Tod an,
Wehe, wie ward es ihm schwer, nun zu verlassen den Herrn.
Aber der Kaiser vertheilte sein Lehn und alle die Güter
Unter die Söhne sogleich schon ihrem Vater zu Lieb.
Endlich ertönet der Ruf ausbreitend sich über den Erdkreis,
Daß der so fromme Regent wünschet zu bessern das Reich.
Auserwählte des Klerus ernennt er, erprobte Getreue,
Die ihm im Wandel bekannt und die gefällig ihm sind,
Daß sie die Städte des Reiches, die Klöster und Burgen durchwandern,
Männer die thuen genau, wie er in Gnaden befahl.
„Auf, ihr Diener, so sprach er, auf unsere Lehne vertrauend,
Und die lehrend erzog Karl, mein Erzeuger, so gut.

Fördert mit äußerster Kraft euch mühend nun meine Befehle
Und mit frommem Gemüth nehmet zu Herzen mein Wort.
Euch erwartet ein Werk, gar schwierig zu Ende zu führen,
Aber ich denk', es ist gut und wie dem Christen gebührt.
Siehe, mit Hülfe des Herrn und der treuen Bemühung der Väter
Ist die Gemarkung des Reichs ohne Verletzung bewahrt.
Und fern scheuchte der Ruf von den Franken den Feind, den verhaßten,
Siehe wir leben in Freud' friedlich und selig in Gott.
Doch, da Kriege nicht nöthig zu fechten, so dünkt an der Zeit uns,
Daß dem gehorchenden Volk werde gebührendes Recht.
Hoheit und Ehre nun will ich der Kirche vor allem verschaffen,
Trug doch dadurch mein Geschlecht bis zu den Sternen den Ruhm.
Und mir liegt im Gemüth wie ich jüngst für das Reich Sendboten
Wählte, damit sie das Volk lenkten in Furcht vor dem Herrn.
Nun, ihr Gesandten, wohlan, faßt auf die gemess'nen Befehle,
Und durchziehet gar schnell, wie es der Brauch, mein Gebiet.
Prüft die kanonischen Schaaren, die Männer sowol als die Frauen,
Welche da wohnen vereint unter dem frommen Verschluß,
Wie es um Wandel und Würd' und Wesen und Lehre bestellt ist
Und um die Furcht vor dem Herrn und ihrer Frömmigkeit Werth.
Welches Verhältniß die Heerde sodann mit dem Hirten verbindet,
Daß da den Hirten die Heerd' liebt wie die Schaaf' er ja selbst.
Ob ihnen Kloster und Haus und Getränk' und Speisen und Kleidung
Weisen die Bischöfe zu je nach der Zeit und dem Ort.
Nimmer vermöchten sie sonst den Dienst bei dem Herrn zu erfüllen,
Wenn nicht frommen Bedachts dieses die Väter gewährt.

Aber man schätze dabei das Vermögen der Kirch' und die Aecker,
Ob sie genügen und ob weniger fruchtbar das Land.
Was ihr gefunden, verzeichnet genau in der Herzen Gedenkbuch
Und ausführlich davon sollt ihr berichten an mich,
Wen ihr gelobt, wen minder und kaum, wen garnicht, was fern sei,
Wegen des Wandels und wer hält an der Väter Gebot.
Euerem Ohr zwar hab' ich anjetzt nur mit wenigen Worten
Solches verkündet, es liegt weiter zu forschen euch ob."
Auch die Gesandten, die man erlesen vom Orden der Mönche,
Heischet der Kaiser herbei, seinen Befehl zu vollzieh'n,
Daß er sie wiederum sende, die heiligen Klöster zu prüfen,
Und er gebietet zu schau'n, ob sie im Wandel auch fromm.
Einst war ein Mann, Benediktus genannt, gar würdig des Namens,
Denn viel Männer geführt hat zu den Sternen der Mann.
Frühe durchschaut ihn bereits im gothischen Lande der König.
Weniges über sein Thun sei mir zu sagen vergönnt.
Wie er verdient, war gesetzt bei der Anianischen Hürde
Dieser zum Hirten und Abt, sanft war der Heerde sein Joch.
Als sich erfüllte das Herz des heiligen Königs mit hehrer
Sehnsucht, zu heben fortan mönchische Regel und Art,
Da war dieser der Helfer und Richtsteig, Muster und Lehrer,
Durch deß' Wirken nun Gott klösterlich Leben erfreut.
Seine heiligen Sitten beherrscht ein edeler Wille,
So weit Menschen zu schau'n möglich, war heilig er ganz.
Milde war er, geliebt und gütig und sanft und bescheiden,
Und in der heiligen Brust ruhte die Regel so fest.
Nicht nur den Mönchen allein, nein Jeglichem war er Erbauung,
Väterlich ward er ja selbst Alles für alle zugleich.
Deshalb hatt' ihn der Kaiser, der Fromme, zum Liebling erwählet
Und ihn mit sich geführt hier in sein fränkisches Reich.
Jünger von diesem nun schickte der König hinaus in die Klöster,
Daß sie den Brüdern als Norm dienten und Vorbild zugleich.

Ihnen gebeut er zu bessern was möglich, und was sie nicht können,
Für ihn selbst zum Bericht niederzuschreiben genau.
Doch Benediktus, der Priester und mit ihm Ludwig der Fromme
Nehmen das Amt in Bedacht, welches so theuer dem Herrn.
Drauf sprach Ludwig zuerst, ihn mahnend mit freundlichen Worten,
Wie er es immer gepflegt, voll von der Liebe zu Gott:
„Selbst, Benediktus, erfuhrst du, so denk' ich, wie sehr mir der Orden
Stets an dem Herzen geruht, seit ich ihn näher erkannt.
Deshalb möcht' ich so gern ein besondres Heiligthum weihen
Unfern unserem Sitz voll von der Liebe zum Herrn.
Aus drei Gründen, so glaub', hat dieser Entschluß mir im Herzen
Reife gewonnen, wovon jetzt ich erzählen dir will.
Selber ja siehst du, wie sehr der Regierung Wucht mir die Brust drückt
Mit ihrer Last; einer Welt Rechte sind allzu geraum.
Dorthin könnt ich mich dann wol ein wenig in Ruhe zurückzieh'n
Und wie dem Herrn es gefällt, beten im Stillen vor ihm.
Noch ist ein anderer Grund, daß, wie du ja selber gestehest
Dir dies Werk nicht genehm scheint für dein eig'nes Gelübd,
Daß es nicht zieme für Mönche bei weltlichem Wesen zu weilen,
Und für Geschäfte des Hofs gerne Besorger zu sein.
Dort nun könntest auch du um die Mühen der Brüder dich kümmern,
Pflegen des frommen Geschäfts, wohl zu empfangen den Gast,
Wieder von neuem gestärkt dann unseren Wohnsitz besuchen
Und an den Brüdern den Schutz üben, so wie du gewohnt.
Drittens, so ist es wol klar, wie große Gewinnste die Stiftung
Brächt', an Aachen so nah, uns und der Diener Gefolg.
Wenn nun plötzlich sich nahte das Ende des menschlichen Leibes,
Würden die Glieder in's Grab dort in dem Kloster gelegt.
Wer sich dorthin gewandt, schnell trüg' er die Weihe des Heilands,
Seinem Verlangen entspräch' gern des Kapitels Beschluß."

Als es der Heil'ge gehört, umfaßt er die theueren Kniee,
Preisend mit Lobe den Herrn, dann auch den Kaiser so fromm.
„Immer, Du Großer, erkannt' ich in Dir die edle Gesinnung,
Mag sie befest'gen der Herr, welcher das Gute verleiht.
Inda heißet ein Ort, vor Zeiten von ihnen erbauet,
Tragend den Namen vom Bach, welcher da fließt vor der Thür.
Auf drei Millien liegt er entfernt von des Königes Hofburg,
Welche gar ferne bekannt Aachen man nennet im Land,
Einst das genehmste Revier für Hirsche mit hohen Geweihen,
Bären und Büffeln bequem, Rehen der Wildniß gar lieb;
Aber der Kaiser betrieb's und reinigt die Forst vom Gethiere,
Und er erbaute mit Kunst Gott ein gefälliges Haus,
Stattet es aus in der Fülle, versah's mit herrlichen Dingen
Wo, Benediktus, anjetzt, Heil'ger, dein Orden noch blüht.
Denn Benedikt war selber zu jenem Kloster der Vater,
Ludwig, als Kaiser dazu und auch als Abt war dabei.
Oefter verweilt' er am Ort, und wieder dann eilt' er zur Hürde,
Weiset die Kosten auch an, stiftet manch' reiches Geschenk.
Ende nun, Muse, das Lied, schon folget ein anderes Büchlein
Flugs dem Bruder gesellt, freue dich, Muse, zum Schluß."

Hier endigt das zweite Buch.

Hier beginnt das dritte Buch.

Stetig erwuchs mit Hülfe des himmlischen Herren des Kaisers
Kriegsruf; jegliches Volk lebte gar friedlich und fromm.
Aber der fränkische Ruhm durch Ludwig des Hehren Verleihung
Flog über jegliches Meer, drang zu dem Himmel empor.
Da ließ alten Gebrauches der Kaiser die Fürsten der Marken
Und der Herzöge Preis eilig entbieten zu sich.
All' erscheinen zum Rathe vereint und gehorchen dem Rufe
Und ihrem Amte gemäß lautet ihr Vortrag im Rath.

Unter diesen auch war der edle Lanpreht gekommen,
Fränkischen Stammes, in Eil' kam er aus seiner Provinz.
Dieser beschirmt' das Gebiet, das früher ein feindlicher Stamm sich,
Fliegend zu Schiff über See, listig zu eigen gemacht.
Kommen einst war dies Volk von Britanniens äußerstem Ende,
Welches in fränkischem Mund Britten zu nennen man pflegt.
Denn ihres Landes beraubt, von Winden und Regen getrieben,
Nahmen sie dies in Besitz, legend ihm auf ihren Zins.
Gallier saßen zur Zeit auf jenen Fluren als Bauern,
Als dies Volk nun erschien, treibend auf salziger Flut.
Doch weil dies auch geweiht die Taufe mit sühnendem Oelzweig,
Räumen den Wald sie hinweg, ackernd in gleichem Gebiet.
Also gewannen sie Ruh. Da begannen sie grausame Fehden
Und überschwemmen das Land woll'n sie mit Gästen auf's Neu'.
Waffen man bietet den Wirthen als Zins, an Stelle des Rechtes
Kriegesgeschick und anstatt Freundschaft nur höhnenden Stolz.
Francien aber bezwang mit vielen Triumphen die Reiche,
Die es eben an Macht stärker als jene befand.
Deshalb ließ man das Ding so viele Jahre dahingehn.
So wuchs stetig das Volk, füllend sein ganzes Gebiet,
Und die fränkische Mark zu verletzen wagt es im Hochmuth;
Nicht mehr genügt ihm das Land, dem es als Fremdling sich naht.
Thöricht, dazu unkundig, gewöhnt nur an Gallierkriege,
Hofft' es Sieger zu sein über die Franken so flink.
Also fraget nach altem Gebrauch, wie gemeldet, den Lanpreht
Ludwig, begehrend von ihm Rechenschaft jeglichen Dings:
„Wie dies Volk anbetet den Herrn mit Diensten und Glauben,
Welcherlei Ehren genießt reichlich die Kirche des Herrn,
Wie die Gesinnung des Volks, wie's steht um das Recht und den Frieden,
Ob man den König auch ehrt, wie man der Noth sich erbarmt.
Wie es dann ferner bestellt um die Sicherheit unserer Marken,
Sage mir's an nach der Reih', Franke, so ist es mein Wunsch."

Ihm entgegnete drauf mit getreuen Gesinnungen Lanpreht;
Ehrerbietig genaht küß't er dem Kaiser das Knie:
„Lügenhaft ist dies Volk, so beginnt er, und stolz und rebellisch
Immer gewesen bisher, sämmtlicher Tugenden baar.
Treulos trägt es allein die Benennung der Christusverehrer,
Thätige Werke wie Dienst Gottes und Glaube sind fern.
Nicht ist Sorge vorhanden um Waisen und Witwen, so wenig
Als um Kirchen, es sind Bruder und Schwester vermählt.
Dort entreißet das Weib dem Bruder der Bruder und alle
Leben in Schanden des Bluts, thuend unsägliche Gräul.
In Dornbüschen, da ist ihr Verkehr, im Dickicht die Schlafstatt,
Und nach Weise des Wilds freut sie das Leben vom Raub.
Nicht Ansehn des Gerichts ergreifet Besitz von der Mahlstatt,
Auf in die Ferne geschencht fliehet die Hegung des Rechts.
Murman heißet mit Namen, der dort als König gebietet,
Wenn der König mit Recht heißet, da nichts er regiert.
Oefter in uns're Gebiete gelangten sie durch ihre Züge,
Doch nicht kehrten sie heim ohne Verluste von uns.“
Also sprach Lanpreht, dem solches erwidert der Kaiser,
Schimmernd von hohem Verdienst, würdevoll, ruhig und fest:
„Ganz unerträgliche Ding', kaum glaublich bei dem Berichte,
Sind's, Lanpreht, die dein Mund unserem Ohr hat vertraut,
Daß mir die Fluren ein fremdes Geschlecht so für nichts kann bebauen
Und hochmüthigen Krieg gottlos den Meinen erregt.
Sieh', frei steht es und ziemt, mit dem Schwert dies Wesen zu tilgen,
Falls nicht das Meer ihnen bringt Zuflucht und Hülfe zugleich.
Besser jedoch, daß selbigem König ein Bote gesandt wird,
Der ihm melde genau unser Begehren zuvor.
Ward doch auch dieser König benetzt von der heiligen Taufe,
Deshalb ziemet es sich, daß wir vermahnen ihn erst.“
Und nun ruft er den Witchar herbei, der grade zugegen,
Ein vortrefflicher Mann, klug und im Urtheil gewandt.

Wichart, eil' dich und bring' dem Tyrannen unseren Auftrag,
Welchen wir ernstlich gemeint, ganz wie dir selbst ich befahl.
Sieh', er bebaut mein geräumiges Feld, dem elend und irrend
Kommend zur See er genaht', er und sein ganzes Geschlecht.
Will nun weigern den Zins und gar noch Fehd' uns bereiten,
Und läßt gegen uns aus Drohungen, rüstend den Krieg.
Denn seitdem mir der Herr des Vaters Länder verliehen
Nebst des Reichs Diadem, wie auch die Bitten des Volks,
Ließ ich ihn noch einstweilen, zu warten ob er als Lehnsmann
Kommend zu Hofe bei mir Recht sich zu holen bequemt.
Mehr schon wanket und mehr sein gottloser Sinn und in blanken
Waffen nun drohet er uns Krieg der abscheulichsten Art.
Jetzt, jetzt ist's an der Zeit, nicht mag der Unselige täuschen
Sich und die Seinen, er soll bitten die Franken um Fried'.
Wenn aber nicht, dann eile hierher und melde daheim mir
Jegliches.“ Solchen Befehl gab auf den Weg ihm der Fürst.
Witchar auf reisigem Roß bricht auf das Gebot zu erfüllen,
Ihm war der König bekannt, gleichfalls sein Haus und das Land.
Nämlich gar herrliche Güter, des Königs Gebiete benachbart,
Hatte verliehen dem Abt Witchar des Kaisers Geschenk.
Dort ist ein Ort von Wäldern und lieblichem Flusse umgeben,
Mitten in Hecken und Feld liegt er im Moore versteckt,
Drinnen das stattliche Haus, rings glänzend vom Schimmer der Waffen,[1]
Damals grade gefüllt ganz von der Krieger Gewühl.
Stets fand Murman besonders an diesem Orte Gefallen.
Sicher war dort ihm die Ruh und gar gelegen der Ort.
Dorthin grade war hurtig der eilige Witchar gekommen,
Und fragt, ob er wol kann sprechen den König sogleich.
Als Murman nun erkannt, der Gesandte von Ludwig dem hehren
Cäsar sei zu ihm gelangt, schwindet sogleich ihm der Muth,

1) recurserat der Handschrift giebt keinen Sinn. Vielleicht ist zu lesen reluxerat oder reluxserat. Die Buchstaben r und x sind zuweilen ähnlich.

Und auf daß er durchschau' das Begeben so wichtigen Falles,
Heuchelt er Hoffnung im Blick und er verdecket die Furcht;
Fröhlich wird er und heißt mit Gewalt sich freu'n die Genossen.
Endlich unter sein Dach ruft er den Witchar herbei.
„Sei willkommen, o Witchar, ich Murman rufe dir Glück zu,
Daß den Kaiser dir schmückt Frömmigkeit, Frieden und Schwert.“
Dann sprach Murman, wieder an ihn sich wendend, die Worte,
Küßt ihn, wie es Gebrauch: „Witchar, auch du sei gegrüßt,
Heil sei, fleh' ich, dem Herrscher im Frieden und dauerndes Leben,
Und er regiere sein Reich vielfache Jahre getrost.“
Nieder setzen sie sich und schicken von dannen die Diener,
Und im Wechselgespräch tauschen die Worte sie aus.
Erst nimmt Witchar das Wort, er verkündet was ihm befohlen.
Murman, schwankenden Sinn's, leihet der Rede das Ohr.
„Mich schickt Ludwig zu dir, der Gebieter über den Erdkreis,
Welcher den Franken ein Stolz und für die Christen ein Schmuck.
Friedlich und gläubig vor allen und Niemand weichend im Kriege,
Stark in Erkenntniß sowol als in der Frömmigkeit Werk.
Siehe du baust sein geräumiges Feld, dem elend und irrend,
Kommend zur See, du genaht, du und dein ganzes Geschlecht,
Willst nun weigern den Zins und gar noch Fehde beginnen,
Hast auch den Franken gedroht, gegen sie rüstend den Krieg.
Jetzt, jetzt ist's an der Zeit, nicht magst, Unsel'ger, du täuschen
Dich und die Deinen, hieher komm und erbitte dir Fried'.
Dieses befahl mir der Kaiser. Aus eigner Bewegung in Kürze
Füg' ich noch dieses hinzu, Murman, aus Liebe zu dir.
Wenn freiwillig du jetzt die Gebote des Königs erfüllest,
Wie er zuvor dich ermahnt selber mit frommem Gemüth,
Und dir erwünscht mit den Franken in dauerndem Frieden zu leben,
Wie es geziemet, gar noth thut es den Deinen und dir;

Mache dich auf, unterwirf dich dem milden Spruche des Königs,
Nicht dein Eigen, vielmehr zahle die Schuld für dein Lehn.
Ach sei besorgt für dein Land, ich beschwör' dich und all' deine Leute.
Sorge für's eigne Geschlecht und für dein ehelich Glück,
Und noch dazu, da du fröhnest dem Aberwitz, lassend vom Glauben,
Lügen der Väter befolgst, du und dein sämmtliches Volk.
Er, der so Fromme, wird sicher dich senden zum eigenen Lande,
Und dir ein größres Geschenk obendrein geben dazu.
Wärest du noch so gewaltig, gewaltige Länder beherrschend,
Hättest ein zahlreich Heer, sämmtlicher Ritterschaft Preis,
Eilten zur Abwehr herbei dir Stämm' und Völker wie damals
Turnus der Rutuler Heer und auch Camilla zu Roß,
Und italische Schaaren und alle Latiner die kamen,
Ueber Aeneas jedoch siegen, das konnten sie nicht.
Ständen Odysseus und Pyrrhus dir bei und der Kämpfer Achilles,
Auch die Pompejus geführt gegen den Cäsar zur Schlacht:
Doch wär's nicht dir gegönnt im Krieg mit den Franken zu rechten,
Deren Gebiet du bewohnst, deren Belehnung dich nährt.
Jeglicher wird sie für einmal genugsam im Kriege verspüren,
Er und sein ganzes Geschlecht, welcher den Krieg auch beginnt.
Keinem weichet der Franken Geschlecht in krieg'rischer Tugend,
Siegend durch Liebe zu Gott, siegend durch gläubige Kraft.
Freut sich des Friedens und wider den Wunsch nur greift's zu den Waffen.
Hält sie's einmal im Arm, wehe, wer gegen sie ficht.
Doch wer Waffenbrüderschaft sucht bei ihnen in Treue,
Sorglos kann er fortan leben gar friedlich und fromm.
Eil' dich, sonder Verzug, daß nicht in die Quere des Irrsals
Böslicher Sinn dich dahin trage, der lauert auf dich."
Erdwärts senket gar lange das Antlitz jener, er heftet
Nieder das Aug' und es stampft zornig den Boden sein Fuß.

Fast schon hatte den Wankenden Witchar mit freundlicher Rede,
Dann auch mit Drohungen, die wohl er berechnet, gebeugt,
Als mit vergiftetem Sinne die listige Gattin herbeieilt
Aus der Kammer und stolz Murman begrüßt, wie sie pflegt,
Küssend zuerst ihm das Knie, und küssend sodann ihm die Schulter,
Küssend den Bart und den Mund, küssend ihm endlich die Hand.
Geht und kommt, ihn listig umkreisend, mit Absicht ihn zupfend,
Suchet voll Tücke sodann dienstlich ihm irgend zu sein.
Endlich umfaßt sie der Thor und schließt in die Arme sie zärtlich,
Handelnd nach ihrem Begehr. Und ihm gefällt wie sie thut.
Doch die Unsel'ge belagert sein Ohr und flüstert ihm oft zu
Und entwendet gar bald Sinn und Verstand ihrem Mann.
Wie in der Forst ein Haufen von Hirten in Zeiten der Kälte
Eilig zum Feuer herbei schafft das gehauene Holz:
Schnell bringt der das Erlesʼne, der andere Reisig zu trockner
Nahrung und jener sodann bläst voll Verlangen es an.
Flammend schon flieget die Lohe hinauf und steigt zu den hohen
Sternen, den Hirten bereits wärmt sich der starrende Leib,
Siehe da stürmt Platzregen und Schnee und Gewitter und Hagel
Plötzlich mit Tosen daher, rings in den Wäldern es kracht.
Mit Widerstreben erlischt vom strömenden Regen das Feuer,
Und wo die Glut sich erzeugt, steiget nur Rauch noch empor,
So erstickte das rasende Weib auch die Worte des guten
Witchar, die schon in der Brust hafteten ihrem Gemahl.
Grimmig betrachtet sie dann von der Seite sogar den Gesandten
Mit hochmüthigem Blick, fragend mit eigener List:
„Sag', o König und Zierde des stolzen Geschlechtes der Britten,
Der mit der Rechten des Ahns Namen zum Himmel erhob,
(Dafür gelangt' als Lohn auch ein solches Weib zum Pallast dir,)
Singt dir ein friedliches Lied oder zum Kriege der Gast?"
Lächelnd zu jener darauf sprach Murman die trügenden Worte:
„Dieser ist fränkischerseits mir als Gesandter geschickt.

4*

Bring' er mir Fried' oder Fehde, so sind dies Dinge für Männer,
Kümmre dich, Frau, wie geziemt, nur um dein eignes Geschäft."
Als die Rede Witchar gehört, die der frühern entgegen,
Warf er dazwischen sogleich folgendermaßen das Wort:
„Murman, sprach er, gieb an, was soll ich dem Könige sagen,
Denn jetzt ist's an der Zeit Antwort zu bringen an ihn."
Jener jedoch, der wälzt in der Brust die traurigen Sorgen,
Sprach: „Vergönnet als Frist sei mir die Nacht zum Entschluß."
Nun sank nieder der Schlaf den irdischen Menschen und wieder
Führten zum Himmel empor Helios Rosse den Tag.
Witchar, der Abt, kommt eilig mit erster Frühe zu Murman's
Pforte herbei und begehrt, daß er ihm sage sein Wort.
Endlich erscheint der unselige Murman, ganz noch versunken
Ist er in Wein und in Schlaf, kaum kann er öffnen das Aug'.
Trunken stößt er hervor aus lallendem Munde den Auftrag,
Welcher in künftiger Zeit nimmer behagen ihm soll:
„Geh' denn, melde zurück an den König in Eile die Worte:
Weder bebau' ich sein Land, noch auch begehr' ich sein Recht.
Ihm sei genug an den Franken, es hält nach Gebühren der Britten
Scepter Murman, den Zins weigernd und jeden Tribut.
Wollen die Franken den Krieg, gleich will ich den Krieg ihnen schaffen,
Nicht ist die Rechte mir schon also geschwächt für den Kampf."
Drauf sprach Witchar: „Est ist mir erzählt, daß stets im Senat man
Sagte, was nun ich selbst künde mit sicherem Blick,
Daß du den schwankenden Sinn, die Gedanken, die gänzlich des Herzens
Antrieb verändert, geerbt habest von deinem Geschlecht.
Einzig vermochte das Weib nur zu schwächen den Willen des Mannes
Und ihm flüsternd in's Ohr wankend zu machen den Sinn.

Also bezeugen es schon des Königes Salomo Sprüche,
Welche verkündet und ehrt häufig die heilige Kirch'.
Nimm aus der Lohe das Holz, bald wird auch das Feuer verlöschen,
Schaffe die Hetzer dir fort, siehe der Hader entflieht.
Doch da du jetzt nicht willig zu folgen unserem Rathschlag,
Sag' ich als Seher dir wahr und als ein rechter Prophet:
Wenn erst Francien höret von deiner frevelnden Botschaft,
Wird es in grimmigem Zorn brechen herein in dein Land.
Alsdann werden dir Schilde zu Tausenden starren entgegen,
Und wirst übergenug haben am fränkischen Speer.
Deine Fluren erfüllet in dichtesten Haufen der Heerbann,
Dich und die Deinen sodann führen gebunden sie fort.
Oder du stirbst elendig und liegest verlassen im durst'gen
Sande, der Sieger mit Stolz trägt dir die Rüstung davon.
Nicht auf den Wald und das bebende Erdreich des Sumpfes verlaß dich,
Da durch den Forst und den Wall rings ist umschlossen dein Haus."
Jenem erwidert darauf Murmanns rasenden Herzens,
Und sich erhebend vom Sitz redet der Britte voll Stolz:
„Tausend Wagen, gehäuft mit fertigen Speeren, besitz' ich;
Muthvoll zieh' ich damit ihnen entgegen in Eil'.
Auch viel Schilde bewahr' ich, obgleich nur schwarze, da weiß sind
Eure. Doch fehlet es mir gänzlich an Furcht vor dem Krieg."
Solches entgegneten beide mit Reden sich untereinander,
Dennoch wurde dadurch beiden nicht einig der Sinn.
Dann ging Witchar als Träger der Botschaft eilig von dannen,
Und vor den König so fromm bringt er das frevelnde Wort.
Drauf durchmustert der Kaiser der Franken die Blüthe der Reiche,
Und er gebietet sogleich, daß man sich rüste zum Krieg.
Hart an der See ist ein Ort, wo die flutenden Wogen des Liger
Weithin furchet das Meer, hastig sich drängend hinein.

Veneda[1] nannten's mit Namen die alten Gallier einstmals,
Reich an Fischen, zugleich hat es in Fülle das Salz.
Sehr oft suchten die Schaaren verderblicher Britten verwüstend
Heim den Ort, wie gewohnt holend die Beute des Kriegs.
Also der Kaiser befehligt die Franken und dienenden Stämme
Dorthin durch sein Gebot, macht sich auch selbst dahin auf.
Erst nach dem alten Anspruch der Ehren erscheinen die Franken,
Welche des Krieges gewohnt haben die Waffen zur Hand.
Ueber die glänzenden Fluten des Rheins her kamen der Schwaben
Tausend, in Haufen getheilt, hundert ein jeglicher zählt.
Dann folgt sächsisches Volk, mit weiten Köchern bewaffnet,
Und es gesellt sich sodann ihnen der Thüringer Schaar.
Jugend auch sendet in Menge Burgundien, und es verstärket
Reichlich das fränkische Heer, bringend viel Männer herzu.
Herzuerzählen die Völker Europens, unendliche Stämme
Thu' ich Verzicht, da die Zahl dennoch sie nimmer umfaßt.
Ruhigen Weges durchzog die eigenen Reiche der Kaiser,
Bis der Erhabene kehrt ein in der Burg von Paris.
Hier nun besucht er Dein Haus, Dionys, Du heiliger Zeuge.
Dar bringt Gaben ihm dort Hiltwin, der mächtige Abt.
Von hier ging er zu Deiner Behausung, o heil'ger Germanus,
Stephan dem Märtyrer auch und Genovefa, zu Dir.
Langsam zieht er darauf ins Gebiet der Aurelianenser,
Dann tritt ein in die Stadt Vitry der Fromme, woselbst
Du, Matfridus, ihm hast gar herrlich die Wohnung bereitet,
Bringest auch Gaben ihm dar reich und gefällig zugleich.
Häufig besucht er von hier ausgehend die Stadt die genannt ward,
Daß ihn wappne das Kreuz, wünscht er, mit Gnaden und Trost[2].
Siehe du kommst ihm entgegen, o Jonas, du heiliger Bischof,
Nach Verlangen und Pflicht Ehrfurcht zu zeigen bereit.
Drauf in Eile gelangt er zu Deiner Burg, Anianus,
Und er begehrt für den Krieg, daß man ihm Hilfe gewährt.

1) Vannes, sieben Meilen von der Loiremündung. — 2) Die Kirche des heiligen Kreuzes zu Vitry ist gemeint.

Häufig sodann, Durandus, erbietest du wieder und wieder,
Was dir des Kaisers Geschenk früher als eigen verliehn.
Dann zu Martinus von Tours, des Erhabenen, Dome gelangt er,
Zu Sankt Moritz darauf, Heil'gem und Märtyrer auch.
Siehe schon nahet die Zeit und es eilet, Abt Fridugisus,
Jauchzenden Herzens erblickt hast du: der Kaiser ist da.
Bringst ihm große Geschenk'; es flehet der hehre Martinus,
Daß ihm verleihe der Herr sichere Fahrt für den Zug.
Fröhlich gelangte der Kaiser sodann nach Angers der Stadt hin;
Heil'ger Albinus, er naht um zu verehren Dein Grab.[1]
Ihm kommt Helisachar, sein Theurer, entgegen mit frohem
Herzen, und fleißig vermehrt er auch des Königes Macht.
Hierauf begiebt sich der Kaiser zur namnetensischen Stadt hin,
Und mit Gebeten und Flehn tritt er in jegliche Kirch'.
Schon empfängst du den König, o Lauprecht, den du so lange
Heiß dir ersehnet und bringst reichliche Gaben ihm dar.
Zu den verhaßten Britannern begehrst Du, Kaiser, zu ziehen,
Mag Dir gefallen, daß er selber zu Hilfe Dir kommt.
Doch von den übrigen Schaaren der Grafen und Mächtigen schweig' ich,
Weder die Zahl noch Macht aller hat Jemand gezählt.
Endlich nach Veneda geht der erhabene Kaiser, nach alter
Sitte zu ordnen den Krieg, Oberste setzend dem Heer.
Murman aber, der Britte, beharrte voll Stolz in dem Vorsatz,
Daß er den Krieg mit dem Schwert führt' und der eigenen List.
Nochmals schickte der Kaiser, mit frommer Milde wie sonst auch
Handelnd, sogleich an ihn ab Boten, die jedes bestell'n.
„Frag' den Unseligen, spricht er, was ihn für ein Wahnsinn verblendet,
Was er beginnet und uns zwinget zum Kriege mit ihm.
Denkt er nicht mehr der geschworenen Treu' und der Hand, die den Franken
Oft er gereicht und Karl, leistend ihm willigen Dienst?

1) S. Aubin zu Angers.

Wohin stürzt er und wird sich selber im Wahn zum Verräther,
Sich und dem eignen Geschlecht und der Vertriebenen Schaar,
Da noch dazu ein Glaube umfasset die Unsern und Seinen!
Ohne den Glauben, o weh, wird er vergehen vor Gott.
Dies sein Ziel, wenn er trotzt; er thue was unsere Mahnung
Rathet, er möge sich bald unserer Leitung vertraun,
Dann sich in Frieden und Treu' mit der christlichen Heerde verbinden
Und in Liebe zum Herrn lassen den teuflischen Krieg.
Wenn aber nicht, wie schwer's mir auch wird, dann künd' ich ihm Fehde,
Und eine harte gewiß wird's und gewaltige sein."
Hin und zurück geht eilig der Bote, des Königes edle
Worte bestellt er genau, schilt und vermahnt ihn zugleich.
Jener Verworf'ne, geweiht nach Verdienste dem bösen Verderben,
Weiß nicht zu halten die Treu', weigernd sich mildem Gebot.
Trotzigen Sinn's antwortet er rauh. Denn grimme Gedanken
Hegt er, es treibt ihn dazu hochmutherfüllet sein Weib.
Krieg nur begehrt er und rufet zum Kriege die sämmtlichen Britten,
Hinterhalt ordnet er an, Listen bereitet er vor.
Doch es vernimmt mit dem Ohre der Kaiser, was ihm der stolze
Britte gesagt, er befiehlt, kund es den Franken zu thun.
Zürnend darüber erhebt sich das Heer zum Marsche, da längst schon
Alles zum Kriege bereit, schrecklich ertönt die Posaun'.
Aber der fromme Gebieter ernennt gar stattliche Wächter,
Allen in Liebe zu Gott kündend ein solches Gebot:
„Männer, bewahret in Ehren die Kirchen, an heil'ge Gebäude
Rührt nicht, fürchtend den Herrn, lasset die Kirchen in Fried'."
Von Drommeten ertönt schon das Feld und es schallt in den Wäldern,
Ueber die Fluren dahin tönet der Stoß in das Horn.
Alles betritt man, der einsame Pfad wird lebhafte Straße,
Rings von dem fränkischen Heer werden die Felder erfüllt.

Und man verschafft sich das Mahl, in Büschen und Sümpfen verborgen,
 Wie es der Boden, das Land und die Geschicklichkeit beut.
Arme Menschen und Schaaf' und Rinder, man raubet sie sämmtlich,
 Heimlich verbleibt kein Ding, jegliche List wird entdeckt.
Nicht giebt Rettung der Sumpf, nicht Burgen in Hecken von Dornen
 Sichern die Männer, es rafft alles der Franke hinweg.
Aber er schont die Kirchen, so wie der Kaiser geboten,
 Jegliches andere Haus wird von den Flammen verzehrt.
Doch die trauten sich nicht im offenen Felde den Franken
 Fehde zu bieten. Du fliehst, trotziger Britte, den Kampf.
Fern in Dornen versteckt, im Dickicht der buschigen Bäume
 Zeigen sie da sich und dort, fechtend allein mit Geschrei.
Wie von dem Eichbaum sinket das Laub, wenn Frost sich genahet,
 Oder der Regen im Herbst und in der Hitze der Thau:
Grade so füllten die Horste des Wilds die geängsteten Britten
 Rings mit Leichen und nicht minder der Sümpfe Revier;
Gräulichen Krieg man führet auf engen Pfaden des Waldes,
 Und in die Häuser gebannt meiden sie jeglichen Kampf.
Rings ist, Murman, bereits erforscht dein Land und eröffnet
 Jeglicher Winkel des Walds und auch dein stolzer Pallast.
Murman indeß, in der dornichten Burg drängt heftig zum Aufbruch,
 Tummelnd das Roß und ergreift das ihm vertraute Geschoß.
Und zu den Seinen redet er froh und saget viel stolze
 Worte hervor aus der Brust und er vermahnet sie lang:
„Ihr nun bewahret das Haus, o Gattin und Kinder, ihr Diener
 Schützet die Wohnung im Wald wacker und fürchtet euch nicht.
Aber mit weniger Männer Geleite, damit um so sich'rer
 Ich erspähe das Heer, will ich nun gehen dahin.
Doch ich gedenke beladen mit Raub und gewonnenen Waffen
 Schnell mit dem Rosse daheim wieder zurücke zu sein."
Selbst dann waffnet er sich und das Roß und die treuen Genossen,
 Waffnet auch jegliche Hand gleichfalls mit einem Geschoß.

Hurtig besteigt er das Pferd und spornt es mit spitzigem Stachel,
Haltend den Zügel, im Kreis dreht sich das muthige Roß.
Sprengend zum Thor dann läßt er sich bringen gewaltige Humpen
Weines, er hebt sie empor, leeret sie dann, wie gewohnt.
Fröhlich umarmt er sein Weib und die Kinder, wie sonst, in der Mitte
Sämmtlicher Diener, er drückt zärtlich sie küssend an's Herz.
Häufig sodann in den Händen die Lanze wirbelnd begann er:
„Theueres Weib, nun vernimm, was ich dir sagen noch will.
Jene Lanzen da, welche du siehst und welche dein Murman
Schwingt mit den Händen, gar froh sitzend auf muthigem Roß,
Sollst du noch heut', so nicht alles mich täuscht, mit dem Blute der Franken
Röthlich gefärbt dir beschau'n, wenn ich nach Hause gelangt.
Keine, so denk' ich, du Theure, wird senden vergeblich die Rechte
Murmans; lebe denn wohl, theuerstes Weib, lebe wohl."
Sprach's und trabend in Eile verschwand er im sonnigen Walde.
Auf dich stürzen im Rausch will sich, o Ludwig, der Thor.
Auf zu den Waffen mahnt er die Freunde vertrauenden Herzens,
Vorwärts reiten sie froh, jeder begehrt nach der Schlacht.
„Schaut, ihr Jünglinge, hin, wie die fränkischen Schaaren verwüsten
Unsere Fluren, hinweg schleppen sie Menschen und Vieh.
Wo ist der Muth meines Volks und der Ahnen dereinst so gepries'ner
Ruhm? Nicht mag ich, o weh, reden vergeblich auf's Neu'.
Sieh', ihr erblickt wie sich bergen im Wald die elenden Bürger
Und nicht wagen im Feld sich zu gestellen dem Feind. -
Nirgend ist Treu bei dem Worte. Der eidliche Handschlag des vor'gen
Jahrs, wo ist er? Es will keiner den fränkischen Krieg.
Sieh', rings sind sie die Herrn, froh stehlen und rauben sie unser
Brittisches Eigen, so lang' früher in Fülle gehäuft.
Wäre mir günstig das Glück, und könnt' ich den König erblicken,
Sendet' hinüber ich ihm gerne dies Eisengeschoß

Und an Stelle des Zinses verehrt ich ihm Eisengeschenke;
Stürmte dann rasch in den Kampf, völlig vergessend mich selbst.
Denn das wär' ein Genuß, freiwillig dem Tod mich zu weihen
Für des Volkes Gewinn und zu der Ehre des Lands."
Drauf antwortet ihm einer im reisigen Heeresgefolge,
Wahrheit redend allein, die ihm jedoch nicht genehm:
„König, aus traurigem Herzen hervor dringt eitele Rede,
Mehr taugt schweigen, als was jetzo zu sagen uns bleibt.
Weithin nehmen die Franken zu Tausenden unsere Flur ein.
Zahllos stöbern sie durch Wälder und dichtes Gebüsch.
Selber ihr König, umringt von gewappneten Schaaren gar vornehm,
Reitet auf offenem Weg sicher in deinem Gebiet.
Schreckliches Volk, rings dehnt es sich aus weit über den Erdkreis,
Dessen Befehlen sich muß fügen ein jeglicher Mensch.
Ist es dir recht, Murman, so verfolge, die dort du vereinzelt
Gehn siehst, gieb es nur auf, daß du zum Könige dringst."
Der wiegt sinnend das Haupt, doch endlich redet er also:
„Richtig gesprochen fürwahr, wenn's mir auch nimmer gefällt."
Ach, viel Thränen erfüllten die Wangen und Schmerzen den Busen,
Hierhin und dorthin in Angst jagt sein verwirrtes Gemüth.
Dann stürzt grad' in die Schlacht sich der Feind voll stürmischer Eile,
Diesen durchbohrt er das Kreuz, andern die kräftige Brust.
Linkshin rast er und rechts mit den Waffen, darauf schon berechnet,
Wie es sein Vater gepflegt, flieht er und kehret zurück.
Zahlreich liegt schon der Haufe der Hirten und Schäfer zerstreuet,
Wo sie getroffen die Wuth, welche den Murman erfüllt.
Gleich der Bärin im Grimm, die eben die Jungen verloren,
Kommt er und geht er vor Wuth knirschend in Wald und in Feld.
Coslus genannt war ein Mann, entsprossen von fränkischem Blute,
Nicht von dem ersten jedoch, noch auch von edelem Haus.

Einfach war er nur Franke, von dem blos wenige wußten,
Welchem die tapfere Hand Namen und Ruhm nun gewährt.
Diesen erblickt Murman im Gefechte von Weitem und eilig
Sprengt er vertrauend dem Roß hitzig sogleich auf ihn los.
Aber nicht minder vertrauet auch jener den treulichen Waffen,
Stürzet in Eil' auf ihn zu; beide sind muthig zum Kampf.
Murman rufet sogleich das kränkende Wort ihm entgegen:
„Frank', es sei dir bescheert dieses zuerst zum Geschenk.
Längst schon hab' ich dir diese so freundlichen Gaben bewahret,
Doch empfängst du sie nun, wirst du gedenken an mich.“
Also sprach er und schleudert im Schwung in die Ferne die Lanze,
Jener mit Hülfe des Schild's lenkt sie gewandt von sich ab.
Drauf sprach Coslus, an Muth und an Waffen ihm weit überlegen,
Also das treffende Wort freudigen Herzens heraus:
„Deiner Rechten Geschenk, du stolzer Britt', ich erhielt es,
Nimm nun auch du nach Gebühr, was dir ein Franke bescheert.“
Murman spornend das Roß mit den Fersen, den eisenbewehrten,
Läßt es im Trabe sogleich eilen zum feindlichen Strauß.
Nicht ist jetzo die Zeit mit leichten Geschossen zu streiten.
Und mit dem fränkischen Speer stieß er die Schläfen ihm durch.
Haupt und jegliches Glied war jenem von Eisen mit Sorgfalt
Rings umschlossen, geschickt trifft ihn der fränkische Stoß.
Murman stürzet herab zur Erde, durchbohrt von der Lanze,
Gegen den Boden den Leib stemmt er, sich sträubend betrübt.
Nieder vom Roß stieg Coslus und hieb ihm das Haupt mit dem Schwert ab,
Und mit Gestöhne sogleich floh ihm das Leben dahin.
Ebenso drauf durchbohret den Coslus Murmans Gefährte,
Coslus, o wehe, du fällst siegend, doch ohne Bedacht.
Aber der Knappe des Coslus, erfüllt von Liebe zum Herren,
Trifft mit dem Speere den Feind gleich in die Seite hinein.
Jener, die Wunden zu rächen, durchbohrt nun wieder den Knappen.
Jeglicher stirbt an der Wund', die ihm der andere schlug.

Also kämpften die Viere gar harten Strauß in dem Blachfeld,
Alle mit einerlei Loos, Sieger und die sie besiegt.
Aber allmäsig verlautet im Lager und füllet die leichten
Lüfte der meldende Ruf, was nun so eben geschehn:
Nämlich gestürzt in den Tod sei Murman, der Gegner im Hochmuth
Durch sein Geschick, schon sei, sagt man, im Lager sein Haupt.
Ringsher eilen herbei im Gedränge die Schaaren der Franken,
Alle vom Wunsch es zu sehn zeigen sich fröhlich gestimmt.
Schnell man bringet das Haupt, durch's Schwert von der Schulter gehauen,
Von Blutflecken entstellt, jeglicher Zierde beraubt.
Witchar verlangt man herbei, man bittet um seine Erklärung,
Selber entscheid' er, ob wahr oder ob falsch das Gerücht.
Der gießt Wasser sogleich auf das Haupt; mit dem Kamme die Haare
Ordnend erkennt er als wahr, was man zu hören begehrt.
„Dies ist der Kopf, so sprach er, von Murman, glaubt mir es alle,
Denn zur Genüge bekannt ist mir ja dieses Gesicht."
Selber der Kaiser, der Fromme, gebietet nach Brauche zur Erde
Nun zu bestatten den Leib, voll von Erbarmen die Brust.
Nämlich man pflegt bei den Franken die Leichen in Gräber zu legen
Frommen Gebrauches, sobald Hymnen mit Feier ertönt.
Aber ein andres Gerücht durchtobt die Verstecke der Britten
Donnernden Rufs: sein Geschick raffte den König hinweg.
Weh', ihr elenden Leute, herbei, nun gebührt sich zu suchen
Recht bei dem Kaiser, dem Hoh'n, daß er das Leben euch schenkt.
Uns ist Murman getödtet, getroffen von fränkischer Lanze,
Sieh', auf den Rath seiner Frau hat er zu sehr nur getraut.
Endlich begehren die Britten bezwungen des Königes Herrschaft,
Und schon kommen herbei Murmans Verwandte zumal.

Feierlich drauf nimmt Ludwig entgegen der Britten Ergebung,
Sicherheit giebt er und Recht, Friede bescheert er und Ruh'.
Festlichen Dank dann bringet der Sieger dem Herren entgegen,
Lange verlornes Gebiet bindet er neu an das Reich.
Heim zieht fröhlich der Kaiser, nur wenige läßt er zurücke,
Daß er mit Hülfe des Herrn walte des schweren Berufs.
Aber die Boten indeß, die der Kaiser dereinst in die Lande
Sendet', auf daß sich vermehrt Feier der Kirchen und Ehr',
Waren vereint zum Berichte, nachdem sie mit Demuth den Auftrag
Hatten besorgt und erfüllt jegliches Ding nach Gebühr.
Städte die Meng' und all' die befriedeten Häuser der Mönche,
Auch die kanonische Schaar, die Benedikt, Dir gehört,
Hatten sie gründlich beseh'n und waren nach Vorschrift des großen
Kaisers erschienen vor ihm. Folgendes war ihr Bericht:
„Viel mit der Gnade des Herrn und Deiner getreuen Bemühung
Würdig Geordnetes und fromm auch Befolgtes wir sah'n,
Wie's in Erscheinung und Muster und jeglicher Ordnung des Kultus
Lief auf richtiger Bahn unter dem Segen des Herrn.
Aber zumeist stand's schlimm, mißachtet war Ordnung und Wandel,
Und im Dienste des Herrn mangelt' die heilige Form.
Ihnen jedoch ward strenger Befehl mit der Wucht Deines Wortes
Auferleget, auf daß jeder erfülle sein Amt.
Muster auch gaben wir ihnen, so wie Du selber verordnet,
Denen sie folgen nunmehr wandelnd den richtigen Pfad.
Auch dies Buch, das geschöpft aus der Lehre der Väter mit ihrer
Hülfe zum Schlusse gebracht Euere Hoheit mit Fleiß,
Ließen zurück wir den Städten und Klöstern von beiden Geschlechtern,
Denen es fehlt', mit dem Wort: Leset, ihr Männer, dies oft.
Dieses erfreut nun in Frieden den Hirten, die fleißige Heerde
Liest es, die emsige Schaar hält es in Würden gar hoch.
Dort nun findet die Jugend, zugleich ergrauete Lehrer,
Was sie sich merken und was lehren und ehren mit Freud'.

Aber wir fügen, o Kaiser, hinzu, seit Christi Erscheinung,
Seit auch die heilige Kirch' wuchs in der irdischen Welt,
(Und wir verkünden die Wahrheit) ist nie zur Zeit eines Herrschers,
Also gewachsen der Kirch' Achtung und Glauben empor,
Wie durch Gnade des Herren zu Deinen Zeiten sie jetzo
Voll von der Liebe zu Gott diesem zum Ruhm sich erbaut.
Denn Dein Arm hat bewirkt, daß jeglicher Böse nun fliehet;
Die demüthig dem Herrn dienen, beschützet Dein Arm.
Sie lehrt nun Dein Geschenk was die Väter einstmals gelehret,
Und selbst forderst Du streng, daß danach handle Dein Volk,
Jeglichem Bösen ein Schrecken, Gehorchenden gnädig und milde.
Durch Dein Verdienst ist der Welt reichlich Gedeihen verlieh'n."
Ihnen erstattete drauf den Dank der Kaiser von Herzen,
Und manch' reiches Geschenk bietet er ihnen dazu.
Stets war alte Gewohnheit der Franken, die jetzo noch dauert,
Welche, so lang' sie besteht, Ehren und Ruhm ihnen bringt,
Daß, wer immer die Treu', die unwandelbare, dem König
Weigert aus eigenem Trieb oder durch Lohn oder Trug,
Oder verworfen begehret, dem König, den Erben der Krone
Böslich etwas zu thun, was mit der Treue nicht stimmt, —
Dann wenn dort ist der Bruder und gegen ihn ebenso zeuget,
Müssen nach Brauche die zwei fechten in grimmigem Kampf
Unter den Augen des Königs, der Franken und sämmtlicher Großen.
Denn arglistiges Thun ist für die Franken ein Gräul.
Damals gab's einen Mann; ihn nannte man Bero mit Namen,
Steinreich war er an Gut, groß seine Macht und Gewalt,
Welcher durch Karls Austheilung die Stadt Barcelona zu Lehn trug,
Manch' Jahr übend bereits die ihm vertraute Gewalt.
Gegen jenen erschien ein andrer als Kläger, daheim ward
Sanilo dieser genannt; beide von goth'schem Geblüt.
Der trat hin vor den König, das Volk und der Fürsten Versammlung,
Schreckliche Reden er spricht, Bero bestreitet sie ganz.

Beide nun eilen herzu, sich bückend zum Fuße des Kaisers,
Und sie begehren von ihm Waffen auf Leben und Tod.
Da sprach Bero zuerst: „Mein Kaiser, aus Liebe zum Heiland
Fleh' ich, gewähre mir doch, daß ich nun schelte die Klag'.
Aber nach uns'rem Gebrauch sei vergönnet zu sitzen im Sattel,
Führend die Waffen im Kampf." Also begehrt er gar oft.
Da sprach Ludwig: „Es sollen die Franken die Sache entscheiden.
So ist's Sitt' und Gebühr und wir befehlen es auch."
Drauf, wie der Spruch es bestimmt nach altem Gebrauche der Franken
Geh'n sie sich wappnen, sogleich wollen sie stürzen zum Kampf.
Doch in Liebe zum Herrn sagt ihnen der Kaiser in Kürze,
Ihnen verkündend bestimmt also mit frommem Gemüth:
„Wer mir jetzo von euch nun gestehet, so spricht er, aus eig'nem
Trieb, daß dieses Vergehns er sich hat schuldig gemacht,
Dem sei gnädig sein Frevel verziehen und jegliche Strafe
Für sein Vergehen geschenkt, bei meiner Liebe zu Gott.
Denn dies glaubet mir fest, mehr tauget, dem Rathe zu folgen,
Als daß gräulichen Kriegs stürmischer Strauß sich erhebt."
Wieder jedoch und wieder bestürmen ihn jene mit Bitten:
Kämpfen ist unser Entschluß, möge beginnen der Kampf.
Hierauf gebietet der Kaiser voll Weisheit: so bleibt's bei dem fränk'schen
Rechtsspruch [1]. Jene vollzieh'n ohne Verzug den Befehl.
Hart an des Königes Pfalz in Aachen, so heißet der Name,
Weit in Ferne berühmt, lieget ein herrlicher Ort.
Rings umwallet von steinernem Bau und umgeben mit Mauern,
Lieblich mit Bäumen besetzt, grünend von frischestem Gras,
(Aber ein Bach fließt mitten hindurch in geruhigem Laufe),
Drinnen Geflügel und Wild wohnt der verschiedensten Art.

1) Das Gottesurtheil des Duells war dem ganzen Frankenreich angehörig, wenn auch die Franken darin zu Fuß, die Gothen zu Pferde kämpften. Der Reiterkampf konnte noch besonders von den fränkischen Kampfrichtern bewilligt werden und deshalb also auch fränkisches Recht heißen.

Wenn es dem Kaiser gefällt, dann pflegt er mit wenig Begleitern
Dorthin zu gehen, sobald Lust er zum Jagen bekommt,
Daß er die mächtigen Leiber von Hirschen mit starken Geweihen,
Rehe wie Dannwild auch treffe mit sicherem Speer,
Auch wann starret von Froste der Boden in Zeiten des Winters,
Beizt mit dem kralligen Fang Vögel der Falk ihm herab.
Dorthin kommt nun Bero geschwind und Sanilo gleichfalls,
Jeglicher Mann auf dem Roß von gar gewaltigem Wuchs
Führet den Schild am Rücken, mit Lanzen bewehret die Hände,
Wartend, daß gebe der Fürst hoch von der Burg das Signal.
Ihnen folget zunächst eine Schaar von Leuten des Königs,
Die auf Königs Befehl ebenso führen den Schild,
Daß wenn einer den Gegner verwundet, sie diesen entreißen
Mögen nach frommem Gebrauch eilends den Krallen des Tod's.
Gundold ist auch erschienen, gebietend die übliche Bahre
Hinten zu tragen, so wie sonst er gewohnt ist zu thun.
Jetzo winkt's von dem Thron und jene beginnen den Zweikampf,
Wen'ger den Franken zuvor bräuchlich, da neu die Manier.
Und wie's Brauch im Gefecht, so werfen sie beide den Speer erst,
Greifen zum Degen sodann, stoßen, doch ohne Erfolg.
Jetzt spornt Bero das Roß, flugs folget der Renner der Wendung
Jagend in eiliger Flucht über die Wiese dahin.
Jener scheint nur zu folgen, doch endlich verhängt er die Zügel,
Trifft mit dem Schwert ihn sodann. Jener bekennt sich besiegt.
Flugs sind kräftige Jünglinge da und entreißen dem Tode
Bero, vom Kämpfen erschöpft, wie es der Kaiser befahl.
Gundold staunet darüber und rückwärts schickt er die Bahre
Ohne die Last in das Haus wieder von wannen sie kam.
Ihm nun schenkte der Kaiser das Leben, Gnade gewährend,
Weist ihm erbarmend dazu Güter zum Unterhalt an.
Welch' eine mächtige Liebe, die Frevel verzeiht er den Schuldgen,
Läßt sie leben und giebt Güter zu Nießbrauch dazu.

Wenn doch dieselbige Liebe (so bitt' ich und fleh' ich in Treue),
Pippin, dem Frommen auch mich wieder in Gnade gewährt'.
Jetzt hast du, Benedikt, den Lauf, wie geboten, erfüllet,
Kräftig den Glauben bewahrt, wie es Sankt Paulus verlangt.
Jetzt kannst selig du wohnen da droben im himmlischen Hause,
Folgst des Namens Genoß, dem Du hienieden getreu.
Sieh', hier endet bei dir und deinem Namen das dritte
Buch, daß, Herrlicher, du deines Ermoldus gedenkst.

Hier endet das dritte Buch.

Hier beginnt das vierte Buch.

Endlich erwuchs überall mit des frommen Königes Sorgfalt
Bis zum Himmel empor christlicher Glauben im Reich.
Ringsher kommen in Schaaren die Völker und Stämme gepilgert,
Daß sie den Kaiser erschau'n, dienend und glaubend dem Herrn.
Aber es gab ein Geschlecht, dem ließ die teuflische Schlange
Erblich der Urzeit Wahn, der ihm geraubet den Herrn,
Heidnisch hatt' es gar lange bewahrt die sündlichen Weihen
Und für den Schöpfer verehrt eitele Götzen im Staub.
Ihnen galt Neptunus als Gott und die Stelle des Heilands
Füllte noch Juppiter aus, welchem man Ehren erwies.
Jene Stämme nun wurden zuvor nach alter Benennung
Dänen geheißen, wie noch heute man also sie nennt.
Auch Nortmannen benennet sie häufig die fränkische Zunge,
Rasch und gewandt und zugleich wohl mit den Waffen vertraut.
Aber man weiß von dem Volke gar viel überall zu erzählen,
Nahrung sucht es zu Schiff und es bewohnet das Meer.
Schön von Gestalt und Gesicht und stattlich zu schauen von Wuchse
Kommt es, von wannen im Lied stammet der Franken Geschlecht.

Voll von der Liebe zum Herrn, sich erbarmend der alten Verwandtschaft,
Suchet der Kaiser auch sie Gott zu gewinnen mit Fleiß.
Längst schon schmerzt es ihn tief, daß ohne Belehrung verdorben
So viel Volk seines Stamms, Heerden des Herren so viel.
Rath erkundet er, suchet umher, wen dorthin er sende,
Daß er erwerbe dem Herrn lange verlornen Gewinn.
Zu dem Werke wird Ebo von Rheims entsendet, der Bischof,
Daß er den Glauben an Gott ihnen erwecke mit Fleiß.
Nämlich es hatte denselben als Kind schon Ludwig versorget,
Edle Künste sodann hatten ihn tüchtig gemacht.
Also zu diesem redet der Kaiser und schärft ihm das Wort ein,
Gebend dem Diener gar viel Regeln und frommen Befehl:
„Geh' nun, Frommer, ermahne mit schmeichelnder Rede das wilde
Volk mir zuvor nach der Zeit und der Gelegenheit Gunst:
Hoch wohnt Gott in der Höh', der Welt und alles erschaffen,
Was es auf Erden nur giebt, was in dem Meer und der Luft.
Er hat unseren Ahn, den ersten Menschen gebildet,
Ihn zum Herrn, Paradies, über dein Tempe gesetzt,
Daß er in Freud' ihm diene für ewig dauernde Zeiten
Und durch Schöpfers Geschenk nimmer das Böse ihm nah'.
Aber er fiel, dieweil er gefrevelt: also des Teufels
Bosheit das ganze Geschlecht, das von ihm stammet, verdirbt.
Seitdem wuchs nun die Saat und füllte die Wälder und Felder;
Aber sie dienet nicht Gott, Bildern der Hände vielmehr.
Endlich begrub sie jedoch in reißenden Strömen die Sündflut,
Kaum daß barg vor der Flut wen'ge die heilige Arch'.
So ist die edele Schaar aus kleinem Saamen erwachsen,
Von der einige doch dieneten Gott ihrem Herrn.
Aber das übrige Volk mit allerlei Gifte behaftet,
Weicht wie die Ahnen vom Weg, dienend dem Gräul des Idols.
Wieder erbarmte sich Gott, er entsandte den Sohn zu der Erde
Als Mitherrscher im Reich, der in der Höhe nun thront.

Dieser verknüpft mit der Hoheit das sterbliche Wesen des Menschen;
Er macht frei von der Sünd' Erbschaft die Menschennatur.
Und der konnte die Welt mit dem Vater erlösen in Allmacht,
Zog doch liebend es vor, hier zu erleiden den Tod.
Hangend am Kreuz aus freiem Entschluß ergab er dem Tod sich,
Daß sein gütiges Reich werde den Streitern gewährt.
Sieh', er sitzet zur Rechten des Vaters, des Thrones Genosse,
Rufend die Diener herbei: „Eilt, ihr bekommet mein Reich."
Seinen Erwählten besiehlt er zurück ihm zu rufen die Lämmer,
Ihnen zu geben der Tauf' heil'ge Geschenke nach Brauch.
Nie wird einer empor zu des Himmels Pallaste sich schwingen,
Der nicht thut, wie befahl Gottes alleiniger Sohn,
Nämlich nachdem er verworfen die Dienste des schwarzen Verderbers
Nehm' er das heil'ge Geschenk an, das ihm bietet die Tauf'.
Zu dem Glauben, mein Ebo, versuche, das Volk zu bekehren,
Dazu bekannten wir uns, und auch die Kirche verehrt's.
Eitles ziemt's zu verlassen; Verehrung geschmiedeten Erzes
Dienet dem Menschen zur Schmach, da die Vernunft ihn belebt.
Was hilft ihnen Neptun oder Zeus und wem sie noch folgen,
Oder getrieb'nes Metall, das ihre Hände gemacht?
Eitles verehren die Thoren und beten zu Stummen und Tauben,
Bringen den Geistern der Höll' dar, was sie schulden an Gott.
Uns ist verboten zu sühnen den Herrn mit dem Blute von Thieren,
Sanftes Gebet, das der Mensch bringt, ist dem Heil'gen genehm.
Zeit nun genug ist bereits an den sündlichen Irrthum verschwendet,
Von dem verbotenen Dienst jetzo zu lassen ist Zeit.
Ach, schon sinket der Tag, und die letzte Stunde beruft sie,
Noch ist ein Antheil bewahrt ihnen im Weinberg des Herrn.
Ab nun zu schütteln gebührt sich die träge Muße, so lang' noch
Leuchtet der Tag und der Mensch rüstig mag suchen den Herrn,
Daß nicht dunkele Nacht die verlorenen Trägen ereile
Und nach Verdienst sie hinab stoß' in die höllische Glut.

Nimm denn, heiliger Ebo, die Schrift, die emsig du lasest,
Drinnen des alten und neu'n Glaubens geheiligter Bund.
Schöpf' aus dieser geweiheten Quelle zuerst einen Labtrunk,
Daß sie nach solchem Genuß wahrhaft erkennen den Herrn.
Sprich zu ihnen mit Ernst an passenden Stellen, damit sie
Mögen erkennen den Graus, dem sie so lange gedient.
Mit den wenigen Worten von uns tritt hin vor den König
Herholdt, künde mein Wort, das ich geredet, ihm an:
Wir von der Liebe zum Herren gedrungen, zugleich von der Lehre
Unseres Glaubens bewegt, senden als Botschaft ihm dies:
Falls es ihm jetzo genehm zu hören auf freundlichen Rathschlag,
Mög' er mit frommem Gemüth achten auf unsere Red'.
Schmerzlicher Fall, wir begehren, daß eilig er lasse vom alten
Irrwahn, heil'ges Gebet weih' er dem heiligen Christ,
Und Gott mög' er sich selbst darbringen mit willigem Herzen,
Dessen Gemächt er ja ist, welcher geschaffen ihn hat.
Fort mit den teuflischen Götzen, der gräuliche Juppiter schwinde,
Mög' er verlassen Neptun, suchend die Kirche fortan!
Mög' er erlöst annehmen die Gaben der heiligen Quelle,
Tragend am Haupte das Kreuz Christi, das ist mein Gebet.
Soll nicht denken, ich rathe nur so, daß mir seine Herrschaft
Zufällt, werben allein möcht' ich dem Herrn sein Geschöpf.
Will er, so mög' er in unsern Pallast sich eilends begeben,
Mög' empfangen das Bad Gottes im wahrhaften Quell.
Aber dazu nach der Taufe vom Mahl' erfreut und mit Waffen
Kehr' er zurück in sein Reich, lebend in Liebe zu Gott.
Denn uns treibet der lautere Glaube, des Herren Gebote
Ihm zu verkünden, und sie will ich vollbringen anjetzt."
Ebo befiehlt er darauf gar große Geschenke zu reichen.
„Geh' nun, beschütze dich Gott," sagte der Kaiser zuletzt.

Siehe, da kommt aus dem Land der rebellischen Britten ein Bote,
Wie man gewohnt ist, herbei, bringend gar grausige Post,

Nämlich es sei nun umsonst, daß Ludwig vor Kurzem mit ihnen
Festigt ein eidliches Pfand und einen kräftigen Schwur.
Aber nachdem er die Völker entboten, die Waffen gerüstet
Macht sich der Kaiser in Eil' dorthin zu gehen bereit.
Franciens Heerbann kommt, es erscheinen die dienenden Stämme,
Du auch aus Deinem Gebiet eilest, o Pippin, herbei.
All' sein Volk dann theilt' er in drei Heerhaufen besonders,
Gab ihnen Führer sodann, wies auch den Fürsten ihr Amt.
Jenem, der heißet nach ihm, vertraut er ein Heer und ein andres
Wird Matfridus gesellt und in die Tausende noch.
Diesen giebt er auch bei die mächtigen beide, den König
Pippin und Elisachar; dann noch unzähliges Volk.
Aber den mittleren Haufen behält für sich selber der Kaiser
Kriegesgewohnt, er regiert weise nach Ordnung den Krieg.
Diese nun führt Lanpreht, vor der anderen Schaar zieht Matfrid;
Ludwig, mein Junger, Du führst auch für den Vater den Krieg.
Pippin nebst seinen Leuten und bunte Schaaren der Franken
Stehen in Waffen, des Volks Habe verwüsten sie ganz.
Leitend das Heer führt Ludwig die Franken auf sicheren Straßen.
Also durchzogen erscheint offen das brittische Land.
Dorthin trug nun auch ich den Schild an der Schulter, der Degen
Hing mir zur Linken, allein keinen geschmerzt hat mein Hieb.
Pippin sah's, er lachte darob und sagte verwundert:
„Bruder, die Waffen gieb auf: Schreiben sei mehr dein Geschmack."
Drauf durchziehn sie die Felder und Wälder und bebenden Sümpfe,
Bringen die Menschen zu Tod, sämmtliches Vieh, es verdirbt.
Arme Gefangene schleppt man hinweg, auch bringt sie das Schwert um.
Endlich ergiebt sich dem Heer Ludwigs auf Gnade der Rest.
Doch Kriegsoberste setzte der Kaiser als mächtige Wächter,
Daß sie, wär's auch ihr Wunsch, nimmer erneuen den Krieg.

Siegreich zog nun Ludwig der Fromme zur Heimat und alle
Siegenden Franken zumal kehren nach Hause zurück.

Ebo der Fromm' indessen durchwandernd die Reiche des Nordens
Schaffet ein herrliches Werk, würdig des Namens des Herrn.
Schon war deinem Pallast, Heroldus, der Bischof genahet,
Und mit christlicher Lehr' hatt' er das Herz dir erfüllt.
Dieser begann schon Gottes Vermahnung zu trau'n und des Königs
Worten, er selber sogar hatte gepredigt dem Volk.
„Heil'ger, ich glaube, nur müssen den Worten auch Thaten entsprechen,
Kehre zum König zurück, meld' ihm, so sprach er, dies Wort:
„Gern wol säh' ich die Reiche der Franken, dazu auch des Kaisers
Glauben und Waffen und Tisch, jegliche christliche Zier,
Und die Verehrung des Herrn, dem dienet jegliche Hoheit,
Wie du verkündest, woran heiliger Glaube sich hält.
Wenn dein Christus sodann, den lehrend du kündest, mir Hilfe
Zu dem Begehren gewährt, schreite sogleich ich zur That.
Doch stehn sollen die Götter, (Altär' einst weihten wir ihnen,)
Bis ich zu schauen vermag Tempel erbauet dem Herrn.
Wenn aber jener dein Gott an Hoheit den unseren vorgeht
Und für Gebete mir kann größere Gaben verleih'n,
Hab' ich zum Abfall Grund, ich gehorche Christo mit Freuden,
Und das getrieb'ne Metall trag' ich zum flammenden Herd."
Gaben befiehlt er zu bringen, mit Gaben beschenkt er den Heil'gen,
Wie man im dänischen Land nur sie zu haben vermag.
Froh kehrt Ebo zurück, für die künft'ge Bekehrung prophetisch
Eifernd, das frohe Gelübd' theilt er dem Könige mit,
Daß Herold ist gewillet, der Dänen gewaltiger Herrscher,
Selbst zu empfangen das Bad, welches geheiligt der Herr.
Drauf schickt Ludwig der Fromme gar kräftigen Dank des Gebetes
Gott Allvater empor, welcher das Gute verleiht.

Und er befiehlt, daß gleich im ganzen Gebiete des Reiches
Jeder in brünst'gem Gebet möge sich nahen dem Herrn,
Nämlich damit nun der Christ, der sämmtliche Menschen erlöset
Durch sein Sterben, auch sie rette vom grimmigen Feind.
Drauf geht eilig nach Ingelheim selber der fromme Gebieter
Friedlichen Weges dahin, mit ihm Gemahlin und Kind.
Nah ist gelegen der Ort an den Fluten des reißenden Rheines,
Dem Ausstattung gewährt Garten und nährende Flur,
Wo sich ein Prachtbau zeiget von hundert Säulen getragen;
Drinnen sind Gänge gar viel, manches Gelaß ist dabei.
Tausendfach kreuzen sich Gäng' und Wege, zu Tausenden Zimmer,
Welche gefüget die Hand künstlicher Meister darin.
Dort ist ein Tempel des heiligen Gottes, geschmückt mit Metallen,
Pfosten daran von Erz, aber die Thüren von Gold.
Gottes erhabenes Thun und die rühmliche Reihe der Männer
Zeigt im Bilde sich drauf herrlich, so daß man's erkennt.
Erst wie die frühesten Menschen, wohin Gott selber sie setzte,
Wohnten in dir, Paradies, weiset zur Linken die Thür.
Eva, das Herz ohn' Arg, wie zur Sünde sie locket der list'ge
Drach', wie sie langt nach dem Mann, er nach der Speise dann selbst.
Wie sie beim Nahen des Herrn sich gehüllt ins Deckblatt der Feige,
Und für den Frevel darauf bauen im Schweiße das Land.
Wie bei dem Erstlingsopfer aus Neid den Bruder sein Bruder
Todt schlug, nicht mit dem Schwert, nein, mit der frevelnden Hand.
Dann geht weiter das Bild zu spätern unzähl'gen Geschlechtern,
Nach ihrer Ordnung und Reih', lehrend was einstmals geschah.
Wie nach Verdienst auf der Erde die Sündflut rings sich gebreitet
Wachsend, und alles Geschlecht stürzt' in Verderben zuletzt.
Wie durch Gottes Erbarmen nur wenige rettet die Arche
Und des Raben Verdienst, deines, o Taube dazu.

Weiter dann sieht man des Abraham Thaten, und seines Geschlechtes,
Joseph, die Brüder mit ihm und auch des Pharao Thun.
Dann wie Moses befreit sein Volk von ägyptischer Knechtschaft
Wie Aegypten verdirbt, Israel wandert hinweg.
Und das Gesetz, das gegeben der Herr und geschrieben auf beiden
Tafeln, der Quell aus dem Fels, Speis' aus den Lüften herab.
Und wie das gastliche Land, das so lange verheiß'ne, bescheert wird
Dort wo der gütige Fürst Christus erstanden dem Volk.
Ferner dann stellt der Propheten und Könige mächtige Schaaren
Dar das Bild und zugleich glänzt ihr gepriesenes Thun,
Davids Werk mit Salomo's Thaten, des mächtigen Fürsten,
Und auch der Tempel, gebaut unter der Hilfe des Herrn.
Weiter die Führer des Volkes, wie tüchtig und groß sie gewesen,
Und die berühmtesten dann unter den Priestern und Herrn.
Christi Werke des Lebens enthält dann der andere Flügel,
Die er, zur Erde gesandt von dem Erzeuger, vollbracht.
Wie zu dem Ohre Maria's zuerst sich der Engel herabläßt
Und wie Maria nun spricht: „Siehe die Jungfrau des Herrn.“
Christi Geburt, die so lange die heil'gen Propheten im Geiste
Schauten vorher, und der Gott liegend in Windeln gehüllt.
Und wie vernehmen die Hirten des Herren heil'ge Befehle,
Dann wie die Magier Gott wurden gewürdigt zu sehn.
Und wie Herodes in Wuth, weil er meinet, Christus verdräng' ihn,
Mordet die Knaben, dem Tod wurden sie deshalb geweiht.
Wie nach Aegypten dann Joseph entkam und den Knaben errettet
Und wie der Knabe dann wuchs, und wie gehorsam er war,
Wie nach der Tauf' er verlangt, er, welcher gekommen, um alle
Durch sein Blut zu befrei'n, welche verloren so lang'.
Wie dann Christus als Mensch auch die härtesten Fasten ertragen,
Wie den Versucher er hat mittelst der Tugend besiegt,

Wie er gelehret die Welt mit den heiligen Gaben des Vaters,
Bringend den Schwachen sodann wieder das alte Geschenk.
Wie er sogar die gestorbenen Leiber von Neuem belebte,
Wie er den Teufel besteht und ihn am Ende verjagt.
Wie durch Judas rohen Verrath und den grimmigen Pöbel
Er, ein Gott, wie der Mensch selber zu sterben begehrt.
Wie er dann auferstanden den eigenen Jüngern erschienen,
Und vor den Augen der Welt stieg in den Himmel als Gott.
Künstlich erfüllt ist der Vorhof des Herrn mit solcherlei Bildern,
Reichlich mit künstlicher Hand, wie's sich gebühret, geschmückt.
Aber des Königes Haus erglänzet von mancherlei Bildwerk,
Menschliche Thaten gar groß preisend mit geistvoller Kunst.
Cyrus Werke verkündet's, und auch aus den Zeiten des Ninus
Vielerlei Schlachten, dazu manche gewaltige That.[1]
Hier ist zu schau'n wie des Königes Wuth an dem Strome sich auslässt,
Rächend zuletzt noch den Tod seines so theueren Pferds.[2]
Dann im frevelnden Muthe bekriegt er die Länder des Weibes,
Die im Schlauche voll Blut wälzte den Kopf ihm dafür,[3]
Nicht auch vergaß man des Scheusals Phalaris schändliche Thaten,
Wie er mit grausiger Kunst tödtet das trotzige Volk.
Wie dann jener Perillus, der Schmied in Gold und in Erze,
Sich ihm gesellet, der Thor trotz seiner Bosheit, und ihm
Schmiedet aus Erz mit trefflicher Kunst einen Stier, wo der Wüthrich
Menschen mit Leibern von Gott sollte verbrennen in Glut.
Aber ihn selber verschloß der Tyrann im Bauche des Stieres
Und es bereitet die Kunst selber dem Künstler den Tod[4].
Wie dann Romulus Rom hat gegründet vereint mit dem Remus
Und mit der frevelnden Hand jener den Bruder erschlug[5].
Wie dann Hannibal, stets an grausige Kriege gewöhnet,
Selber des eigenen Aug's ward in denselben beraubt[6],

1) Orosius, Hist. I. 4. — 2) ib. II. 6. — 3) ib. II. 7. — 4) ib. I. 20. — 5) ib. II. 4. — 6) ib. IV. 15.

Und Alexander im Kriege den ganzen Erdkreis erobert,
Und wie die römische Macht wuchs zu dem Himmel hinan [1].
Aber am anderen Theile des Hauses erblickt man der Väter
Thaten und die schon gerückt näher dem Glauben an Gott.
Dem, was gewirket die Herrn der erhabenen römischen Weltstadt,
Schließen die Franken sich an mit ihren Thaten so stolz.
Konstantin erst, der Rom aus eigener Neigung verlassend
Konstantinopel sich hat selber gegründet als Sitz.
Dort ist auch Theodos, der Glückliche, sichtbar im Bildniß.
Seiner Heldengestalt findet sein Werk sich gesellt.
Karl, der älteste, dann, der Besieger der Friesen im Kriege,
Zeigt sich im Bilde, dazu was er vollbracht mit der Faust.
Du, Pippinus, erscheinest im Glanz, Aquitaner beherrschend,
Welcher als Liebling des Mars diese zum Reiche gefügt.
Karl, der Weise, dann bietet dem Blick die offenen Mienen,
Hoch mit der Krone geziert trägt er voll Würde das Haupt.
Drüben da stehet das sächsische Heer, zum Kriege gerüstet,
Aber er schlägt und bezwingt und unterwirft sie dem Reich.

Jener Wohnsitz glänzet von diesen und ähnlichen Werken,
Schon ihn zu sehen erquickt, wer ihn erblicket wird froh.
Hier sprach also der Kaiser, der Fromme, das Recht für die Völker,
Wie er es pflegte, des Reichs Sachen besorgend mit Fleiß.
Siehe da kamen geflogen der Schiffe wol hundert auf Rheines
Fluten, und ihnen gesellt schimmern die Segel so weiß,
Welche mit dänischer Völker Geschenken beladen sich nähern;
Herold, den König, voraus führet das vorderste Schiff.
Nach dir, Ludwig, verlangt er, Du hast verdienet die Gaben,
Weil Du den kirchlichen Ruhm hebest nach Würden empor.
Und schon nah'n sie dem Ufer und sind zu dem Hafen gekommen.
Dies hat hoch von der Burg Ludwig der Fromme bemerkt,

1) Orosius, Hist. VI. 21.

Und läßt Matfrid sogleich mit der Jünglinge Schaaren die Männer
Heißen willkommen bei sich, frommer Gesinnungen voll;
Pferd' auch schickt er in Menge, mit Zügeln und Decken versehen,
Daß sie bringen ins Haus Gäste, die nimmer er sah.
Herold nahte sich jetzo, von fränkischem Rosse getragen,
Gattin und alles Gesind' schickt sich zu folgen ihm an.
Jene mit Freuden empfing im hohen Saale der Kaiser,
Sorgt für Bewirthung und theilt aus an die Gäste das Mahl.
So spricht Herold in Ehrfurcht darauf zum erhabenen König,
Und sein Begehren zuerst schickt er zu melden sich an:
Welch' ein Grund mich, o Kaiser, zu Deinem Pallaste geführt hat,
Mich, mein Haus, und dazu sämmtliche Freundschaft zumal,
Will ich erzählen, sobald es genehm ist Euerer Hoheit,
Und es verkünden geschwind Euerem fürstlichen Ohr.
Nämlich mit Treue befolgend gar lange die Satzung der Ahnen
Hielt ich bis heute gar streng fest an des Volkes Gebrauch.
Meinen Göttern und Göttinnen bracht' ich immer mein Opfer
Dar mit Gebeten und that ihnen manch' frommes Gelübd'.
Denn ich gedachte, mir sollt' ihre Neigung die Reiche der Väter
Schützen, die Leut' und das Land und auch das eigene Haus,
Tilgen den Jammer des Hungers und kräftig mir jeglichen Schaden
Wehren und alles zum Glück wenden den Ihrigen stets.
Doch Dein heiliger Ebo, der jüngst Normanniens Fluren
Kam zu besuchen, er bringt andere Predigt und Lehr.
Denn er verkündet, der Schöpfer des Himmels, der Erd' und des Meeres
Sei leibhaftiger Gott, Ehre gebührte nur ihm;
Der zwei Menschen hervor aus der ersten Scholle des Erdreichs
Bildet'; auf Erden entsproß diesen das Menschengeschlecht.
Jener erhabene Gott entsandte den Sohn zu der Erde,
Dem aus der Seite herab Wasser und Blut sich ergoß.

Dies hat die Welt in Erbarmen von jeglichem Frevel gereinigt
Und ihr das himmlische Reich wiedergeboren bescheert.
Jener göttliche Sohn wird Christus Jesus geheißen,
Dessen Erlösung beglückt jetzo das gläubige Volk.
Wer nicht diesen bekennt, daß er der Beherrscher des Himmels,
Nicht das fromme Geschenk nimmt, von der Tauf' ihm bescheert,
Eilt wider Willen hinab zu des Abgrunds dunkelen Tiefen,
Wo er den Geistern der Höll' wird zum Verderben gesellt.
Doch wer begehret empor zu den himmlischen Sitzen zu steigen,
Wo nur das Gute verweilt, jegliches Uebel ist fern,
Dieser bekenne, daß er sei wirklicher Mensch und zugleich Gott,
Und im heiligen Quell wasch' er die Glieder sich rein.
Auf die Namen des Vaters, des Sohnes und heiligen Geistes
Tauch' er dreimal den Leib in die versöhnende Well'.
Dies ist ein einiger Gott, wenn gleich drei Namen er führet,
Gleich sind Ehren und Preis, waren und werden es sein.
Jegliches andere Werk von Metall, das Hände gefertigt,
Heißet der Bischof allein Götzen und eiteles Nichts.
Solch' einen Glauben, o Kaiser, sagt Ebo, der gütige heil'ge
Bischof mit eigenem Mund, tragest Du selbst in der Brust.
Durch sein Vorbild erleuchtet und seine so würdigen Worte
Glaub' ich wahrhaftig an Gott, achte die Götzen für nichts.
Deshalb bin ich zu Schiff in Deine Gebiete geeilet,
Daß an dem Glauben ich Theil nehme, der Dich auch beseelt."
Hierauf der Kaiser: „Ich will dir vollkommen, o Herold, erfüllen
Was du so herzlich begehrst, dankend dem Herren dafür.
Durch sein Walten begehrst du, so lange der Schlange Befehlen
Dienend, der Religion Christi mit Demuth zu nahn.
Machet, der Kaiser befiehlt's, voll Eifers helfe nun Jeder,
Machet nach Brauche bereit würdig die Gaben der Tauf'.
Weiße Gewänder, so wie sich gebühret für Christen zu tragen,
Hiezu Wasser des Quells, Chrisma der Firmelung auch."

Als dies alles geschehen und richtig die Feier bereitet,
Eilet der Kaiser, mit ihm Herold, in's heilige Haus.
Ludwig zur Ehre des Herrn hob Herold selbst aus den Wellen,
Schmückt auch mit weißem Gewand ihn mit der eigenen Hand.
Herolds Gattin jedoch hebt Judith, die Fürstin voll Anmuth
Aus dem geheiligten Born, schmückt sie mit festlichem Kleid.
Dann zog Kaiser Lothar, des erhabenen Ludwig Sprößling,
Herolds eigenen Sohn auch aus der Quelle hervor.
Aber es zeugen den Fürsten und kleiden sie Freunde des Königs
Und die noch übrige Meng' hob aus der Taufe den Rest.
Welch' eine Schaar, Du gewaltiger Ludwig, führst Du zum Herren,
Wie steigt durch Dein Bemühn Christo der Weihrauch empor!
Dieser Erwerb, o König, wird lange bewahrt Dir verbleiben,
Der Du geraubet des Wolfs Rachen, was Gott Du gewinnst.
Herold in weißem Gewande, der geistig auch Wiedergeborne,
Geht in das schimmernde Haus, welches sein Pathe bewohnt.
Ihm übergiebt der erhabene Kaiser die reichsten Geschenke
Wie sie der Franken Gebiet nur zu erzeugen vermag,
Eine Gewandung, geschmückt mit Steinen und röthlichem Purpur,
Welche der goldene Streif rings in die Runde durchfurcht.
Heftet zur Seit' ihm sodann sein prächtiges Schwert, das er selbst trug,
Fest, ein gold'nes Gehenk zieret und kleidet ihn schön.
Goldene Bänder sodann umfangen an jeglichem Arm ihn,
Reichlich mit Gemmen besetzt schmücket die Hüften der Gurt.
Und mit prächtiger Krone beschenkt er sein Haupt nach Gebrauche,
Aber mit goldenem Sporn sind ihm die Füße geschürzt,
Und es glänzet von Gold auf breitem Rücken der Mantel;
Weißliche Handschuh' dann haben die Händ' ihm verhüllt.
Aehnliche Gaben verlieh' an die Gattin dazu noch die Kön'gin
Judith indessen und gab manche gar herrliche Zier,
Nämlich ein Kleid, das starret von Gold und Edelgesteinen,
Wie's mit erhabener Kunst sticken Minerva nur kann.

Goldene Binden mit Steinen besetzt umwinden das Haupt ihr,
Die nun geweihete Brust decket ein prächtiger Schmuck.
Biegsam umschlingt ihr den Hals eine Kette geflochtenen Goldes,
Und es umschließen den Arm Spangen, wie tragen die Frau'n,
Dehnsame Gürtel umspannen die Hüften, von Gold und von Steinen
Strotzend, ein Schleier von Gold schimmernd, fällt hinten herab.
Ebenso hüllt indessen Lothar, voll Lieb' im Gemüthe,
Herolds Sohn in das Kleid herrlich mit Golde verbrämt.
Dann wird auch ihr Gefolge nach fränkischer Weise gekleidet,
Liebreich verehrt das Gewand ihnen der Kaiser dazu.
Nun war kommen die Zeit zu der heiligen Handlung der Messe;
Läuten ruft nach Gebrauch alle zum heiligen Dom.
Geistliche füllen die Kirch' und schimmern im Rothe gar vielfach
Künstlich geordnet; es prangt lieblich wie Frühling der Dom.
Dort sind Schaaren von Priestern, sich haltend zur Regel des Clemens,
Hieher in glänzender Reih' Pius Leviten gebracht.
Theuto stellet nach Brauche des Clerus singenden Chor auf,
Adhalvitus erscheint, tragend den Stab in der Hand,
Und auf die Drängenden schlägt er, zu öffnen die Gasse voll Ehrfurcht
Seinem Kaiser, dazu Fürsten, Gemahlin und Kind.
Durch den geräumigen Vorhof wallet zur Kirche der Kaiser,
Eifrig des heiligen Amts häuf'ger Besucher zu sein,
Gänzlich von Golde bedeckt und funkelnd von edeln Gesteinen,
Ging er des Weges gar froh und auf die Diener gestützt.
Hiltwin hält ihm die Rechte, die Linke stützet dagegen
Elisachar, Gerung gehet ihm selber vorauf.
Führend das Stäbchen nach Brauch hat er Acht auf die Pfade des Kaisers,
Welcher die goldene Kron' trägt auf geweihetem Haupt.
Drauf kommt Lothar der Fromm', in weißem Kleide dann Herold,
Hinten die übrige Schaar, glänzend in ihrem Geschenk.

Froh vor dem Vater im Goldschmuck hüpfet der liebliche Knabe
Karl, und der Marmor ertönt wie er ihn kräftig betritt.
Judith darauf hell glänzend im Schmuck der erhabenen Kön'gin
Schreitet daher, sie strahlt wunderbar herrlich im Schmuck.
Diese geleitet ein fürstliches Paar mit besonderen Ehren,
Matfrid und Hugo, zugleich gehend des Weges mit ihr.
Und sie verehren in ihr des Gekrönten erhabene Herrin;
Beid' im güldenen Kleid nehmen gar stattlich sich aus.
Hinter ihr gleich dann folget zuletzt die Gemahlin des Herold,
Welche sich freut des Geschenks, das ihr die Kaiserin gab.
Auch Fridugisus erblickt man, es folgt ihm die Schaar der gelehr'gen
Schüler, ihr Glauben ist rein, ohn' einen Fleck ihr Gewand.
Drauf in geordnetem Zug geht hinten die übrige Mannschaft,
Welche des Kaisers Geschenk schmückte mit festlichem Kleid.
Als nun der Kaiser gemessenen Schritts zur Kirche gelangt war,
Sagt er dem Herrn sein Gebet, wie er es pflegte zu thun.
Helle dann läßt ihren Ton die Posaune des Theuto vernehmen,
Welchem der Clerus sogleich folgt und die Chöre mit ihm.
Herold staunet, dazu die Gemahlin, und alle bewundern,
Kinder und Freunde zumal, solch' eine Gottesgewalt.
Staunen ergreift sie, schauend den Clerus und selber den Tempel,
Dann auch die Priester, dazu schließlich den heiligen Dienst.
Doch sie bewundern vor allem die Gaben des mächtigen Königs,
Der durch seinen Befehl solche Bewegung belebt.
Sage, mein edeler Herold, ich bitte dich, ob dir des Kaisers
Glauben höher erscheint oder dein schlechtes Gebild?
Trag' in die Schmelze die Götzen, gefertigt von Silber und Golde;
Dir und den Deinigen laß Schmuck nun bereiten daraus.
Ist's nur Eisen, so kann es vielleicht für den Anbau des Feldes
Dienen, dem Schmiede besiehl Schaaren zu machen daraus.
Größeren Nutzen gewähret der Pflug gedrücket in's Erdreich,
Als dein Gott dir gebracht durch die bezaubernde Kunst.

Dies ist der wirkliche Gott, von den Franken und selber dem Kaiser
Fromm mit Gebeten verehrt; ihm und nicht Juppiter dien'.
Mach' dir aus Juppiter schwärzliche Töpf' und rahmige Kessel,
Feuer belust'ge sie stets wie es ihr Urbild erfreut.
Mag sich Neptun nach Gebühr in des Wassers geschäftigen Eimer
Wandeln, es werd' ihm zu Theil stets die Verehrung des Quells.

Würdig indeß war gerüstet des Hausherrn Vorrath zum Mahle,
Mancherlei Speisen, dazu Fülle des köstlichen Weins.
Petrus, der Bäcker Gebieter, und Gunto, befehlend den Köchen,
Eilen herzu, nach Gebrauch setzend die Tafeln in Reih'n.
Legen die reinlichen Tücher darauf mit den weißlichen Flocken,
Und auf den Marmortisch setzen die Speisen sie hin.
Einer vertheilet das Brod und die Gaben des Fleisches der andre,
Goldenes Tafelgeschirr bietet dem Auge sich dar.
Ueber die Schenken gesetzt ist Otho, der feurige Jüngling,
Und er bereitet zum Trank Bacchus so mildes Geschenk.

Aber nachdem die heilige Feier gar würdig beschlossen,
Schicket der Kaiser sich an wieder nach Hause zu ziehn.
Er, der strahlte von Gold, mit Weib und Kind, mit der ganzen
Festschaar gehet, so weiß glänzend der Klerus zuletzt.
Drauf in gemäßigtem Zug kehrt wieder der Fromme zum Wohnsitz,
Wo ihn nach Kaisergebühr reichlicher Wohlstand empfängt.
Geht froh schlafen, es ruht ihm die schöne Judith zur Seite,
Wie er befohlen, und sie küsset des Königes Knie.
Aber der Kaiser Lothar und dazu auch Herold der Gastfreund
Ruh'n in Kammern, die selbst ihnen der Kaiser bestimmt,
Ob der Verpflegung staunen die Dänen, bewundern die Waffen,
Welche der Kaiser besitzt, Diener und Pagen so schön.
Wahrlich es war für die Franken und wiedergeborenen Dänen
Dieses ein festlicher Tag, dessen man lange gedenkt.

Und schon nahte der morgende Tag mit der frühesten Röthe,
Scheuchend vom Pol das Gestirn, wärmend die sonnige Flur.
Da macht auf sich der Kaiser zur Jagd mit den Franken wie Brauch ist,
Und daß Herold mit ihm gehet, erläßt er Befehl.
Unfern lieget ein Werth von den Fluten des Rheines umgeben,
Frisch grünt Rasen darauf und auch der schattige Wald,
Drinnen lebt viel wildes Gethier der verschiedensten Gattung
Und im Forste zerstreut lagen die Rudel bequem.
Diesen erfüllten zur Linken und Rechten die Haufen der Jäger,
Und eine mächtige Schaar Hunde mit ihnen zugleich.
Ueber die Flur hin jagte der Kaiser auf flüchtigem Rosse,
Wido mit Pfeilen versehn reitet begleitend mit ihm.
Zahlreich toset die Schaar der Männer und Knappen im Walde,
Lothar mit ihnen zu Pferd stürmet im Trabe vorauf.
Und auch die Dänen sind dort, nicht fehlet Herold der Gastfreund,
Welcher das Jagen zu seh'n ebenso fröhlich erscheint.
Judith, die fromm' und schöne Gemahlin des Kaisers besteiget
Jetzo den Zelter, geschmückt, wunderbar herrlich zu schau'n.
Und bei der Herrin ziehen vorüber die mächtigsten Fürsten,
Hierauf der Großen Gefolg', ehrend den Kaiser so fromm.
Und schon hallen des Forstes Reviere vom Bellen der Hunde,
Jagdruf tönet von hier, dorten des Hornes Signal.
Auf springt Wildpret, fliehend dahin durch struppige Dornen;
Nicht bringt Rettung die Flucht oder auch Wasser und Wald.
Mitten im Rudel der Hirsche verendet getroffen der Schaufler,
Trotz der Hauer ereilt selber den Eber der Spieß.
Fröhlich erleget der Kaiser gar manches Gethier in dem Walde,
Selbst mit der eigenen Hand trifft er es sicheren Wurfs.
Lothar der Schnelle, von blühendem Alter und trauend der Jugend,
Trifft mit der tapferen Hand grimmige Bären in Meng'.
Zahlreich bringet zerstreut auf offener Wiese der Männer
Uebrige Schaar des Gethiers mancherlei Arten den Tod.

Aber ein Hirschkalb flieht vor der feindlichen Meute der Hunde
Hin im schattigen Hain, springend durch dichtes Gebüsch.
Siehe, vorüber am Ort, wo der Großen Gefolg' und die Kais'rin
Judith weilet und Karl selber, ihr Knabe, dazu,
Stürzt es; im flüchtigen Fuße beruht sein einziges Hoffen,
Bringt nicht Rettung die Flucht, wehe, so ist es sein Tod.
Kaum hat's Karl nun, der Knab' erblicket, sieh' da, wie der Vater
Will er es jagen; ein Roß fordert sein dringendes Fleh'n.
Lebhaft ruft er nach Waffen, nach Bogen und schnellen Geschossen,
Will mit Gewalt hinterdrein, wie er's vom Vater geseh'n.
Legt sich auf Bitten und Flehen, allein ihm gebietet die schöne
Mutter zu bleiben und giebt seinem Verlangen nicht nach.
Hielt' ihn der Lehrer, die Mutter nicht fest, wie eifrig er los will,
Liefe nach Kindermanier vorwärts zu Fuße das Kind.
Aber die Jünglinge folgen geschwind und ergreifen das flücht'ge
Wild, das lebend sodann wird zu dem Knaben gebracht.
Der nimmt Waffen zur Hand, so zarter Jugend sich eignend,
Und es verwundet des Thiers mächtigen Rücken der Knab'.
Diesen umgiebt nun die Zierde der Pagen und dränget sich an ihn,
Der mit des Vaters Gemüth einet den Namen des Ahns,
Wie auf delischen Höhen Apoll hinschreitet im Glanze,
Aber der Mutter erregt mächtige Freud' in der Brust.

Doch der Vater, der herrliche Kaiser und sämmtliche Mannschaft
Sehnt sich, erschöpft von der Jagd, nach einem gastlichen Dach.
Aber in Mitten der Forst hat Judith ein grünendes Mooshaus
Fertig gebaut mit Bedacht und es zur Laube gedeckt
Mit Flechtruthen des Busches und häufig geschorenem Buchsbaum.
Laken umhüllen den Bau, drüber ist Linnen gespannt.
Und auf grünendem Rasen der Wiese bereitet sie selber
Ludwig dem Frommen den Sitz, ordnet das Mahl ihm darauf,

6*

Nieder läßt sich der Kaiser, nachdem er die Hände gewaschen,
Und sein schönes Gemahl auf der vergoldeten Bank.
Lothar der Schöne, daneben auch Herold, der theuere Gastfreund,
Sitzen am Tische vereint, wie es der König befahl.
Rings ist die übrige Meng' auf blumigem Boden gelagert,
Und den ermüdeten Leib pflegt man im schattigen Hain.
Jünglinge tragen dann auf vom Wilde die fettesten Braten,
Wildpret jeglicher Art kommt zu dem fürstlichen Schmaus.
Hunger verscheuchet das Mahl, zu den Lippen erhebt sich der Becher
Und es vertreibet den Durst schleunig der edele Trank.
Bald vom herrlichen Wein sind fröhlich die tapferen Herzen,
Heiter ins fürstliche Haus kehren die Männer zurück.
Dann zum Pallaste gekommen, erquicken das Herz sie mit Weine,
Bis zu der Metten es Zeit, die man des Abends begeht.
Als nun auch diese vollbracht nach Gebrauch gar würdig mit Ehrfurcht,
Geht in das fürstliche Haus jeglicher wieder zurück.
Siehe da kommet der Jünglinge Schaar mit den Gaben des Waidwerks
Strömend in Menge, damit halte die Jagdschau der Fürst.
Mächt'ge Geweihe von Hirschen zu Tausenden, und auch der Bären
Rücken und Haupt im Triumph bringen herbei sie geschleppt.
Bringen auch Eber mit borstigen Leibern in reichlicher Anzahl,
Rehe wie Dannwild auch tragen die Pagen herbei.
Unter die Diener vertheilet der Fromme wie früher die Beute,
Und auch der Klerus erhält manches gar treffliche Stück.
Herold indessen, der Gast, der schon so Großes geschaut hat,
Sinnet und denkt in der Brust mancherlei Pläne sich aus.
Sieht wie der König regiert und staunt wie das Reich und der Glaube
Und die Verehrung des Herrn wirken nach Regel und Maaß.
Endlich vertreibt er jedoch aus dem Herzen die bange Bewegung
Und er ergreift den Entschluß, den ihm verliehen der Herr.

Siehe von Glauben erfüllt spricht also derselbe zum König,
Kommend aus eigener Wahl fällt er zu Füßen vor ihm:
„Mächtiger Kaiser, Verehrer des Herrn und Gebieter der Deinen,
Welche der waltende Gott Dir hat, Du Hoher, vertraut.
Selber erfand ich Dich edel, geduldig und tapfer und gnädig,
Kundig der Waffen und mild, wie Dir verliehen der Herr,
Reich in der Füll' an Schätzen, ein Spender der darbenden Armuth,
Bist Du gnädig und sanft Jedem, der unter Dir steht.
Kaiser, ich weiß, Dir wurde bescheeret der Tugenden Ausfluß
Reichlich, von himmlischem Thau wird Dir erquicket das Herz.
Sieh', Dein gewinnendes Wort hat gebenget den Nacken in Christi
Joch, und hinauf zu des Lichts ew'gen Altären entrückt,
Hat mich aus übelem Wahne befreit und das Haus, das mir dienet,
Und mir erfüllet das Herz mit dem lebendigen Quell.
Siehe, mit vielen Geschenken erfreuet, dazu noch mit Waffen,
Voll von dem Gotte die Brust schwelget in Reichthum der Leib.
Nur wer brennet in Liebe zum Herrn, kann solches vollbringen,
Der unfreundlichem Volk solche Geschenke gebracht.
Selber nun glaub' ich, Du sei'st auf Erden das Haupt aller Guten,
Deine Krone mit Recht tragend im christlichen Reich.
Wie vor dem Namen des Herrn mir zurückstehn sämmtliche Götzen,
So Dein Name mir gilt höher denn andre Gewalt.
Möge der mächtige Ruhm mit den älteren Zeiten vergehen,
Wenn Dein Reich nur erblüht unter der Hülfe des Herrn.
Möchte sich einer vielleicht Dir vergleichen an Macht und an Kriegsruhm,
Alle besiegst Du sie doch glänzend durch Liebe zu Gott.

Aber was fang' ich nun an? was hält mich das eigene Wort auf,
Der ich das Größeste will sagen in Reden so kurz?"
Drauf mit verschlungenen Händen ergiebt er von selber dem König
Sich mit dem Reiche zugleich, welches ihm eigen gehört.
„Nimm denn, Kaiser, so sprach er, mich hin und das Reich, das mir dienet,
Deinen Diensten mich weih'n will ich aus eignem Entschluß."
Aber es legte die Händ' in die eigenen edeln der Kaiser
Und mit dem fränkischen Reich eint sich das dänische fromm.
Feierlich giebt ihm der Kaiser darauf nach der fränkischen alten
Sitte das Roß und zugleich Waffen, so wie sich gebührt.
Wiederum steiget empor im Glanz erneuert ein Festtag,
Leuchtend zur Feier gar hell Franken und Dänen vereint.
Herold, jetzt sein Getreuer, erhält indessen vom Kaiser
Reichlich Gaben, worauf sinnet sein liebes Gemüth.
Und er verleiht ihm Güter des Reiches Marken benachbart,
Bringend gar köstlichen Wein und des Getreides genug.
Daß er auch ordne den Dienst des göttlichen Amtes nach Würden,
Schenkt ihm der Kaiser voll Macht allerhand Arten Geräth,
Giebt auch Kleidungen her, die bestimmt für die heiligen Orden,
Giebt ihm Priester, dazu Bücher für kirchlichen Dienst.
Sendet ihm Mönche dahin voll Erbarmen, die selbst sich erboten,
Daß sie zum himmlischen Reich führen die Völker zurück.
Aber die Gaben, wie viel und wie groß zum Besitz er ihm schenket,
Eilen dem Denken voraus und übertreffen das Wort.

Aber die Meister zur See, die bedacht, was dem Meer sie vertrauen,
Laden mit Schätzen den Kahn und mit des Königes Speis'.
Und schon rufen das Segel die Lüfte, die Zögernden heißet
Eilen der Wind und die Zeit schrecklicher Stürme, die naht.
Endlich, als nun die Schiffe beladen, die Segel gespannt sind,
Schreitet entlassen zum Schiff Herold in fürstlichem Pomp.

Aber der Sohn und der Enkel des Königes bleiben am Hofe,
Leistend dem Kaiser die Wach', lebend nach fränkischer Art.
Herold mit allerlei Speise versehen, mit Waffen beschenket,
Reist durch flutende See heim zu dem eigenen Reich.
Solchen Gewinnst erwirbst Du dem mächtigen Herren, o Ludwig,
Und mit dem eigenen Reich einst Du das ruhmvolle Land.
Zu Dir kommen die Fürsten, zu suchen die Waffen der Väter,
Welche bei jeglichem Strauß siegten, aus freiem Entschluß.
Was nicht Roma, die mächt'ge besaß und die fränkische Krone,
Hast Du, Vater, erlangt alles im Namen des Herrn.
Selbst die Orgel, die nimmer bisher bei den Franken gebaut ward,
Deren im Stolze sich rühmt jenes pelasgische Land,
Und durch deren Besitz Dir allein, o Kaiser, den Vorrang
Constanz Hof[1] noch bestritt, schmückt nun in Aachen die Pfalz.
Einst ist Zeichen vielleicht, daß beuget den Nacken der Franke,
Wenn er auf größeren Ruhm deshalb den Anspruch erhebt.
Francien, jauchze, so ziemt's, und Ludwig dank' es in Demuth,
Dessen Verdienst Dir allein solch' ein Geschenk hat geschafft.
Gebe der waltende Gott, der Erd' und Himmel gemacht hat,
Daß in den Landen erschallt immer sein Name mit Preis.
Mich, der singet dies Lied, mich fesselt der Wächter an Strasburg,
Schuldig und wohl mir bewußt meines begangenen Fehls,
Dort, wo der Tempel erglänzt, Dir heilig, o Jungfrau Maria,
Wo man auf Erden verehrt würdig Dein hohes Verdienst.
Häufig besuchen den heiligen Dom die Bewohner des Himmels,
Wie man saget, und hoch ehrt ihn der englische Chor.
Vielerlei Wunder erzählt man, doch will ich nur wen'ge berichten,
Hebe, Thalia, denn an, gönnt es die heilige Magd.
Einst war Hüter des Doms Theutramnus, so hieß er mit Namen,
Dort, wo gesagt ist; werth ward er des Namens erkannt.[2]

1) Constantinopel. — 2) theut Mann, ram tapfer. (Muratori.)

Wachend bei Tag und bei Nacht war dieser gewohnt vor dem heil'gen
Altar der Jungfrau zu knien, betend gar oft zu dem Herrn.
Dafür gewann sich der Heil'ge zum Lohn, im Vertraun auf des Himmels
Gnade, daß öfter sein Aug' schaute die englische Schaar.
Einst in der Nacht, da Psalm und Gebet zum Schluß er gesungen,
Und den ermatteten Leib wünscht auf dem Lager zu ruhn,
Sieht er den Tempel, o Wunder, von plötzlicher Helle beleuchtet
Sonnengoldig, es scheint klar wie bei Tage die Sonn'.
Und er erhebt sich vom Lager, den Grund erforscht' er so gerne,
Daß der erhabene Dom schimmert im Meere des Lichts.
Gleich einem Adler umschwebt ein Wesen mit Flügeln den Altar.
Doch ist auf Erden zu schau'n nimmer ein Vogel wie der.
Gold ist der Schnabel und edler der Fuß als köstliche Steine,
Und das Gefieder umgiebt Farbe vom Himmel entlehnt.
Doch in den Augen erglänzet der Lichtquell selber; der Priester
Staunt, es erträgt sein Gesicht nimmer den blendenden Glanz.
Seltsam scheint ihm der Vogel, die Flügel bewundert er gleichfalls,
Aber sein Auge noch mehr, dazu die ganze Gestalt.
Und es beharrt das Gesicht, bis krähend die Stimme des Hahnes
Dreimal tönet und auf rufet die Mönche zum Amt.
Leicht dann schwebend hinaus zum Fenster welches benachbart,
Wunder zu schaun, entfernt hat sich von dort das Gesicht,
Und in dem Maaß, wie's selber entweichet, verliert sich der Lichtglanz.
Sicher ein seliger Geist war es und wohnend bei Gott.
Doch es erblickte dasselbe der Meister in anderen Zeiten,
Mancherlei Wunder davon wußte der Brüder Konvent,
Als am Altar nach Gewohnheit zu singen im Dom, den ich nannte,
Während des Dunkels der Nacht, voll von Verlangen zum Herrn,
Wachten die Jünger mit ihm, die grade der Dienst in der Nacht traf,
Eifrig erwartend die Zeit, welche die Glocke bestimmt,

Siehe da dröhnt wie Brausen gewaltigen Sturmes und Donners
Plötzlich der mächtige Bau jenes erhabenen Doms.
Nieder zu Boden sinken die Jünger, sie werfen zur Erde
Zagend die Glieder, es flieht alle Besinnung vor Furcht.
Aber nicht zaget der Heil'ge, gen Himmel erhoben die Hände,
Trägt er Verlangen zu sehn, was nur bedeute der Schall.
Sieht dann droben sich öffnen das hehre Gewölbe des Domes
Und er erblickt, wie herein schweben drei Männer mit Pomp,
Ganz übergossen von Licht, in weiße Gewänder gekleidet.
Weißer als Milch ist ihr Haupt, weißer die Leiber als Schnee.
Aber der Aeltere geht in Mitten als Dritter auf beide
Diener sich stützend und fromm schreitet er langsam daher.
Als ihr Fuß den Boden berühret, so gehn sie der Jungfrau
Altar in Ehrfurcht zu nahn, singend den Psalm im Gebet;
Wallen, wie Menschen es pflegen, sodann zu den andern Altären
Ganz nach Amtes Gebrauch sprechen sie laut ihr Gebet.
Nämlich zur Rechten erfreut sich der Tempel der Gnade des Paulus,
Aber es weihet der Rain' Peters die Linke des Doms.
Hier der treffliche Lehrer und drüben der Pförtner des Himmels,
Zwischen den beiden im Glanz schimmert die Mutter des Herrn.
Aber die Mitte des Schiffs nimmt Michael ein mit dem Kreuze
Und Johanneischen Quells freut es zuletzt sich im Glanz.[1]
Diese nun suchten hienieden die Seligen auf im Gebete,
Deren Seelen sie oft schauten vor Gottes Gesicht.

1) Die Kirche Unserer Lieben Frauen zu Strasburg ist nach dieser Beschreibung eine dreischiffige Basilika, der drei Altäre an ihrem runden Abschluß entsprechen. Der mittelste, der Hochaltar mit dem hohen Chore, ist der Mutter Gottes geweiht, der zur Rechten Sankt Paul, der zur Linken Sankt Peter. Unter dem Triumphbogen in der Mitte des Hauptschiffes steht der Altar Sankt Michaels. Somit gehört die Gegend des Atriums in der Nähe des Hauptportals Sankt Johannes an. Es scheint der Täufer gemeint zu sein, nicht der Apostel und die Worte unguine laeta beziehen sich dann auf den Taufstein, nicht wie Muratori meint auf das heilige Oel: oleum benedictum ex reliquiis S. Johannis. Der Sprachgebrauch Ermold's bestätigt dies; lib. I. v. 390, baptysmique foret unguine tincta sacri.

Welch' unsinniger Thor kann sagen, es seien die Leiber
Heiliger Väter nicht werth, daß sie verehre das Land,
Da man mit Recht Gott ehrt in den Dienern, die selber er liebet,
Deren Gebet uns empor trägt zu den himmlischen Höhn.
Freilich ist Petrus nicht Gott, doch glaub' ich durch Bitten des Petrus
Ledig der Strafe zu sein, welche mein Frevel verdient.
Aber so lange die Männer durchwandeln den Tempel Maria's,
Bleibt das Gewölbe des Doms offengethan in der Höh',
Doch dann kehren sie heim zu den Sternen am Schlusse der Andacht,
Und den bisherigen Platz füllt das geschlossene Dach.
Als es der Heil'ge geschaut, so geht er zu suchen die Freunde,
Welche, voll Staunen das Herz, liegen zu Boden gestreckt.
„Auf nun, erhebt euch, Genossen," so spricht er, „was hat euch bewältigt,
Daß ihr nun schlafet, indeß Wachen und Beten euch ziemt?"
Durch die Bewegung ermuntert und mühsam findend die Worte,
Zeigen sie, daß ihnen fremd blieb was soeben geschehn.
„Wohl," so spricht er, „nun merket genau die Zeit und die Stunde,
Möglich, daß anderes noch dieses Begebniß uns bringt.
Aber ich denke, das war ein Prophet und mit Ehren geweihter
Bischof, zum Himmel entrückt jetzo vom englischen Chor."
Wunderbar traf dies ein; denn es litt Bonifaz, der Erhab'ne
Grad' in der Stunde den Tod, da ihn der Heil'ge erblickt,
Als er das eiserne Herz den Friesen zu brechen bemüht war,
Mittelst der Lehre des Herrn öffnend den himmlischen Weg.
Wehe, das siechende Volk hat den herrlichen Arzt sich getödtet,
Aber durch Wunden verschafft diesem das himmlische Reich.
Doch zum Himmel enteilend zugleich mit den beiden Gefährten
Kommt Dein Haus er zu sehn, heilige Jungfrau Marie.
Groß ist droben Dein Preis und hienieden gewaltig Dein Ansehn,
Weil Du den Vater der Welt hast zu gebären vermocht.

Hilf nun auch mir Unwürd'gem und bringe die Heilung des Bannes,
Deren Schwell' ich gar oft nahte mit heißem Gebet.
Und wenn flüchtiger Ruhm vergehet im irdischen Zeitraum,
Führ' in's himmlische Reich, heilige Jungfrau, mich ein.

Kaiser, es bringt dies Werk zu der bäurischen Flöte Gejodel
Ermold im Banne Dir dar, dürftig, verlassen und arm.
Weil's an Geschenken mir fehlt, überreich' ich ein Liedchen dem Mächt'gen,
Ledig der Schätze somit biet' ich Dir dieses Gedicht.
Christus, welcher da schließet und aufthut Herzen der Kön'ge
Und sie wendet dahin, wo's ihm nur immer gefällt,
Welcher das Deine vor allen erfüllt mit der Tugenden Blüthe
Und von Liebe zu Gott überzufließen bescheert; —
Er mag, herrlicher Fürst, mir gewähren, daß näher Du meine
Sach' erwägend, Gehör gnädig den Bitten verleihst.
Könntest erkennen vielleicht durch Wahrheit redendes Zeugniß,
Daß ich so schuldig doch nicht an dem gescholt'nen Vergehn.
Doch nicht will ich, fürwahr, mich entschuldigen wegen des Fehltritts,
Welcher hinaus in den Bann mich, den Unseligen, stieß.
Aber die Lieb' ohn' Ende, die schenket dem Sünder die Strafe,
Möge, so fleh' ich, auch mein denken, der schmachtet im Bann.
Du noch, sein werthes Gemahl, Du schönste der Frauen, o Judith,
Welche nach Würden besitzt mit ihm die Krone des Reichs,
Heb' den Gefall'nen empor, bring Trost nach dem Sturze dem Armen,
Hilf nun dem Strauchelnden auf, löse dem Frevler die Kett',
Daß Euch der Herrscher da droben in langen zukünftigen Zeiten
Mach' erhaben und reich, selig, geehrt und geliebt.

Ermoldus Nigellus,

zwei

Elegien an König Pippin.

Ermoldus Nigellus,

des Verbannten

Gedicht zum Lobe des ruhmreichen Königs Pippin.

Auf, o Thalia, beliebt's, so vereine dich uns'rem Bemühen,
Bringe die Worte geschwind meinem Gebieter und Herrn.
Birg dich im Schooße der Wolken und segle mit günstigen Winden,
Bis du zu kommen vermagst in des Erhabenen Reich.
Welches die Gegend und welches das Land, wo der Fromme verweilet,
Ist dir aus meinem Bericht wohl zur Genüge bekannt.
Dort ist ein Fluß, sein Ruf ist bekannt auch in unseren Fluren,
Welcher Curanton[1] sich nennt und nicht gering ist sein Ruhm.
Daß er den Fischen genehm und der grünenden Wiesen sich freue,
Liefert ja Sancton[2] Beweis und Egelisma[3] zugleich.
Goldgelb schimmern die Fluren daselbst und die blumigen Wiesen,
Reich ist an Bäumen das Land und auch an Reben die Füll'.
Hart am Flusse bemerkt man die Pfalz, mit Netzwerk gezieret;
Dies Werk, Ludwig, erschuf Deine gebietende Red'.
Dorthin wahrlich verlegte, der Ostern Fest zu begehen,
Jüngst noch der König den Hof mit dem so würd'gen Gemahl.
Wenn du nun endlich gelangt zu des Königes Pfalz, die genannt ward,
Wirst du gewahr, wie daselbst vielfach Gemurmel sich regt.

1) Charente. — 2) Saintes. — 3) Angoulême.

Jeder nach Ranges Gebühren erscheint zu des Königs Befehle;
Der läuft, jener da steht, andere kommen und gehen.
Aber es lauschen die Großen, aus welchem Zimmer der König
Trete, dem göttlichen Dienst fleißig gewärtig zu sein.
Hier geh'n Geistliche, drüben die Väter, die Jünglinge dorten,
Festlich auch wandelt die Schaar Knaben mit ihnen dahin.
Erst geh'n Greise vorauf, von der Jünglinge Haufen umgeben,
Und mit den Räthen sodann kommst Du, verehrtester Fürst.
An Wahrzeichen, Thalia, begehrst du den Fürsten zu kennen;
Daß du von selbst ihn erkennst, giebt dir das Merkmal der Fürst.
Grade wie rings mit den Strahlen den Erdkreis Phöbus erhellet
Und mit dem wärmenden Licht sämmtliche Dünste verscheucht,
Rings im Wald, auf der Flur, bei den Schiffern verkündend sein Labsal:
Grade so freut sich das Volk, wie sich der König ihm naht.
Aber die Königin schwebt auf den Spitzen der Füße den Weg hin,
Folgend dem Ehegemahl eilet zur Kirche sie fort.
Ringsher schützet dieselbe des Königs rüstige Mannschaft
Und sie geleitet ein Chor Fräulein in lieblichem Kranz.
Selber dann wandelt sie hin, von der Mädchen Schaaren umgeben,
Langsam schreitet sie, schwer tragend am fürstlichen Schmuck.
Hast du dir alles beschaut, dann fasse nur endlich ein Herz dir,
Stelle dich sämmtlichen vor, bitt' ich, damit sie dich seh'n.
Sprich: „Mir seien gegrüßet die Väter, die Brüder und Freunde,"
Jeglichem Rang nach Gebühr bringe den schuldigen Gruß.
Ringsher kommen zusammen die Freunde, die Brüder und Väter,
Jeglicher wünscht über mich deinen besondern Bericht.
Sprich nur mit wenigen Worten zu diesen, ich sei noch am Leben,
Daß ich erdulde den Bann, welchen mein Fehl mir erwirkt.
Einige wirst du dann finden, die trauern um unsere Trübsal,
Denen erfüllet das Herz Liebe zu mir und dem Herrn.

„Freunde," so sprich, „o mögen euch bleiben die Freuden des Hofes,
Fülle des Ruhmes zugleich und für die Treue der Preis.
Aber auch ihm kann endlich das Glück wie zuvor wieder hold sein,
Möglich es wird ihm auch noch Heimkehr mit Hilfe des Herrn."
In so gewaltiger Menge wird nimmer es mangeln am Freunde,
Welcher zu bringen dich wünscht unter des Königes Aug'.
Aber sobald das Geschick dir vergönnet, zu schauen den König,
Sprich: „Sei gegrüßet o Fürst, Heil dir, Verehrter, Glück auf."
Sinke dann nieder zur Erde und küsse die Füße des Königs;
Mit der erhabenen Hand hebt er vom Boden dich wol.
Aber von häufigen Seufzern bewegt und fließenden Thränen,
Wenn er noch meiner gedenkt, fordert er deinen Bericht.
König. „Sage von wannen du kommst, wer sendet' an Unseren Hof dich,"
Wird er dir sagen, und schnell richte den Auftrag nur aus.
Trage nur vor was du hast, so begehr' ich, doch ohne viel Worte,
Großen ja pflegt, was zu lang, selten gefällig zu sein.
Thalia. „Siehe mich trieb des Gebannten Befehl, so gewaltige Strecken
Reisend zu kommen in Eil' jetzo zu Deinem Gebiet,
Sichere Kunde begehrend, ob Deiner Hoheit es wohl geht,
Wie auch Gemahlin und Kind, Herren und Großen des Reichs.
Dieses erfüllt ihn mit Sorgen, und dieses genau zu erkunden
Trug er mir auf und schnell alles zu melden ihm an."
König. „Wohl, o Thalia, gefällt mir die Red' und wie du sie vorträgst,
Doch vom vertriebenen Freund mache mir treuen Bericht,
Sage, wo weilt er, das Land und die Stadt und die Leute darinnen,
Wer dort Bischof des Volks, ob es auch fürchtet den Herrn.
Sorge, mir dies so klar wie immer du magst zu beschreiben,
Daß ich nach deinem Bericht jegliches möge versteh'n."

Thalia. „Alt ist das Land, gar mächtig, besessen von fränkischen Männern,
Welches die Franken zuvor Elsaß mit Namen genannt,
Dort das Wasgaugebirg', hier strömen die Fluten des Rheines,
Zwischen den beiden zu Haus ist ein gar muthiges Volk.
Bacchus bewohnet die Hügel, es reifet die Traub' auf den Bergen,
Und in der Mitte zu Thal lieget das setteste Land.
Fett sind wahrlich die Felder, verrottetem Dünger vergleichbar,
Welcher dem Bauer ja pflegt reichlich zu füllen die Scheun'.
Brotkorn bringen die Fluren, die Hügel die Fülle des Weines,
Wasgau, du spendest den Wald, Felder erquicket der Rhein.
Wenn's dir beliebet, so sollst Du nun hören, was beide vermögen,
Welcher von ihnen verlieh größeren Segen dem Volk."
Rhein. „„Wohl ist den Franken bekannt und den Sachsen und Schwaben der Gaben
Reichthum, welchen ins Land ihnen geführet mein Kiel,
Zahllos liefernd die Waaren; die größesten Flüsse bewohnet
Nimmer ein größerer Fisch; selber ja bin ich der Rhein.
Doch der unselige Wasgau, gepeitschet von Winden und Regen,
Giebt statt reichen Geschenks Hölzer nur tauglich dem Heerd.
Siehe der Wasgau verläuft am breiten Busen des Rheinstroms,
Namen und Königes Dienst Nützliches trag' ich hinab."“
Wasgau. „Meinen Eichen entnimmt man den Stoff für die hohen Palläste,
Kirchen und Häuser, von mir kommt das erles'ne Gebälk.
Könige sind es gewohnt zu verkehren in meinen Revieren,
Wildpret jeglicher Art scheuchend empor auf der Jagd.
Siehe da flieht zu dem Quell von dem Pfeile getroffen die Hirschkuh,
Und zu dem Bache begiebt dort sich der Eber voll Schaum.
Soll ich von Fischen noch reden? ich strotze von mancherlei Fischen,
Weil ich an Bächen und Au'n habe des Reichthums genug.

Was du behauptest durch Handel und eigne Benutzung zu schaffen,
Glaub', o Rhein, mir, es kommt alles von meinem Geschenk.
Wärest, o Rhein, du nicht da, hier blieb' in der Scheuer des Brotkorns
Fülle, die bringet hervor unsere liebliche Flur.
Freilich du trägst sie hinab und verkaufst sie theuer dem Seemann,
Unsere Bauern, o weh, darben im Reichthum dafür.
Wärest, o Rhein, du nicht da, hier bliebe der lust'ge Falerner,
Und der erheiternde Wein spendete Freuden in Füll'.
Freilich du trägst ihn hinab und verkaufst ihn theuer dem Seemann,
Selber der Winzer indeß dürstet, von Reben umringt."

Rhein. „„Wenn zu dem eignen Gebrauche das Volk dies alles benutzte,
Welches, mein Elsaß, erzeugt deine so liebliche Flur,
Läge das muntere Volk schon in Waffen und Weine begraben,
Kaum in der mächtigen Stadt bliebe noch übrig ein Mensch.
Wahrlich, es frommte der Rath, an Friesen und Männer am Meere
Wein zu verkaufen und dann Beff'res zu kaufen dafür.
Dies ist der Ruhm des Volkes daheim, es tauschen den Reichthum
Wackere Bürger des Reichs, handelnd mit Fremden, sich ein.
Kleider bescheer' ich den Meinen, gefärbt mit verschiedenen Farben,
Welche du, Wasgau, wol nie hättest mit Augen geseh'n.
Hölzern allein ist dein Haus, ich führ' in dem Sande den Goldstaub,
Statt des gefälleten Baum's bring' ich ein schimmernd Juwel.
Wie überschwemmet der Nil mit den Fluten ägyptisches Erdreich,
Und wie der Boden an Kraft mittelst der Nässe gewinnt,
Grade so werd' ich bedrängt von des Volks inständigen Bitten,
Wiederzukehren geschwind, labend die Wief' und die Flur.""

Wasgau. „Mach' dich von hinnen, o Rhein, und halte die schädliche Flut ab,
Thor, willst tränken die Saat, — aber ertränkest sie nur.
Hätt' ich den Hof nicht gesendet empor zu den bergigen Sitzen,
Führte die rasende Flut selber gefangen mich fort.
Was ich, o Rhein, dir gewährt, fast hätt' ich's dem Liger gesendet,
Wär's mir vergönnet, zurück wieder zur Heimat zu zieh'n."
Rhein. „„Was du, o Wasgau, besitzest, das magst du immer behalten;
Gieb mir die Straße nur frei über dein eignes Gebiet."“
Thalia. „Lasset den Wechselgesang, sein Gutes ein Jeder behalte,
Mich ruft städtischer Lärm ab in der Häuser Gewirr.
Ist eine volkreiche Stadt, die heißet mit römischem Namen
Argentorata, — würdig des Namens fürwahr.
Jetzt mit erneuertem Glanz wird Strasburg diese geheißen,
Da sie der Menge nun dient als ein gemeinsamer Pfad.
Dort wohnst du in der Stadt als geweiheter Bischof, o Bernold,
Bei der vertrauten Gemein' bringend Gebete dem Herrn.
Du, den Karl der Weise, dereinst der Gebieter des Reiches,
Wies zur Gelehrsamkeit und zu dem Glauben an Gott.
Hierher war er gekommen vom listigen Volke der Sachsen,
Dieser an Geist und Gefühl jetzt so gebildete Mann.
Demuth im Herzen, erglänzt er von Mild' und strahlet von Liebe,
Edele Weisheit und Kunst tragend im Busen gepflanzt.
Aber das übele Volk, dem jetzt er zum Bischof gesetzt ist,
Mächtig durch Ehr' und Besitz, weiß nicht von Liebe zum Herrn.
Roh wär' gänzlich die Sprache, nicht kundig der heiligen Schriften,
Wenn der gelehrte Prälat nimmer im Elsaß erschien.
Bissen vom Worte der Schrift bricht dieser dem Volk in der eig'nen
Sprache mit Eifer und drückt tief in die Herzen den Pflug.

Denn Dollmetscher mit Recht so wie Priester darf man ihn nennen.
So zu den Sternen hinauf führt er mit Pred'gen die Heerd'.
Dazu leihet ihm Kraft und Hilfe die Mutter des Herren,
Weil sie des Domes gedenkt, welcher daselbst ihr geweiht.
Dort in die Stadt nun führte mich hin die Bestimmung des Kaisers,
Und zum Prälaten so fromm hieß er mich gehen in Eil'.
Nimmer, o König, vermag ich mit Reden dir alles zu melden,
Was mir der heilige Mann wider Verdienen gewährt.
Wünschend durch güt'ges Benehmen den Kummer des Herzens zu lindern,
Spricht er besorgt um mein Wohl mahnend und tröstend mir zu.
Was soll weiter ich sagen? im Titel nur ist er der Obre,
Priester in Bisthum und Bann haben sonst alles gemein.
Doch dies dank ich zumeist Dir selber, mein gnädiger König,
Weil er dies alles gewiß thuet aus Liebe zu Dir.
Dies ist die Flur, die bewohnt Dein Gebannter für sein Vergehen,
Dieses die Stadt und das Volk, dies der Prälat und sein Thun.
Aber wiewol ihm den Bann erleichtert die milde Behandlung,
Bleibt es Verbannung; es zeigt dieses ein doppelter Grund.
Einmal, dieweil er verwiesen vom Boden der heimischen Fluren,
Dann weil Dich er nicht kann, mächtiger König, erschaun.
Würden ihm Aecker und Haus und dazu viel Güter gegeben,
Hält er für nichts ohne Dich jeglichen höchsten Besitz."
König. „Bitte, Thalia, genug; das Gedicht ist unseres Ohres
Würdig, womit uns erfreut unser vertriebener Freund.
Wie ich vernahm, hat mancher im Bann viel Mühsal ertragen,
Heiden und leider dazu häufig auch Männer der Kirch'.
Daß du nach wenigem nun dir vermögest das viele zu denken,
Merke dir, bitte, genau, was ich zu sagen dir hab'.
Welchen unendlichen Jammer, vom Neid ins Elend verwiesen
Naso getragen, das ist dir, o Thalia, bekannt.

Siehe, der Dichter Virgil, des heimischen Erbes beraubet,
Wirkte mit künstlichem Lied Rückkehr und Güter sich aus.
Selber Johannes, erwählet vor allen durch Christi besondre
Liebe, nach Pathmos hinaus ward er ins Elend geschickt.
Petrus, der Schlüsselbewahrer, und Paul, der gewaltige Streiter,
Lagen gebunden im Thurm [bis sie befreite der Herr].[1]
Auch Hilarius, welcher als Bischof glänzet zu Poitou,
Trug um Christi des Herrn willen im Elend den Bann.
Also, Thalia, geziemt, in Geduld zu ertragen die Prüfung,
Weil manch' trefflicher Mann solchem Geschick sich gebeugt.
Sag' ihm vielfachen Gruß, den unsererseits wir ihm senden,
Wohl sahst alles du hier, geh' nun, Thalia, leb' wohl."

Zweite Elegie an denselben.

Noch dies Liedchen, ich will's nur gestehn, ehrwürdiger König,
Hab' ich und will es Dir nun lesen, wofern es genehm,
Durch ihre Lieder gefielen dereinst die alten Poeten,
Naso gefällt durch das Lied und auch der Dichter Virgil.
Aber auch unsere Muse, so bäurisch sie war, sie gefiel doch
Und es behagten Dir oft Spiele mit unserem Lied.
Aber obgleich Dir Erhab'ne vermochten Erhab'nes zu schreiben
Und es auch thaten, gefiel Dir doch besonders mein Werk.
Oft läßt muntere Hund', auf dem Schooße genähret, ein Großer
Laufen zum Wald mit der Schaar größerer die schon geübt.
Wenn auch den großen Molossern gehöret die Beute der Hetzjagd,
Sieht er doch lieber, was ihm bringet sein jüngerer Hund.
Dunkele Pflaumen gefallen, sobald man die Lilien satt ist,
Amseln im Felde gar oft singen mit Großen zugleich.
Manchmal freuet den König Geschirr aus Thone gefertigt
Mehr als Becher von Gold, welche der Künstler geformt.

1) Ergänzung der Lücke im Original.

Grimmige Löwen, ein Schrecken den Menschen zugleich und den Thieren,
Dulden des niedrigen Hunds williges Dienen gar oft.
So liebt Eisen das Gold und Ulmen die Rebe des Bacchus,
Unter Verständigen pflegt gern man den Schalk auch zu sehn.
Also erfreuet das Bäumchen gepflanzet mit eigener Mühe,
So ist Dir auch die Mus' uns'res Talentes genehm.
Gnädig, so fleh' ich Dich an, nimm auf die dankbaren Worte,
Welche mein scherzendes Lied jetzo mit Freuden Dir singt.
Pippin, welcher Du stammst vom schönen Geschlechte des Kaisers,
König, von Frommen erzeugt, Fromme zu zeugen bestimmt,
Lieblich erscheinst Du dem Blicke, von Anmuth glänzet Dein Antlitz,
Und aus den Augen hervor strahlet das heiterste Licht.
Wer vom Scheitel herab Dich mustert zur Spitze des Fußes,
Der wird finden am Leib nicht einen einzigen Fleck.
Deine Reden sind klug, Dein Wort ist gewichtig und weise,
Leicht fühlt alles der Sinn, reich ist begabt der Verstand.
Wäre von Venus das Kind und des Priamus Sprößling zugegen,
Müßt' Aeneas sowol weichen wie Hector vor Dir.
Was die Poeten dereinst von der Vorzeit Königen sangen,
Mein Pippinus, allein trägst Du dies Alles in Dir.
Würdig des fürstlichen Leibes sind alle die Glieder gebildet.
Würdig den Herren darum ehre mit reinem Gemüth,
Dessen Geschenk Dir verlieh zu verwalten das Scepter des Reiches,
Der, wenn er will, Dir, o Fürst, mehr noch zu geben vermag.
Christus ermahnet Dich, erst nach dem himmlischen Reiche zu trachten;
Jegliches andere fällt, sagt er, von selber Dir zu.
Was Dir erlaubt ist, genieße, Verbot'nes meide, so fordr' ich,
Jegliches Gute sodann bleibt mit den Guten vereint.

Nutze des Forstes Vergnügen, genieße die Freuden des Blachfelds,
Gehend mit Falken und Hund wähle Dir jenes und dies.
Fest sei bestimmet der Tag, wo man greift nach den Waffen des Waidwerks,
Fest sei bestimmet der Tag, der den Geschäften geweiht.
Darfst als Knabe nicht mehr an Alter und Wesen erscheinen,
Sei nun ein Mann, da Du kannst, König, benennen Dich so.
Jegliches thu' mit Bedacht, wie der biblische Prediger mahnet,
Und was geschehn mit Bedacht bleibet auch später erwünscht.
Einst ist die römische Macht durch besonnene Klugheit erwachsen,
Jegliches andere Reich hat sie bezwungen dadurch.
Unter Dir stehende lieb', ein köstliches Ding ist die Liebe.
Keiner vermag ja den Herrn ohne dieselbe zu schau'n.
Theuer sei stets Dir das Recht, dann wirst als Gerechter Du gelten.
Weis' ist einzig der Fürst, welcher auch fromm und gerecht,
Welcher den Armen zu hören nicht säumt und den Darbenden speiset;
Sei nicht minder der Kirch' Rechte zu wahren bedacht.
Tritt auf den Nacken der Stolzen, erhebe vom Staube die Demuth,
Zeige den Guten Dich mild, aber den Bösen im Zorn.
Denn so wird Dein Geschlecht, dem eigen die Krone des Reiches,
Weiter hinaus in die Welt tragen den Namen mit Ruhm.
All' Dein Sorgen sei Gott, der das Recht für die Könige wahrnimmt.
Erd' und Himmel erbebt hörend sein mächtiges Wort.
Nicht ist erlaubt eine Neigung, die schwächet die Liebe zum Herren,
Weil im Vergleiche mit Gott nichtig ein jedes Geschöpf.
So ist im Leben der Väter erzählt, daß gänzlich ein Mann sich
Hielt nach diesem Gebot, lebend im einsamen Wald,
Welcher mit ganzem Gemüth gar strenge sein Leben vollbrachte,
Und der trachtete Gott einzig sein Leben zu weih'n.

Immer nur war er allein, froh war er in einsamer Oede,
Und nichts kümmert' ihn mehr als sein Verlangen zum Herrn.
Und aufblickend im Geist zum Himmel mit Flehn und Gebeten
Hatt' er nun endlich verdient, daß ihm erscheinet der Herr.
Denn es erzählen die Schriften, wie häufig er immer begehret,
Sei ihm erschienen der Herr, pflegend der Rede mit ihm.
Aber nach solchem Lohne, so würdig des Wandels erzog er
Ein unseliges Thier, welches die Mäus' ihm vertreibt.
Trost war dieses dem Mönch und des Tisches Genoß in der Oede.
Oftmals klopfte des Thiers Rücken des Heiligen Hand.
Eines Tages jedoch, da den Herren zu sehn er begehrte,
Mit dem gewohnten Gebet flehend: Erhabener, komm,
Gieb dem Diener, o gieb ihm zu schauen Dein gnädiges Antlitz,
Der's nicht werth ist, o Herr, siehe mein brünstiges Flehn.
Ach, da merkt er es erst, nicht wurde wie früher ihm Antwort,
Und er begreifet, vor Gott hab' er gesündiget schwer.
Aber was sollt er beginnen? In Strömen vergoß er die Zähren,
Schlagend die Brust mit der Faust und mit den Nägeln die Wang'.
Jammernd um alles bestürmt er mit Seufzen den hohen Olympus,
Daß ihm, o Herr, Dein Gespräch werde von Neuem bescheert.
Christus erbarmt sich der Bitten des Reuigen und er verzeiht ihm,
Sprechend: „Der Kater allein ist von dem Uebel der Grund.
Als dich unser Erscheinen noch mehr als alles erfreute,
Schwebte gar oft mein Gesicht freundlich und willig dir vor.
Aber wie sehr dein Gefallen an diesem im Herzen gewachsen,
Ebenso fliehet vor dir, glaube mir, jetzt mein Gesicht."
Jener zum Hause gewendet verjaget den Kater mit Worten
Wie auch mit Schlägen, er ruft laut mit erhobener Stimm':
„Kater, begieb dich hinaus, dort fange dir flüchtige Mäuse,
Lustig erwirb mit der Jagd reichliche Braten fortan."
Also fliehet vor Schlägen das Thier und es kehret des Herren
Glorie wieder, vom Staub richtend den Diener empor.

Drum sei nimmer erlaubt, daß unsere Schwell' überschreiten
Thiere, die solche Gefahr bringen zum Hause herein.
Doch nicht schrieb ich Dir solches, o König, als ob Dir besonders
Wär' dies Thierchen genehm, weniger Hunde Dir lieb.
Denn nichts kleines, vielmehr das Gemeinwohl ist zu besorgen
Dir, o König, vertraut unter dem Schutze des Herrn.
Diese gewaltige Macht, sie bekam vom Amte den Namen.
Völker regiert der Regent; deshalb benennt man ihn so.
Dies erzählet in Furcht Dein Getreuer, doch bleibt ohne Wandel
Stets die Verehrung des Herrn, dem er aus Liebe dies singt.
Fürst, beim Lesen der Bücher der Könige kannst Du bemerken,
Was ward denen zu Theil, welche gefielen dem Herrn.
Erst ward Saulus im Land der Ebräer als König gesalbet,
Weil ja das harte Geschlecht diesen zum Fürsten sich wünscht.
Aber so lang er sich hielt zum Gebot des gebietenden Gottes,
Blieb ihm bewahret das Reich, jegliche Würde dazu.
Später, als er dann wich in dem Herzen vom Herren, o glaub' es,
Floh ihn das Glück, er verlor selber die Herrschaft und starb.
David der Sänger der Psalmen, der König und himmlische Seher,
Folgt' im Reiche darauf, frömmeren Herzens jedoch.
Stets in der Liebe zu Gott sein Gebot zu erfüllen beflissen,
Setzt' in das eigne Verdienst dieser doch nie sein Vertraun.
Freilich auch er hat gefehlet, gestraft durch's Wort des Propheten
Hat er durch Thrän' und Gebet später Vergebung erwirkt.
Er fand jegliches günstig für sich, wie Gott ihm gewährte,
Und starb, als er den Thron Salomon hatte verliehn.
Also hatte der Weise die Würde des Reiches erhalten
Durch des Vaters Verdienst, herrschend im Reiche gar lang.
Denn wer immer als König erfüllt die Gebote des Herren,
Bleibt im Besitze des Reichs, jegliches Guten dazu.

Wer aber nicht, wer folgt statt dessen der böslichen Neigung,
Ohne zu denken des Herrn, der ihm verliehen das Reich,
Diesen verlässet zugleich auch der Ruhm im zeitlichen Dasein,
Wehe, das ewige kann nimmer ihm werden zu Theil.
Keinerlei Thaten als die vom eigenen Vater vermögen
Bessere Muster zu sein, wenn Dir gefällt mein Gedicht.
Hiervon hab' ich Dir jüngst, so denk' ich, ein Kleines geschrieben.
Ob Dein Ohr es erfreut, steht mir zu sagen nicht zu.
Denn Dein Geschlecht, Erhab'ner, sobald es erworben die Krone,
Hörte das kirchliche Werk kräftig zu fördern nicht auf.
Wie es in Liebe zum Herren die Rechte der Kirchen erhöhte,
Ebenso hat es mit Macht feindliche Waffen besiegt.
Pippin gehet vorauf, Karls, jenes Gewaltigen, Vater,
Weis' als König und gut, und auch der Kirche geneigt.
Durch sein tüchtiges Wesen gedieh gar herrlich der Franken
Stamm, wie schimmert sein Ruhm glänzend in jeglichem Land!
Karl dann folgte, der Große, von mancherlei Tugend gezieret,
Welcher mit kräftigem Arm Ehre den Vätern erwarb.
Wie er gewappnet erschien, wie gewaltig das Schwert er geführet
Können die Friesen gefragt, Antwort ertheilen genau.
Sieh', als Dritter erscheint Karls auserwähltester Sprößling,
Pippin; selber ja trägst Du nun den Namen nach ihm.
Dieser besiegt mit dem Schutze des Herren die mächtigsten Reiche
Deren Reihe sich fügt Dein aquitanisches Volk.
Karl nun folgte, Pippins des waffengewaltigen Sprößling,
Der das romulische Reich Fränkischem Stamme gewann.
Gütig als König und weise, so milde wie glänzend und edel,
Friedlich als Kaiser, zugleich mächtig in Kriegen und fromm,
Aber ein Wächter der Kirche, durch dessen Gewährung die Weisheit
Kräftig sich hob, da sie war früher so lange versäumt.
Freilich, mein tändelndes Lied es vermag nicht zu singen des Mannes
Herrliches Thun, es erfüllt Erde wie Himmel und Meer.

Aber der himmlische Herr gab Karl von der Gattin der Söhne
Drei, und diese begrüßt jubelnd als Kön'ge das Volk.
Erst der heißt wie der Vater und welcher da führet den Namen
Karls, des Vaters und Herrn, ruhmvoll und mächtig zugleich,
Der mit dem Wunsche des Volks im Reiche zu folgen bestimmt war,
Welcher auch Kaiser bereits war mit der Wahl des Senats.
Pippin welcher den Namen erhielt von dem Namen des Ahnen,
Ward des italischen Reichs Ehre für würdig erklärt.
Karl der Weise hat diesen vorzüglich innig geliebet,
Setzte zum König ihn ein, stattend mit Gaben ihn aus.
Als dies also verordnet, vollendeten beide die Laufbahn,
Ihnen hat Christus gelohnt würdig nach ihrem Verdienst.
Soll ich Dir, König, noch sagen die Ordnung des Reichs? Der Verleiher
Hatte den Diener ersehn, welchem er gäbe die Kron'.
Sieh', als Dritter nun bleibet noch Ludwig, der Kaiser auf Erden,
Welchen zur Würde des Reichs Christus geführt nach Verdienst.
Als er ein Knabe noch war, da verschmäht er die kindische Thorheit,
Stets hat des Königes Brust Liebe zum Herren erfüllt.
Stets seit zartestem Alter durchwärmt ihn Liebe zu Christus,
Durch sein Helfen beschirmt bändigt er jegliche Lust.
Dieser hat nimmer gewollt mit dem Schwerte sich Länder erwerben,
Doch nun besitzt er das Reich, das der Allmächt'ge bescheert;
Dessen erhabener Glaube, Gediegenheit, Weisheit und Friede
Asiens Ländern bekannt und in Europas Gebiet.
Friedlich, besonnen, gebildet, gemäßigt zugleich und geliebet,
Zieret den Kaiser der Nam', welchen Augustus geführt,
Schützer der Kirch', ein Muster den Mönchen, mit Eintracht im Herzen,
Welcher durch eignes Verdienst alles der Menschheit bescheert.
Wer ihn gesehn, dem strahlet entgegen das Bildniß des Phöbus,
Und vom Munde herab fließt ihm der Honig so süß.

Während er herrschet hienieden, ersteigt sein Verdienst den Olympus,
Da er noch lebet bereits glänzt er auf himmlischem Sitz.
Bitte, nicht anders woher, am Erzeuger suche Dein Vorbild,
Handle, so wie er gethan, leiste Du selbst, was er thut.
Solches, o König, pflegt ich Dir einst mit der Schrift und mit Worten
Anzuempfehlen, und nicht, was sich ein Andrer erdacht.
Zeug' ist Christus für mich, Du weißt es ja, mildester König,
Und nur der Stachel des Neids legte mir dieses zur Last.
Doch der allmächtige Vater, der frei die Susanna gesprochen,
Kann mit seinem Verdienst mich von der Strafe befrei'n.
Mögest Du lange noch leben mit Irmgart, der schönen Gemahlin,
Pippin, Liebling des Herrn, König der Ehre so werth,
Mag dermaßen Dich freu'n, so wünsch' ich, das irdische Leben,
Daß sich das himmlische Thor öffnet, das hehre vor Dir.
Lebet nun glücklich die Zeiten dahin, ihr fürstlichen Gatten,
Mög' ein Jeder für sich wahren der Keuschheit Gesetz,
Mögen auch theuere Kinder entsprießen so lauterer Ehe,
Welche zum himmlischen Pol tragen den Namen des Ahns.
Möge, das ist mein Begehren, in Deinem Schutze mit Ehrfurcht
Man hersagen mein Lied Dir vor dem Antlitz, o Fürst.
Jeglicher aber der trachtet, mit List mir die Verse zu tadeln,
Höre die Worte von Dir: „Laß nur, Nigell ist nicht hier."
Gütiger König, o stell' Dir den Diener Nigellus zur Seite,
Komme, wer immer auf Krieg sinnet, ich führe das Schwert.
Er — der dieses Gedicht Dir in Versen geschrieben, Er — Moldus
That es, damit Dir des Knechts Name verbleibet im Sinn.

Druck für Duncker & Weidling in Berlin.
F. Weidling.

Die Geschichtschreiber

der

deutschen Vorzeit

in deutscher Bearbeitung

unter dem Schutze

Sr. Majestät des Königs Friedrich Wilhelm IV.
von Preußen

herausgegeben von

G. H. Pertz, J. Grimm, K. Lachmann, L. Ranke,
K. Ritter.

Mitgliedern der Königlichen Akademie der Wissenschaften.

IX. Jahrhundert. 4. Band.

Thegans Leben Kaiser Ludwigs des Frommen.

Berlin.
Wilhelm Besser's Verlagsbuchhandlung.
(Franz Duncker)
1850.

Das größere Leben

Kaiser Ludwigs des Frommen.

Nach der Ausgabe der Monumenta Germaniae

übersetzt von

Dr. Julius von Jasmund.

Berlin.
Wilhelm Besser's Verlagsbuchhandlung.
(Franz Duncker.)
1850.

Der Verfasser dieses Werkes, das vollständiger als Thegans Arbeit, die ganze Lebenszeit Ludwigs des Frommen umfaßt, war ein dem Namen nach uns unbekannter Geistlicher, der seit dem Jahre 815 vielfach in der Nähe des Kaisers selbst sich aufhielt und mit den Umgebungen desselben in Verbindung stand. Den Beinamen des Astronomen verdankt er mehreren Bemerkungen in seinem Werk, welche sich auf diese Wissenschaft beziehen, deren Studium er mit Liebe betrieben zu haben scheint; auch im Uebrigen zeigt sich der Verfasser nicht ohne Bildung, und aus der Beschäftigung mit den lateinischen Classikern mag ihm Wunsch und Bestreben erwachsen sein, ihnen ähnlich zu schreiben: ein Versuch der freilich mißlungen ist, denn für das Gewöhnlichste hat er wohl aus der Erinnerung einen großen Reichthum von Redensarten zusammengebracht, der wahre Gang der Erzählung aber entbehrt jeden Reizes eigenthümlicher Schönheit und aus der Vereinigung des Harten und Gewöhnlichen mit dem Ueberladenen entsteht ein unerquickliches Gemisch der Rede, das in der Uebersetzung fast noch schärfer hervortreten dürfte, als im Original.

Aus dem Werke selbst ersieht man die große Liebe und Verehrung seines Verfassers für den Kaiser, den er nicht genug wegen der in allen Verhältnissen, im öffentlichen sowie Privatleben bewiesenen Tugenden loben kann, woraus freilich, wenn auch unser

Astronom nicht mit Partheihaß die Feinde und Gegner des Kaisers verfolgt, wie Thegan, dennoch der Natur der Sache nach sich ergiebt, daß er die Stellung Ludwigs und die Motive seiner Handlungen oft verkennt.

Das Werk zerfällt in drei Theile, deren erster von Anfang bis zum Jahre 814, der zweite von da bis 829, der dritte von 829 bis zu Ludwigs Tod reicht.

Der erste Theil ist durchschnittlich der werthvollste; er enthält über Ludwigs Jugendgeschichte, über den Zustand des Aquitanischen Reiches und besonders über die Kämpfe der Franken mit den Sarazenen sehr wichtige und vollständige Nachrichten; die auch schon in diesem Abschnitt der Lebensbeschreibung etwas verwirrte Chronologie ist minder störend, da man nach den andern Quellen sich in dieser Beziehung zurecht finden kann. Erzählung und Sprache sind hier am besten; die Begebenheiten klar und bestimmt vorgetragen, so daß sie auf genauste Bekanntschaft eines Mitlebenden hinweisen. Unser Verfasser giebt an, wem er diese Bekanntschaft verdankt, indem er in der Vorrede sagt: Was ich aber geschrieben, habe ich bis zur Zeit, wo er Kaiser wurde, aus der Erzählung des frommen Mönches Adhemar gelernt, der mit ihm lebte und auferzogen wurde. Wir wissen indeß nicht, wer dieser Adhemar gewesen ist.

Der zweite Theil unserer Lebensbeschreibung, die Geschichte der Jahre 814—829 ist fast nur eine Ueberarbeitung von Einhards Annalen zu diesen Jahren; öfter ist eignes, unwichtiges und wichtiges hinzugefügt, manches aus Einhard weggelassen oder abgekürzt, anderes erweitert: aber besser sind bei dem allen Einhards Annalen nicht geworden; der Styl ist durch phrasenhaftes

Umschreiben und Ausführen der Einhardschen Worte ungenießbar gemacht und die Klarheit der Erzählung dadurch zugleich sehr beeinträchtigt worden. Oft sieht man ganz deutlich, wie dem Verfasser der Einhardsche Text zu mager, oder wie er meinte schlecht stilisirt erschien und er nun alle Mühe darauf verwandt hat, ihn zu schönem Latein umzuarbeiten. Das ist ihm freilich, wie ich schon sagte, sehr mißlungen.

Der dritte Theil endlich, welcher die Geschichte der Jahre 829 bis 840 umfaßt, ist volles Eigenthum des Verfassers, er enthält besonders zu Anfang sehr gute Nachrichten, später ist die Chronologie zu verwirrt, als daß man vielen Gewinn, Einzelheiten abgerechnet, daraus ziehen könnte; zum Schluß steigt der Werth des Buchs wieder; über Ludwigs letzte Empörung, des Kaisers Privatleben, seine körperlichen Zustände und Tod findet man schätzbare Mittheilungen.

Unser Werk muß trotz seiner Mängel, besonders weil es ein so vollständiges Bild von Ludwigs Leben gewährt, immer als Hauptquelle zur Geschichte jener Zeit betrachtet werden. Aus der fehlerhaften Chronologie und unpassenden Ordnung der Ereignisse ergiebt sich deutlich, daß der Verfasser erst nach dem Tode Ludwigs zu schreiben angefangen hat.

Das an einer andern Stelle über Ludwig den Frommen gefällte Urtheil (vgl. Einleitung zur Uebersetzung des Thegan) scheint uns auch durch dieses Werk begründet: fügen wir hinzu, daß ihm das erste Erforderniß zum guten Herrscher abging, persönliche Wünsche zum Besten des Allgemeinen unterdrücken zu können und zu wollen. Ludwig hat während seiner Regierung fast das entgegengesetzte Princip zur Richtschnur seines Handelns gemacht, und bei dem hohen Begriff von seiner Würde und Stellung meinte er alle, die seinem Willen — der oft reine Willkür war — nicht stets sich zu fügen bereit waren, als die Feinde Gottes und der Menschheit verfolgen und vernichten zu müssen; denn mild war er meist nur, wo er sah, daß es ihm Vortheil brachte und zur Verwirklichung seiner Pläne diente.

Wenn man gute und schlechte Thaten der Alten, besonders der Fürsten, der Erinnerung aufbewahrt, so wird den Lesern damit doppelter Nutzen bereitet. Denn theils dienen sie zur Besserung und Befestigung, theils zur Warnung. Da nämlich die Vornehmsten gleichsam wie Warten auf der Höhe stehen und daher nicht verborgen sein können, wird, weil ihr Ruf weiter verbreitet wird, derselbe auch nach allen Seiten hin mehr bemerkt und eben so sehr die meisten von ihren Vorzügen angezogen, als sie sich rühmen den Ausgezeichneten nachzustreben. Daß dieses sich so verhalte bezeugen die Denkmale der Alten welche durch ihre Berichte die Nachwelt unterrichten wollten, auf welchem Wege jeder Fürst die Reise des menschlichen Lebens zurückgelegt habe. Jenen nacheifernd wollen wir daher weder gegen die jetzt Lebenden unsre Pflicht versäumen, noch den künftigen Geschlechtern etwas vorenthalten, sondern Thaten und Leben des Gott angenehmen und rechtgläubigen Kaisers Ludwig, wenn auch mit wenig gelehrter Feder, niederschreiben. Denn das erkläre und sage ich ohne schmeicheln zu wollen daß nicht mein Geist nur, der sehr untergeordnet, sondern der großer Männer einem solchen Stoff unterliegt. Denn durch Gottes Wort lernen wir, daß die heilige Weisheit Mäßigkeit, Weisheit, Gerechtigkeit und Tugend lehrt, die schönsten Güter des menschlichen Lebens: ihrem Gefolge hing er aber so ungetheilt an, daß man nicht weiß, wen man mehr als ihn bewundern sollte. Denn was kann es Mäßigeres geben als seine Mäßigkeit, die auch mit andern Namen Nüchternheit und Enthaltsamkeit genannt wird. Und so hat er sie geübt, daß jenes sehr alte und bis in den Himmel gepriesene Sprüchwort, das lautet: nichts zu viel, mit ihm eng vertraut war. Er erfreute sich aber der Weisheit, welche er aus der heiligen Schrift gelernt hatte [1], wo es heißt: Siehe, die Furcht des Herrn, das ist Weisheit. Mit welcher Liebe er Gerechtigkeit gepflegt hat, deß sind diejenigen Zeugen, welche den Eifer kennen, von dem er entbrannt war, daß jeder seinem Stande leistete was er ihm schuldig wäre, Gott über alle Dinge und seinen Nächsten wie sich selbst liebte. So aber war die Tugend mit ihm eins geworden, daß, obgleich er von so vielen und schweren Unfällen betroffen und von den Seinigen sowohl wie Fremden mit Kränkungen überhäuft war, seine Kraft, unter Gottes Schutz unbesiegbar, von der großen Last der ihm zugefügten Schändlichkeiten nicht gebrochen wurde. Nur einer Schuld zeihen ihn seine Kinder, der, daß er zu gütig gewesen wäre. Wir aber sprechen mit dem Apostel: [2] vergieb ihm diese Sünde. Ob dieß wahr oder falsch ist, wird jeder, wenn er das Buch liest, sehen können. Was ich aber geschrieben, habe ich bis zur Zeit der Kaiserregieruug aus der Erzählung des edlen und frommen Mönchs Adhemar gelernt, der mit ihm zugleich lebte und auferzogen wurde; das Spätere aber, da ich selbst am Hofe mich aufhielt, habe ich, soviel ich davon sah und erfahren konnte, der Feder anvertraut.

1) Hiob 28, 28. — 2) 2. Corinth. 12, 13.

Das größere Leben

Kaiser Ludwigs des Frommen.

[illegible]

Als der sehr berühmte und keinem seiner Zeit nachzustellende König Karl nach dem Ableben seines Vaters und dem traurigen Hinscheiden seines Bruders Karlmann die alleinige Leitung über das Volk und Reich der Franken übernommen hatte, glaubte er eine unerschütterliche Stütze seines Heils und Glücks zu gewinnen, wenn er für den Frieden und die Eintracht der Kirche sorgte, die Friedfertigen in brüderlicher Einigung noch fester verbände, die Widerspenstigen aber mit gerechter Strenge träfe, den von den Heiden Bedrängten Hülfe brächte und die Feinde des christlichen Namens selbst auf jede Weise zur Anerkennung und zum Bekenntniß der Wahrheit führte. Diesen Bestrebungen die Anfänge seiner Regierung widmend und sie Christus zum Schutz und zur Erhaltung übergebend, wandte er sich, nachdem er die Angelegenheiten Franciens seinem Gefallen gemäß und wie er es für zuträglich hielt mit Gottes Beistimmung geordnet hatte, nach Aquitanien, das auf neue Kriege dachte und unter Anführung eines gewissen Tyrannen
Hunold schon die Waffen ergriffen hatte. Durch den Schrecken 769.
aber, den er hervorbrachte, wurde Hunold gezwungen Aquitanien zu verlassen und mit Hülfe der Flucht, sich verbergend und umherirrend, sein Leben zu erhalten.

2. Nachdem dieß ausgeführt und sowohl öffentliche als Privat-Angelegenheiten nach Wunsch geordnet waren, ließ er die edle und fromme Königin Hildegard, welche mit Zwillingen schwanger war, in dem königlichen Dorf Cassinogilus [1] zurück und überschritt den Fluß Garonna, die Grenze zwischen dem Lande der Aquitanier und

1) Südlich von der Charente im Ecolimensischen Gau (Angoulême) gelegen, oder und dieß scheint, unsere Stelle betrachtet, richtiger, im Aginensischen Gau nördlich von dem rechten Ufer der Dordogne.

Wasken, welche Gegend er schon länger unter seine Botmäßigkeit gebracht hatte, indem Lupus, der Fürst, sich und sein Besitzthum seiner Herrschaft unterwarf. Hier verrichtete er alles, was Gelegenheit und Zeit gebot, und beschloß dann den schwierigen Uebergang über die Pyrenäen zu unternehmen und nach Spanien zu gehen, um der unter dem harten Joche der Sarracenen leidenden
778. Kirche mit Christi Hülfe beizustehen. Dieß Gebirge, das mit seinen Gipfeln fast zum Himmel reicht, von spitzigen Felsen starrt, düster ist von schattigen Wäldern, durch die Enge der Straße oder vielmehr des Steigs nicht allein ein großes Heer sondern selbst wenige fast ganz von Zufuhr abschneidet, wurde dennoch unter Gottes Beistand in glücklichem Zuge überschritten. Denn des Königs Sinn, von Gott mit Hoheit geadelt, war weder ungleich dem Pompejus noch unthätiger als Hannibal, die mit großer Anstrengung und Verlust für sich und die Ihrigen die Schwierigkeiten dieser unwegsamen Gegend zu überwinden wußten. Aber diesen glücklichen Uebergang befleckte, wenn so zu sagen erlaubt ist, der treulose und unsichere des Glücks und der wechselnde Erfolg. Denn als alles was geschehen konnte in Spanien vollbracht war und man ganz glücklich die Heimreise zurücklegte, ereignete sich der Unfall, daß die letzten vom königlichen Zuge im Gebirge getödtet wurden. Ihre Namen zu nennen kann ich mir sparen, da sie bekannt sind.

3. Zurückgekehrt fand der König seine Gemahlin, die ihm zwei
778. Söhne geboren hatte, von denen der eine durch baldigen Tod hingerafft fast eher zu sterben als im Lichte zu leben anfing; der andere aber mit glücklichem Erfolge aus dem Schoß der Mutter gehoben, wurde mit den für Kinder geeigneten Lebensmitteln aufgezogen. Sie wurden aber geboren im Jahre der Geburt unseres
778. Herrn Jesus Christus 778. Den aber, welcher leben zu bleiben versprach, ließ der Vater, da er durch das Sacrament der Taufe wiedergeboren wurde, Ludwig nennen und übergab ihm das Reich, welches er ihm schon bei der Geburt bestimmt hatte.

Da aber der weise und scharfsinnige König Karl wußte, daß ein Reich wie der Leib ist und bald von diesem bald von jenem

Ungemach betroffen ist, wenn es nicht mit Rath und Kraft, wie die von den Aerzten geschenkte Gesundheit behütet wird, verband er sich, so wie es nöthig war, aufs engste die Bischöfe. In ganz Aquitanien aber setzte er Grafen, Aebte und viele andere, welche man gewöhnlich Vasallen nennt, aus dem fränkischen Volke, deren Klugheit und Tapferkeit mit Schlauheit oder Gewalt zu begegnen keinem gerathen wäre, und übertrug ihnen die Sorge um das Reich, wie er es für nützlich hielt, die Bewachung der Grenzen und die Verwaltung der königlichen Dörfer. Und der Stadt Biturica [1] setzte er zuerst Humbert, bald darauf Graf Sturbius vor, den Pictaven [2] Abbo, den Petragorikern [3] aber Widbod, den Arvernern [4] den Sterius, Vallagia [5] den Bullus, Tolosa [6] den Chorso, den Burdegalen [7] Sigwin, den Albigensern [8] Haimon, den Lemovicern [9] Rodgar.

4. Nachdem dieß gehörig geordnet war, überschritt er mit den 780.
übrigen Truppen den Ligeris [10] und begab sich nach Lutetiae, was mit anderem Namen Parisius [11] heißt. Einige Zeit darauf aber kam ihn das Verlangen an, die einstige Herrscherin der Welt, Rom zu sehen und die Schwelle des Fürsten der Apostel und Lehrers der Völker zu betreten, und sich und seinen Sohn ihnen zu empfehlen, damit auf solche Helfer gestützt, denen die Macht über Himmel und Erde gegeben ist, er selbst den Unterjochten rathen, auch den Ungestüm der Kriege, wenn solche entständen, brechen könnte, indem er zugleich glaubte, daß es keine geringe Unterstützung für ihn sein würde, wenn er sowohl als sein Sohn von ihrem Statthalter mit dem priesterlichen Segen die königlichen Ehrenzeichen empfingen.

Diese Angelegenheit ging ihm unter Gottes Fürsorge ganz nach Wunsch, und sein Sohn Ludwig, der noch in der Wiege war,

1) Bourges. — 2) Provinz Poitou. — 3) Die Grafschaft Perigord nördlich von der Dordogne mit der Hauptstadt Perigueux (Petragorien) am l'Isle. — 4) Auvergne. — 5) Im Cevennengebirge mit der Hauptstadt Puy in Auvergne. — 6) Toulouse. — 7) Grafschaft Bordeaux. — 8) Grafschaft Albigeois östlich von Aveyron, um den untern Tarn und weiter nach Osten. — 9) Grafschaft Limoges zwischen Bourges und Perigord. — 10) Loire. — 11) Paris.

wurde daselbst unter dem Segen, wie er für den künftigen Herr-
781. scher angemessen war, von den Händen des ehrwürdigen Pabstes Hadrian mit dem königlichen Diadem geschmückt.

Nachdem Alles, was in Rom zu thun nöthig schien, ausgeführt war, kehrte Karl mit seinen Söhnen und dem Heere in Frieden wieder nach Francien zurück; und er schickte seinen Sohn Ludwig als König nach Aquitanien [1] um das Reich zu übernehmen, indem er ihm als Führer den Arnold beigab, und andere Diener, für die Kindererziehung geeignet, ordentlich und wie es sich ziemte, bestellte. Bis zur Stadt Aureliae [2] wurde er in einem Wagen gefahren. Dort aber, mit seinem Alter angemessenen Waffen bekleidet, wurde er aufs Pferd gesetzt und mit Gottes Willen nach Aquitanien hinübergeführt.

785. Während er hier einige Jahre, nämlich vier, verweilte, brachte der ruhmreiche König Karl den Sachsen häufige und schwere Niederlagen bei.

Da er indessen besorgte, daß das Aquitanische Volk wegen seiner langen Abwesenheit übermüthig werden möchte oder der Sohn in den zarten Jahren von den fremden Sitten etwas annehmen könnte, die einmal angenommen man im Alter schwer wieder ablegt, schickte er und ließ seinen Sohn, der schon gut ritt, mit allem Heer zu sich kommen, so daß nur die Markgrafen zurückblieben, welche die Grenzen des Reichs schützend jeden Angriff der Feinde, wenn sie einbrächen, abwehren sollten. Ludwig gehorchte dem Vater nach bestem Wissen und Vermögen und traf ihn zu Patrisbruna [3] nebst seinen Altersgenossen, Waskonische Kleidung tragend, nämlich ein rundes Oberkleid, weite Hemdsärmel, gepuffte Beinkleider, Stiefeln mit Sporen daran, in der Hand einen Wurfspieß. So hatte es der Vater, da es ihm Freude machte, angeordnet. Er blieb nun beim Vater und begab sich von dort

1) Das Königreich Aquitanien umfaßte damals außer dem eigentlichen Aquitanien, „den geistlichen Provinzen von Bourges und Bordeaux“, den Tolosanischen Gau, das Wasconische Land diesseit und jenseit der Pyrenäen, die Margrafschaft Septimanien oder Gothien (der Küstenstrich von der Rhone bis zu den Pyrenäen) und die Spanische Mark d. i. die Landschaft zwischen Pyrenäen und Ebro. — 2) Orleans. — 3) Paderborn.

mit ihm nach Eresburg[1], bis die Sonne von der hohen Bahn abwendend ihre Gluth durch herbstliches Herabsteigen milderte. Als diese Jahreszeit sich dem Ende nahte, begab er sich mit Erlaubniß des Vaters für den Winter nach Aachen.

5. Um dieselbe Zeit wurde Chorso, Herzog von Tolosa, durch die List eines Wasken, mit Namen Adelricus[2] eingeschlossen und erst nachdem er sich durch Eide gebunden hatte, von ihm freigelassen. Um aber diese Schmach zu tilgen, gebot König Ludwig und die Vornehmen, durch deren Rath die öffentlichen Angelegenheiten des Aquitanischen Reiches verwaltet wurden, eine allgemeine Reichsversammlung an einem Orte Septimaniens, dessen Name Gotentod war. Der Waske dahin beschieden zögerte, seiner That bewußt, zu kommen, bis er endlich, durch die Stellung von Geißeln beruhigt erschien. Aber mit Rücksicht auf die Gefahr für die Geißeln geschah ihm nichts, sondern man gab ihm überdies noch Geschenke: worauf er die Unsrigen herausgab, die Seinigen empfing und dann nach Hause zurückkehrte.

Im nächsten Sommer aber kam Ludwig auf Befehl des Vaters 789.
nach Worms, allein jedoch, ohne Heer, und blieb mit ihm in den Winterquartieren. Hier erhielt der schon genannte Adelricus Befehl vor den beiden Königen sich zu vertheidigen, wurde vernommen und da er trotz seines Bestrebens sich von dem ihm zur Last gelegten Verbrechen nicht reinigen konnte, gerichtet und in ewige Verbannung verwiesen. Dem Chorso aber, durch dessen Unachtsamkeit dem Könige der Franken solche Unehre widerfahren war, wurde darauf das Herzogthum genommen und an seine Stelle Wilhelm[3] gesetzt, der das Volk der Wasken — wie sie von Natur leichtfertig sind — wegen jenes glücklichen Erfolges sehr aufgeblasen und über die Bestrafung Adelrichs höchst aufgebracht fand. Durch List

1) Stadtberg an der Diemel. — 2) Adelricus hatte nach dem Tode seines Vaters Lupus, der wegen Verraths an Karl (s. oben Cap. 2 Schluß), indem er ihn in den Pyrenäen überfiel, hingerichtet worden war, einen Theil Wasloniens von Karl erhalten. — 3) Der durch seine spätern Thaten so berühmte heilge Wilhelm, in den letzten Jahren seines Lebens Mönch.

indeß wie durch Tapferkeit unterwarf er sie in kurzer Zeit und stellte bei seinem Volke den Frieden wieder her. König Ludwig
790. aber hielt in demselben Jahre zu Tolosa eine allgemeine Reichsversammlung und während er sich hier aufhielt, schickte Abutaur, Herzog der Sarrazenen und die übrigen, welche Nachbarn des Königreichs Aquitanien waren, Gesandte an ihn, um Frieden bittend und königliche Geschenke sendend. Nachdem diese dem Willen des Königs gemäß angenommen waren, kehrten die Gesandten in die Heimath zurück.

791. 6. Im nächsten Jahr ging König Ludwig zu seinem Vater nach Ingelheim und von da mit ihm nach Hrenesburg [1]. Und hier, da er schon an der Schwelle des Jünglingsalters stand, wurde er mit dem Schwert umgürtet und begleitete darauf seinen Vater, der das Heer gegen die Avaren führte, bis Chuneberg [2], dann aber erhielt er Befehl zurückzukehren und bis zur Rückkehr des Vaters bei der Königin Fastrada zu bleiben. Er verbrachte daher mit ihr die nahende Winterszeit, während der Vater den begonnenen Feldzug fortsetzte. Als dieser aber selbst von dem Avarischen Zug heimkehrte, erhielt er von ihm die Weisung nach Aquitanien zurückzugehen und seinem Bruder Pippin mit so viel Mannschaft als er konnte zu Hülfe zu eilen. Gehorsam ging er im Herbst nach Aquitanien und nachdem er alles, was zum Schutz des Reiches gehörte, geordnet hatte, zog er durch die rauhen und gewundenen Schluchten des Mons Cinisius [3] nach Italien, feierte das Geburtsfest Christi zu Ravenna und kam zu seinem Bruder. Verbunden fallen sie mit vereinten Kräften in die Provinz Benevent [4] ein, verwüsten alles wohin sie kommen und er-
793. obern ein Castell. Nach Verlauf des Winters kehren sie beide glücklich zum Vater zurück, indem nur eine Nachricht ihre große Freude vergällte, da sie erfuhren, daß ihr natürlicher Bruder Pippin [5] gegen

1) Regensburg. — 2) Bei Einhard zu demselben Jahr: in monte Cumeoberg —. Pertz hält dafür die bei Königsstädten und weiter bis in die Donau steil hinabsteigenden Felsenabhänge; die Stadt Comageni selbst wäre Königsstädten. — 3) Mont Cenis. — 4) Der langobardische Herzog von Benevent, Arichis, Schwiegersohn des Desiderius, hatte sich Karl nicht unterworfen: daher der Krieg. — 5) Der älteste Sohn Karls, von seiner Beischläferin Himiltrud.

den gemeinsamen Vater eine Verschwörung angestiftet habe und
mehrere Vornehme seien des Verbrechens mitschuldig hineinver-
wickelt und dafür mit dem Tode gestraft worden. Schnell wandten
sie sich daher nach Baiern und trafen den Vater an einem Ort,
der Salz[1] heißt, und wurden von ihm sehr freundlich empfangen.
Die übrige Zeit aber des Sommers, Herbstes und Winters brachte
Ludwig mit dem Vater zu; denn sehr sorgte dieser, daß dem König 794.
nicht die ehrenvollen Beschäftigungen unbekannt blieben, oder etwa
Fremdes, was ihm anhing, irgend Schande brächte. Als er im
Anfang des Frühjahrs vom Vater entlassen ward, fragte ihn dieser, 795.
woher er, da er König wäre, in so bedrängten Vermögensumständen
sich befände, daß er ihm außer auf besondern Befehl nicht einmal
ein Geschenk machen könnte; und er erfuhr von Ludwig, daß, weil
jeder Vornehme auf seinen Vortheil dächte, das öffentliche Gut
aber vernachlässigte, in verkehrter Ordnung, während das öffentliche Eigenthum zu Privatbesitzthum gemacht werde, er nur dem
Namen nach Herr wäre, in der That aber fast an allem Mangel
litte. Diesem Uebelstand wollte der Kaiser abhelfen, indeß fürchtend, daß etwa bei den Vornehmen die Liebe zu seinem Sohne
abnähme, wenn er ihnen mit Ueberlegung etwas entzöge, was er
ohne Ueberlegung ihnen übergeben hatte, schickte er jenem seine
Sendboten, nämlich Willebert, späteren Erzbischof von Rotomaga[2],
und Graf Richard, den Verwalter seiner Dörfer, mit dem Befehl,
daß die Dörfer, welche seither für den königlichen Bedarf gedient
hatten, wieder dem öffentlichen Dienst zurückgegeben würden: und
dieß geschah auch. 796.

7. Als er diese wieder erhalten hatte, gab er ebensosehr fortwährend ein Zeichen seiner Klugheit als er das Gefühl der Barmherzigkeit, die sich an ihm echt erwies, offenbarte. Denn er bestimmte, wie er an vier Orten die Winterszeit zubringen wollte, so daß nach je drei Jahren jeder Ort im vierten Jahre wieder ihn für den Winter aufnehmen sollte, und diese Orte waren die Pfalz

1) Die königliche Pfalz Königshofen. — 2) Rouen.

Theotuadum[1], Cassinogilum[2], Andiacum[3] und Eurogilum[4]. Diese Orte, wenn man je im vierten Jahre wieder zu ihnen zurückkehrte, brachten hinreichenden Ertrag für den königlichen Dienst. Nachdem er dieß aufs klügste geordnet hatte, befahl er, daß das Volk fernerhin die Naturalabgaben für das Heer, welche man Foderus[5] zu nennen pflegt, nicht mehr zu leisten brauchte. Und obgleich das die Kriegsleute übel aufnahmen, so hielt es doch jener Mann des Erbarmens, da er die Armuth der Geber und die Grausamkeit der Fordernden und zugleich das Verderben beider erwog, für besser, den Seinigen von dem Seinen zu geben, als zu gestatten, daß die Menge des Getreides die Seinigen in Gefahren verwickelte. Um dieselbe Zeit erließ er in seiner Freigebigkeit den Albigensern[6] die Wein- und Getreidelieferungen, wovon sie hart bedrückt wurden. Er hatte damals aber den Meginhar bei sich, den ihm der Vater gesandt hatte, einen weisen und unternehmenden Mann, der wußte was dem König Nutzen und Ehre brachte. So sehr aber sollen diese Einrichtungen dem König, seinem Vater, gefallen haben, daß er, dies nachahmend, auch in Francien bestimmte, daß diese Naturalabgaben für das Heer nicht weiter gegeben werden sollten und mehreres anderes zu verbessern befahl; dem Sohn aber wünschte er zu seinen gedeihlichen Erfolgen Glück.

798. 8. Im folgenden Jahr kam der König nach Tolosa und hielt daselbst eine allgemeine Versammlung. Die Gesandten des Fürsten der Galicier, Adefonsus, welche dieser zur Befestigung der Freundschaft geschickt hatte, empfing und entließ er in Frieden. Auch die Gesandten Bahaluks[7], Herzogs der Sarracenen, der in den an Aquitanien grenzenden Berggegenden herrschte, welche um Frieden baten und Geschenke brachten, empfing er und schickte sie zurück. In dieser Zeit, besorgt, daß er nicht von den natürlichen

1) Doué an der Grenze der Anden und Pictonen. — 2) Vergl. zu Cap. 2. — 3) Nach einigen Jocundiacum (Joac) in Limosin, nach andern im Santonischen Gau an einem linken Nebenfluß der untern Charente gelegen, nach dritter Meinung endlich vielleicht Angeac. — 4) An der Sicaula (la Sioule), Ebreuil, unweit Clermont, nördlich vom Puys de Dome. — 5) Das deutsche Futter, wovon Foderus abgeleitet ist. — 6) S. oben Cap. 3. — 7) Es ist dieß Bahlul Ben Malhlul.

hitzigen Trieben seines Fleisches in die vielen Abgründe der Ausschweifuug fortgerissen würde, nahm er sich nach dem Rath der Seinigen Hermingard[1] zur künftigen Königin, die von edlen Eltern abstammte, indem sie die Tochter des Grafen Ingramm war. Er ließ aber um jene Zeit an den Grenzen Aquitaniens überall eine feste Vertheidigungslinie anlegen: die Stadt Ausoa[2] nämlich, das Kastell Kardona[3], Kastaserra[4] und die übrigen früher verlassenen Orte befestigte er, gab ihnen Einwohner und übertrug ihre Vertheidigung dem Grafen Borullus nebst hinreichender Mannschaft.

9. Nach Verlauf des Winters schickte der König sein Vater 799.
an ihn, er möge mit so viel Volk als er könne zu ihm stoßen, da er gegen die Sachsen zöge. Ohne Zaudern brach er auf und kam zu ihm nach Aachen; und zog mit ihm nach Freinersheim[5], wo er eine allgemeine Reichsversammlung hielt, am Ufer des
Rheins. In Sachsen blieb er beim Vater bis zum Fest des hei- 2. Nov.
ligen Martinus. Dann verließ er mit ihm Sachsen und begab sich, als der Winter schon zum größten Theil vorüber war, nach Aquitanien.

10. Im nächsten Sommer schickte König Karl an ihn und ließ 800.
ihm entbieten, daß er mit ihm nach Italien ziehen sollte; nach verändertem Beschluß jedoch erhielt er Befehl zu Haus zu bleiben.

Während aber der König nach Rom ging und daselbst mit dem kaiserlichem Diadem geschmückt wurde, begab sich Ludwig wieder nach Tolosa und von da nach Spanien. Als er sich Barcinnona[6] näherte, kam ihm der schon unterworfene Herzog der Stadt Zaddo[7] entgegen, übergab ihm aber die Stadt nicht. Der König zog vorüber, erschien aber plötzlich vor Illerda[8], das er unterwarf und zerstörte. Hierauf und nachdem die übrigen Städte verwüstet und verbrannt waren, ging er bis nach Hosca[9] vor. Die reiche Frucht auf den Feldern der Stadt wurde von den Soldaten abgemäht,

1) Vgl. Thegans Leben Ludwigs Cap. 4. — 2) Vich. — 3) Cardona nordwestlich von Barcelona. — 4) Nach Petrus de Marca das verfallene Kastell Cassery am Fluß Ter bei Roda. — 5) Friemersheim auf dem linken Rheinufer etwas oberhalb des Zusammenflusses von Lippe und Rhein. — 6) Barcelona. — 7) Sein eigentlicher Name Zeid. — 8) Lerida am linken Ufer des Segre. — 9) Huesca.

verwüstet, verbrannt und alles was sich außerhalb der Stadt fand durch die Verheerung des Feuers vernichtet. Nachdem dieß ausgeführt war, kehrte er, da der Winter bevorstand, nach Hause zurück.

803. 11. Im nächsten Sommer [1] ging der ruhmreiche Kaiser Karl nach Sachsen und befahl dem Sohne, daß er ihm folgen sollte, um in jenem Lande den Winter zuzubringen. Er eilte dieß zu thun: kam nach Neuscia [2], überschritt daselbst den Rhein und beschleunigte die Reise um den Vater zu treffen. Bevor er ihn jedoch erreichte, begegnete er einem Boten des Vaters an einem Orte, der Ostfaloa [3] heißt, welcher ihm den Befehl brachte, daß er nicht weiter seine Reise fortsetzen solle, sondern an einem Orte, der ihm geeignet schiene, sein Lager aufschlagen und ihn, wenn er zurückkehre, daselbst erwarten möge. Denn nachdem das Volk der Sachsen unterjocht war, kehrte nun der Kaiser Karl als Sieger zurück. Als der Sohn ihn traf, umarmte er denselben, küßte ihn und spendete ihm viel Dank und Lob, oft wiederholend, welchen Nutzen ihm Ludwigs Willfährigkeit gebracht, und pries sich glücklich um solchen Sohn. Nachdem endlich der lange und grausame Sachsenkrieg beendigt war, der, wie erzählt wird, dreißig Jahre dauerte, kehrte König Ludwig, vom Vater entlassen, mit den Seinigen in sein eignes Reich für den Winter zurück.

800. 12. Nachdem der Winter vorüber war, fing Kaiser Karl an, da er günstige Zeit dazu gefunden hatte, indem er von auswärtigen Kriegen frei war, die dem Meere angrenzenden Gegenden seines Reichs zu bereisen. Als dieß Ludwig erfahren hatte, sandte er einen Gesandten Hademar nach Rotomagus [4] und ließ den Vater bitten, seinen Weg nach Aquitanien zu wenden, um das Reich, welches er ihm gegeben hätte, zu besichtigen, und er möge dazu nach dem Orte, welcher Kassinogilus [5] heißt, kommen. Der Vater nahm seine Bitte mit Ehren auf, ließ ihm danken, lehnte jedoch die Ein-

1) Die Chronologie ist öfters verwirrt. — 2) Neuß, Düsseldorf gegenüber. — 3) In diesem Gau lag Hildesheim. — 4) Rouen. — 5) S. oben Kap. 2.

fehung ab und beschied ihn nach Turonum[1]. Als Ludwig dorthin kam wurde er vom Vater mit Glückwünschen empfangen; und er begleitete den Kaiser bei seiner Rückkehr bis nach Vernum[2]; hier trennte er sich von ihm und ging nach Aquitanien zurück.

13. Im nächsten Sommer wurde Zaddo, der Herzog von Bar- 801.
cinnona, von jemand, den er für seinen Freund hielt, bewogen bis nach Narbona[3] vorzugehen. Dort aber gefangen ward er vor König Ludwig und darauf auch vor Kaiser Karl geführt. Um dieselbe Zeit berieth König Ludwig zu Tolosa, nachdem das Volk seines Königreichs zusammengerufen war, über das was zu thun nöthig schien. Denn nach dem Tode des Burgundio war die Fedentiacische Grafschaft[4] dem Lintard gegeben worden. Darüber aber waren die Wasken so ergrimmt und gingen so weit in ihrem Uebermuth, daß sie sogar einige Leute desselben mit dem Schwerte tödteten, andere verbrannten. Diese vorbeschieden verweigerten zwar zuerst zu erscheinen, kamen dann aber dennoch um ihre Sache zu führen und erlitten gerechte Strafe für solche Verbrechen, so daß einige nach dem Recht der gleichen Vergeltung verbrannt wurden. In der folgenden Zeit, da dieß abgethan war, schien es dem König und seinen Rathgebern nöthig zur Belagerung von Barcinnona zu schreiten. Das Heer wurde in drei Theile getheilt; den einen behielt Ludwig, der zu Ruscellio[5] blieb, selbst bei sich, dem andern, welchen Rostangs, Graf von Gerunda[6], befehligte, übertrug er die Belagerung der Stadt, den dritten aber, damit nicht etwa die Belagerer der Stadt unversehens vom Feinde überfallen würden, schickte er voraus, um jenseit der Stadt sich aufzustellen. Die Belagerten in der Stadt sandten unterdeß nach Korduba (Cordova) und forderten Hülfe. Der König der Saracenen[7] aber sandte ihnen alsbald ein Heer zur Unterstützung. Als diese nun, welche zu Hülfe geschickt wurden, nach Cäsaraugusta[8] kamen, hörten sie von dem

1) Tours. — 2) Zwischen Compendium (Compiegne) und dem Monast. St. Dionysii (St. Denis) nach den Bertinianischen Annalen; es lag nicht weit von der Isara (Oise). — 3) Narbonne, er überstieg dabei die Pyrenäen. — 4) Grafschaft Fezensac im Waskischen Lande. — 5) Roussillon. — 6) Girona am rechten Ufer des untern Ter. — 7) El Hakem. — 8) Zaragoza.

Heere, welches auf dem Wege sich gegen sie aufgestellt habe. Dieß führte Wilhelm[1], Hademar war Bannerträger und mit ihnen starke Mannschaft. Als jene dieß hörten, wandten sie sich gegen die Asturier und brachten ihnen unerwartet eine Niederlage bei, erlitten aber selbst viel größeren Verlust. Während diese zurückgingen, kehrten die Unsrigen zu ihren Genossen, welche die Stadt belagerten, zurück und bedrängten mit ihnen vereint so lange die Stadt, sie umzingelnd und keinen hinein noch herauslassend, daß die Einwohner durch die Bitterkeit des Hungers gezwungen wurden selbst die alten Felle von den Opferthieren abzuziehen und als traurige Speise zu benutzen. Andere aber, die einem so elenden Leben den Tod vorzogen, stürzten sich kopfüber von den Mauern, andere lebten noch der nichtigen Hoffnung, daß die Franken durch die Strenge des Winters von der Belagerung der Stadt abgehalten werden würden. Aber ihre Hoffnung wurde an dem Rath kluger Männer zu nichte. Man brachte nämlich von überall her Bauholz zusammen und fing dann an Hütten zu bauen, um in ihnen den Winter zuzubringen. Als dieß die Bewohner der Stadt sahen, schwand ihnen die Hoffnung und in der äußersten Verzweiflung lieferten sie ihren Fürsten, Hamur mit Namen, einen Verwandten des Zaddo, den sie an seine Stelle gesetzt hatten, aus und übergaben sich und die Stadt, nachdem sie die Bewilligung freien und sichern Abzugs erhalten, auf diese Weise. Als nämlich die Unsrigen die Stadt durch die lange Belagerung erschöpft sahen und glaubten, daß sie jeden Augenblick eingenommen werden könnte oder sich ergeben würde, faßten sie, wie es sich geziemte, den ehrenwerthen Entschluß, den König herbeizurufen, damit eine Stadt von solchem Ruf dem König weit und breit einen berühmten Namen machte, wenn es sich so glücklich träfe, daß sie in seiner Gegenwart eingenommen würde.

Diesem ehrenvollen Ansuchen gab der König seine Beistimmung. Er kam daher zu seinem Heer, das die Stadt einschloß; standhaft hielt sie sich noch sechs Wochen bei ununterbrochener Belagerung; endlich aber überwunden ergab sie sich dem Sieger.

1) Wilhelm von Toulouse.

Nachdem die Stadt übergeben und geöffnet war, bestellte der König am ersten Tage Wächter daselbst; verschob selbst jedoch noch seinen Einzug, bis er bestimmt hatte, wie er mit Danksagungen, Gottes würdig, den erwünschten und erlangten Sieg seinem Namen weihen könnte.

Am folgenden Tag aber zog er mit den Priestern und der Geistlichkeit, welche ihm und dem Heere vorangingen, in feierlichem Aufzug, unter Lobgesängen in das Thor der Stadt ein und begab sich nach der Kirche des heiligen und siegreichen Kreuzes, dort für den von Gott verliehenen Sieg ihm seinen Dank abzustatten. Hierauf ließ er Graf Bera mit Gothischen Truppen zur Bewachung zurück und begab sich für den Winter nach Hause. Sein Vater, als er von der Gefahr hörte, welche dem Sohne von den Sarracenen zu drohen schien, schickte ihm seinen Bruder Karl zur Unterstützung: als dieser dem Bruder zueilend auf der Reise Lugdunum [1] berührte, traf ihn ein Bote seines Bruders des Königs, meldete ihm die Eroberung der Stadt und hieß ihn nicht weiter sich zu bemühen. Er verließ darauf den Ort und kehrte zum Vater zurück.

14. Während Ludwig den nächsten Winter in Aquitanien zubrachte, hieß ihn der Vater zu einer Unterredung nach Aachen kommen zum Fest der Reinigung Mariä. Dort traf er ihn und verweilte mit ihm so lange er es wünschte, bis er um die Zeit der Fasten zurückkehrte.

Im nächsten Sommer aber zog er mit so großer Kriegsmacht 809.
als ihm nöthig schien nach Spanien, bei Barcinnona vorbei bis nach Terracona [2], nahm, wen er fand, gefangen, jagte andere in die Flucht, und alle Ortschaften, Kastelle und Munizipien bis Tortosa [3] zerstörte das Heer und verzehrte die gierige Flamme. Inzwischen theilte er an einem Orte, mit Namen Sancta Kolumba [4] das Heer; den einen größeren Theil führte er mit sich gegen Tortosa; mit dem übrigen aber schickte er den Isembard, Hademar, Bera und Borellus schnell in die höheren Gegenden, und ließ sie über

1) Lyon. — 2) Tarragona. — 3) Am rechten Ebroufer nahe dem Meere. — 4) Zwischen Barcellona und Tarragona.

den Ebro geben, um während er selbst den Feind gegen Tortosa nach sich ziehe, aus dem Hinterhalt diesem in den Rücken zu fallen oder wenigstens, indem sie die Gegend beunruhigten, ihm Schreck einzujagen.

Während daher der König gegen Tortosa zog, gingen jene immer längst des Ebro hinauf, des Nachts vorrückend und am Tage im Dunkel der Wälder sich verbergend, bis sie Linga [1] und Ebro durchschwammen. Auf diesem Marsche brachten sie sechs Tage zu, am siebenten setzten sie über. Als dieß alle glücklich vollbracht hatten, verwüsteten sie weit und breit das Land der Feinde und kamen bis zu einem sehr großen Dorf derselben, Villa-Rubea und sie machten hier sehr große Beute, indem die Feinde ganz unvorbereitet waren und nichts derartiges ahnten.

Da indessen hierauf die, welche diesem Unglück hatten entgehen können, es weit und breit verkündeten, sammelte sich eine nicht geringe Anzahl von Sarracenen und Mauren und stellte sich jenen entgegen am Ausgang eines Thals welches Valla-Ibana heißt; die Natur dieses Thals aber war, daß es selbst in der Tiefe gelegen auf beiden Seiten von steilen und hohen Bergen eingeschlossen war. Hätte Gottes Vorsicht nicht den Eingang verwehrt, so hätten die Unsrigen fast ohne alle Mühe für die Feinde durch Steinwürfe vernichtet werden oder in die Hände der Feinde gerathen können. Während aber jene die Straße versperrten, suchten die Unserigen anderswo einen offneren und ebneren Weg; und die Mauren, welche meinten die Unsrigen thäten dieß nicht sowohl zu eigener Sicherheit als aus Furcht vor ihnen, folgten ihnen von hinten nach. Darauf jedoch ließen die Unsrigen die Beute hinter sich zurück, stellten sich dem Feinde Auge in Auge gegenüber, kämpften heftig und zwangen sie mit Christi Hülfe die Flucht zu ergreifen. Wen sie ergriffen, tödteten sie und holten sich die Beute die sie hinter sich gelassen hatten, und kehrten endlich zwanzig Tage nach der Trennung wohlgemuth, mit Verlust nur sehr weniger, zum König zurück.

1) Linker Nebenfluß des Ebro, mit dem Segre zugleich in denselben mündend.

König Ludwig aber, nachdem er die Seinigen fröhlich empfangen und das feindliche Land überall verwüstet hatte, kehrte nach Hause zurück.

In der nächsten Zeit rüstete König Ludwig wieder zu einem 910.
Zug nach Spanien. Der Vater hielt ihn aber davon ab, nicht selbst die Leitung des Feldzugs zu übernehmen. Er hatte nämlich um diese Zeit Schiffe gegen die Einfälle der Normannen auf allen Flüssen bauen lassen, welche in das Meer sich ergießen. Die Sorge dafür auf den Flüssen Hrodanus, Garonna und Silida[1] übertrug er nun seinem Sohne. Er schickte ihm aber seinen Sendboten Ingobert, der die Abwesenheit des Sohnes ersetzen und anstatt beider das Heer gegen die Feinde führen sollte. Während daher der König der angegebenen Ursache wegen in Aquitanien blieb, kam sein Heer glücklich nach Barcellona; und in einem Rath, den sie unter einander hielten, wie man die Feinde durch einen geheimen Ueberfall überraschen könnte, entwarfen sie diesen Plan: sie fertigten Schiffe zum Uebersetzen an, zerlegten jedes davon in vier Theile, so daß jedes dieser vier Stücke durch je zwei Pferde oder Maulthiere gezogen werden könnte und sie sich durch vorher angefertigte Nägel und Hämmerchen leicht wieder zusammenfügen ließen; durch Pech aber und Wachs und Werg, welche man bereit hatte, sollten, sobald man zum Flusse käme, die Fugen an den Stellen der Zusammenfügung geschlossen werden. So ausgerüstet zog der größte Theil der Mannschaft unter dem genannten Sendboten Ingobert nach Tortosa. Die aber, welche zu jenem Werke bestimmt waren, Hademar, Bera und die übrigen, nachdem sie einen Marsch von drei Tagen zurückgelegt hatten — da sie ohne Zelte waren, unter dem freien Himmel lagernd, ohne Heerdfeuer, damit sie nicht durch den Rauch verrathen würden, am Tage in den Wäldern versteckt, in der Nacht so viel sie konnten vorrückend — setzten am vierten Tage auf den zusammengefügten Schiffen über den Ebro; die Reiter durchschwammen ihn.

1) Rhone, Garonne, der dritte Fluß ist in diesem Namen nicht zu erkennen.

Dieser Plan würde nach ihrem Wunsche einen großen Erfolg gehabt haben, wenn er nicht entdeckt worden wäre. Da nämlich Abaidun der Herzog von Tortosa, um die Unsrigen am Uebergang zu verhindern, das Ufer des Ebro besetzt hatte und jene, von denen wir oben gesprochen, in der obern Gegend auf die angegebene Art den Fluß überschritten, sah ein Maure, der in den Fluß gegangen war um sich zu baden, Pferdemist im Wasser treiben. Als er diesen sah — wie sie denn von großer Schlauheit sind — schwamm er hin, nahm den Mist und hielt ihn an die Nase; dann rief er: Hört, Genossen, ich rathe euch, nehmt euch in Acht; denn dieß ist weder Abgang vom Waldesel noch überhaupt von einem Thier, das an Kräuterweide gewöhnt ist. Das ist Mist von Pferden, früher sicher Hafer, das Futter von Pferden oder Maulthieren. Daher paßt sorgfältig auf. Denn in den oberen Gegenden des Flusses werden uns, wie ich sehe, Nachstellungen bereitet. Alsbald bestiegen zwei von den Ihrigen die Pferde und begaben sich auf Kundschaft. Als sie die Unsrigen gesehen hatten, meldeten sie dem Abaidun was wahr war. Jene aber von Furcht getrieben ließen Alles, was das Lager in sich faßte, im Stich und ergriffen die Flucht; und die Unsrigen bemächtigten sich alles dessen was zurückgelassen war und brachten die Nacht in den Zelten der Feinde zu.

Am andern Tage aber rückte ihnen Abaidun mit einem gesammelten Heere zur Schlacht entgegen.

Die Unsrigen indeß auf Gottes Hülfe vertrauend, obgleich ungleich und an Zahl weit schwächer als jene, zwangen die Feinde dennoch zur Flucht und erfüllten den Weg der Fliehenden mit vielen Todten: und nicht eher ließen sie ab vom Morden, als bis da die Sonne und mit ihr das Tageslicht geschwunden war und Schatten die Erde deckte, die leuchtenden Sterne die Erde zu trösten erschienen. Hierauf zogen sie unter Christi Beistand mit großer Freude und vielen Schätzen zu den Ihrigen zurück. Und jene, nachdem sie lange die Stadt belagert hatten, gingen wieder nach Hause.

811. 16. Im nächsten Jahre beschloß König Ludwig selbst gegen

Tortosa zu ziehen in Begleitung des Heribert[1], Lintard und Isembard[2] und mit einer starken fränkischen Hülfsmacht. Dort angelangt bedrängte und zerstörte er die Stadt so durch Mauerböcke, große Steinschleudern, Schutzdächer und andere Belagerungsmaschinen, daß die Bürger die Hoffnung aufgaben und, da sie die Ihrigen durch ungünstiges Kriegsgeschick überwältigt sahen, die Schlüssel der Stadt überlieferten. Diese überbrachte er selbst zurückgekehrt dem Vater mit vieler Freude. Dieß Ereigniß flößte den Sarracenen und Mauren große Furcht vor solchen Thaten ein, indem sie besorgten, daß ein ähnliches Schicksal die übrigen Städte treffen möchte. Am vierzigsten Tage, von Anfang der Belagerung gerechnet, verließ der König die Stadt und begab sich in sein Reich zurück.

17. Nach Ablauf dieses Jahres aber rüstete er ein Heer und beschloß es nach Hoska[3] unter dem Sendboten seines Vaters Heribert zu senden. Daselbst angelangt belagerten sie die Stadt, nahmen alle auf die sie stießen lebend gefangen oder jagten sie in die Flucht. Während sie aber, die Stadt belagernd, mehr als es sich gehörte in träger Nachlässigkeit sich gehen ließen, nahten sich eines Tages mehrere unbesonnene und leichtfertige Jünglinge den Mauern, reizten zuerst mit Worten die, welche die Vertheidigungswerke hütheten, und fingen dann an nach ihnen mit Geschossen zu werfen. Die Bewohner aber, die geringe Zahl der Anwesenden verachtend und auf das späte Herbeieilen der Entfernten rechnend, brachen aus den geöffneten Thoren hervor; man kämpfte von beiden Seiten, hier und dort fielen sie und endlich zogen sich jene in die Stadt zurück, diese aber begaben sich in das Lager und blieben da. Nach einer langen Belagerung, als alles verwüstet und, was sonst zu unternehmen rathsam schien, ausgeführt war, kehrten sie zum König zurück, der damals in den Wäldern eifrig Jagd trieb. Denn es war schon spät im Herbst. Der König aber empfing die Seinigen 812.

1) Vielleicht der Sohn Herzog Wilhelms von Toulouse, Bruder Bernhards. — 2) Graf von Fezensac. — 3) Huesca.

da sie von dem beschriebenen Feldzuge zurückkehrten und brachte den nächsten Winter bei sich zu Haus in Ruhe hin.

18. Im nächsten Sommer aber berief er eine allgemeine Versammlung seines Volks und berichtete ihnen von dem Gerücht, welches er gehört, daß nämlich ein Theil der Wasken, der schon früher unterworfen, jetzt auf Abfall sinne und in einem Aufstand sich erheben wolle. Das öffentliche Wohl erfordere, daß man diesen Trotz zu brechen eile. Alle lobten diesen Entschluß des Königs und erklärten, daß solches bei Unterworfenen nicht zu verachten, sondern vielmehr auf das Schärfste und Strengste zu verfolgen wäre. Nachdem daher wie es nöthig war ein Heer aufgeboten und gehörig vertheilt war, begab er sich nach dem Dorf Aqui[1] und beschied diejenigen, welche der Untreue bezüchtigt wurden, vor sich. Da sie aber zu erscheinen sich weigerten, zog er in ihr Gebiet und überließ alle ihre Besitzungen dem Heere zur Plünderung. Endlich als alles, was ihnen zu gehören schien, zu Grunde gerichtet war, kamen sie um Gnade flehen und erhielten zuletzt, nachdem sie alles verloren hatten, für ein großes Geschenk Verzeihung. Nachdem er aber glücklich den schwierigen Zug über die Pyrenäischen Alpen zurückgelegt hatte, stieg er nach Pampelona herab; und er verweilte in dieser Gegend so lange als ihm nützlich schien und ordnete alles, daß es sowohl zum Nutzen und Wohl des Allgemeinen wie des Einzelnen gereichen sollte.

Als er aber durch die Engpässe dieses Gebirges zurückgehen mußte, wagten die Wasken wieder den ihnen angebornen und gewohnten trügerischen Sinn zu zeigen; ihre Pläne wurden aber durch Vorsicht und Schlauheit entdeckt, durch kluge Ueberlegung hintertrieben, durch Behutsamkeit vereitelt. Denn einen[2] derselben,

1) Dax oder Acqs am linken Ufer des Adour. — 2) Es ist wohl Adalrich, der Sohn des Lupus gemeint, der im Jahr 790 auf dem Tag zu Worms abgesetzt, später von Karl sein Herzogthum wieder erhielt. Karl der Kahle sagt von ihm in einem Befehl für den Abt Obbonius: Lupus gefangen verlor elend sein Leben durch den Strang; sein Sohn Adalrich erhielt durch Barmherzigkeit einen Theil Waskoniens um anständig leben zu können; dieses Mitleid aber mißbrauchend erhob er, wie der Vater, mit seinem Sohne Sciminus und Centullus die Waffen gegen unseren frommen Vater und fiel mit seinem Sohne Centullus in der Schlacht, da er in den Bergen das Heer jenes angriff. Unser Vater aber in ge-

der um zu reizen vorgegangen war, fing man ein und hing ihn auf, den übrigen nahm man die Weiber oder die Söhne, bis die Unsrigen dahin gelangten, wo die List jener dem König und dem Heere keinen Schaden mehr verursachen konnte.

19. Hierauf zog der König und das Heer unter Gottes Schutz nach Hause. Des Königs frommer Sinn war schon von früher Jugend an, damals aber besonders für den göttlichen Dienst und die Erhöhung der heiligen Kirche besorgt, so daß man ihn nach seinen Werken eher einen Priester als einen König nennen möchte. Denn die ganze Geistlichkeit Aquitaniens hatte, bis sie ihm überwiesen wurde, unter Tyrannen lebend, mehr dem Reiten, dem Kriegsdienst, dem Lanzenschwingen als dem göttlichen Dienst ihre Zeit gewidmet. Auf Antrieb des Königs aber wurden von überall her Lehrer herbeigerufen, und die Kenntniß des Lesens und Singens sowie geistliche und weltliche Wissenschaft blühte schneller auf als man es glauben konnte. Vorzüglich aber hing er denen mit Liebe an, welche all das Ihre um Gottes Willen verlassend einem beschaulichen Leben sich hinzugeben bestrebten. Denn ehe Aquitanien unter seine Herrschaft kam, war dieser Stand daselbst ganz verfallen; unter ihm aber blühte er wieder so auf, daß er selbst das denkwürdige Beispiel seines Großoheims[1] Karlmann nachzuahmen wünschte und darauf dachte die Höhe des gottseligen Lebens zu erreichen. Der Erfüllung dieses Wunsches aber stellte sich die Weigerung des Vaters oder vielmehr Gottes Gebot entgegen, welcher nicht wollte, daß ein Mann von solcher Frömmigkeit unter der Sorge für sein eignes Heil verborgen hinlebte, sondern daß vielmehr durch ihn und unter ihm vielen das Heil aufginge. Und viele Klöster, wie gesagt wird, sind von ihm während seiner Regierung wiederhergestellt, ja sogar von Grund aus gebaut worden, vorzüglich diese:[2] das Kloster des heiligen Filebert, das Kloster

wohnter Barmherzigkeit theilte wiederum Waskonien unter den genannten Seiminus und Lupus den Sohn des Centullus. Dieß verloren aber später wegen Untreue Lupus des Centullus, und Garsimirus des Seiminus Sohn.

1) Karlmann, Pippins Sohn, wurde 747 Mönch auf Monte Casino. — 2) Zu den wiederhergestellten gehören: das Kloster des heiligen Filebert auf der Insel Herio bei den Pictonen

des heiligen Florentius, das Kloster Caroffum, das Kloster Caunas, das Kloster des heiligen Maxentius, das Kloster Menate, das Kloster Magnilocus, das Kloster Musciacum, das des heiligen Savinus, das Kloster Masciacum, Noviliacum, das des heiligen Theotfried, das Kloster des heiligen Pascentius, das Kloster Dosara, das Kloster Sollenniacum, das Nonnenkloster der heiligen Maria, das der heiligen Radegunde, das Kloster Devera, das Kloster Deutera im Tolosanischen Gau, das Kloster Vadala, in Septimanien das Kloster Amniane, das Kloster Caluna, das des heiligen Laurentius, das Kloster der heiligen Maria, welches Inrubine heißt, das Kloster Caunas und viele andere, die wie leuchtende Edelsteine das ganze Reich Aquitanien zieren. Seinem Beispiele folgten nicht nur viele Bischöfe, sondern auch viele Laien, stellten die verfallenen Klöster wieder her und wetteiferten neue zu gründen, wie man selbst sehen kann.

Zu solchem blühenden und glücklichen Zustand gelangte aber das Aquitanische Reich, daß wenn der König umherreiste oder zu Haus residirte, kaum einer sich fand, der klagte, daß er etwas Ungerechtes erduldet hätte. Denn an drei Tagen in der Woche saß der König zu Gericht. Und als einst Kaiser Karl seinen Secretär Erchambold an den Sohn sandte, um diesem Befehle zu überbringen, und dieser zurückgekehrt von jener Einrichtung dem Vater erzählte, soll dieser so erfreut gewesen sein, daß er vor zu großer

das des heiligen Florentius auf dem Berg Glomea am linken Ufer der Loire; Carofium an der südöstlichen Grenze der Pictaven, in derselben Landschaft an den Quellen des Sevre das Kloster des heiligen Maxentius; im östlichen Theil daselbst am linken Ufer der Gartempe, einem Zufluß der Vienne (der Nebenfluß, welcher jene aufnimmt, ist die Creuse) St. Savini Kloster; ebenfalls bei den Pictaven, östlich von der Vienne, Nobiliacum, und das Frauenkloster der heil. Radegunde; Menate und Magnilocus bei den Arvernern, jenes an der Nordwestgrenze von Auvergne, dieses südöstlicher an dem rechten Ufer der Loire; das Kloster des heil. Theotfried im Vellavensischen Gau (Velay, östlich von Auvergne). Solenniacum in Limosin, unfern der Vienne, Musciacum oder Masiacum am rechten Ufer des untern Tarn in der Grafschaft Querry. Dosera oder Dusera an der Rhone. — Zu den neuen gehören in Septimanien: Aniane, das Kloster Gellona, das des heiligen Laurentius, das Kloster St. Maria in Rubine oder Orubione, gewöhnlich de Crassa genannt; das Kloster Caunas; in der Grafschaft Rovergne (Ruteni), südlich vom Lot, das Kloster Conchä; in Limosin das Kloster der heiligen Maria de Regula, bei den Biturigern das Kloster Massiacum. Unbekannt sind die Klöster de Vera, de Utera, das des heiligen Pascentius, und das Kloster Balada.

Bewegung in Thränen ausbrach und zu den Umstehenden sagte: Freunde, wünschen wir uns Glück von der gereiften Weisheit dieses Jünglings besiegt zu sein. Und weil er ein Diener des Herrn war, treu in Bewahrung, klug in Vermehrung des anvertrauten Pfundes, so ist er bestimmt worden als Hausvater Gewalt zu haben im ganzen Hause.

20. Um diese Zeit, da schon früher Pippin der König von Ita- 813.
lien gestorben und nun auch kürzlich Karl sein Bruder aus dieser Welt gegangen war [1] gewann er Hoffnung auf die Herrschaft des ganzen Reichs. Er hatte nämlich seinen Falkonier Gerriko zum Vater gesandt, um ihn über einige nothwendige Angelegenheiten zu befragen: und da dieser auf Antwort wartend im Pallast sich aufhielt, ermahnten ihn sowohl Franken als Germanen, daß doch der König zum Vater kommen und bei ihm zur Unterstützung bleiben möchte, denn es scheine ihnen, sagten sie, daß der Vater, der schon im Greisenalter stünde und schwer den herben Verlust seiner Kinder trüge, wohl einer baldigen Auflösung entgegenginge. Gerrikus theilte solches dem Könige, dieser seinen Räthen mit: und manchen, ja fast allen schien die Aufforderung sehr vernünftig. Nach höherem Rathschluß jedoch, um nicht etwa dem Vater Besorgniß zu erregen, zögerte Ludwig dem Rufe zu folgen. Die Gottheit aber, aus Ehrfurcht und Liebe zu welcher er es nicht thun wollte, ordnete dieß alles weiser an, wie es denn ihre Art ist diejenigen welche ihr anhängen höher als man es denken kann zu erheben. Als die, welche er durch Krieg zu bedrängen pflegte, um Frieden baten, gewährte der König ihnen denselben gern, indem er einen Zeitraum von zwei Jahren dafür festsetzte.

Unterdeß aber da Kaiser Karl sah, daß es bei seinem Alter mit ihm abwärts ginge und fürchtete, daß er, wenn er dieser Welt enthoben würde, das Reich etwa in Verwirrung zurücklassen möchte, welches mit Gottes Hülfe in gute Ordnung gebracht war, daß es nämlich durch äußere Stürme erschüttert oder durch innere Spal-

1) Pippin stirbt den 8. Juli 810; Karl den 4. December 811.

tungen zerrissen würde, schickte er zu seinem Sohn und ließ ihn aus Aquitanien zu sich rufen.

Bei seiner Ankunft empfing er ihn freundlich, behielt ihn den ganzen Sommer bei sich und unterrichtete ihn in Allem was ihm zu wissen noth that; unterwies ihn wie er leben solle, wie regieren, wie das Reich ordnen und geordnet erhalten; und endlich krönte er ihn selbst mit dem kaiserlichen Diadem und verkündete ihm, daß mit Gottes Willen in seinen Händen die höchste Gewalt ruhen solle. Und nachdem dieß vollzogen war, erlaubte er ihm wieder in sein Reich zurückzukehren. Und im Monat November schied er vom Vater und begab sich wieder nach Aquitanien.

Der Vater aber wurde von häufigen und eigenen Schmerzen heimgesucht, wie bei solchen, die dem Tode nahe, gewöhnlich ist. Denn durch solche Anzeichen kündigt der Tod, wie durch seine Boten an, daß seine Ankunft bald bevorstehe. Und endlich unter dem Kampfe der bösen Leidenschaften die gegen einander und wider seine Kraft anstürmten, wich die erschöpfte Natur und er mußte das Lager hüten; und von Tag zu Tag, von Stunde zu Stunde mehr dem Tode sich nährend, beschloß er endlich, nachdem er noch wie er wollte das Seinige schriftlich vertheilt hatte, sein Leben und ließ das Reich der Franken in unermeßlicher Trauer zurück. Aber an seinem Nachfolger erprobte sich die Wahrheit der Schrift, welche die Gemüther derer, welche in solchen Nöthen ängstlich sind, tröstet, da sie sagt: Der gerechte Mann ist gestorben und ist doch wie nicht gestorben, denn einen ihm gleichen Sohn hat er als Erben hinterlassen. Es starb aber der fromme Kaiser Karl am
814. 28. Januar im Jahre der Geburt unseres Herrn Jesus Christus 814.

Um diese Zeit aber hatte König Ludwig wie in einer Art Vorahnung eine allgemeine Reichsversammlung angesetzt, zum Fest der Reinigung Mariä, der heiligen Mutter Gottes (2. Februar), an dem Ort welcher Theotuadus[1] heißt.

21. Nach dem Tode aber seines Vaters, seligen Andenkens,

1) Bei Einhard: Tedoadum, Doué, westlich von Saumur, unweit der Loire.

wurde von denen, welche für die Bestattung sorgten, den Kindern nämlich und Vornehmen des Hofes, Rampo zu Ludwig geschickt, damit er bald die Nachricht von seines Vaters Tode erhielte und seine Ankunft auf keine Weise verschöbe. Als dieser zur Stadt Aureliani[1] kam, errieth Theodulf, Bischof der Stadt, ein in jeder Beziehung kluger Mann, den Grund weshalb er geschickt sei, und sandte schnell einen Boten um dem Kaiser die Nachricht mitzutheilen, dem er nur befahl den Kaiser zu fragen, ob er, der Bischof, ihn in der Stadt selbst erwarten oder ihm auf dem Wege, welchen er nach der Stadt einschlagen werde, entgegenkommen solle. Der König aber fand alsbald die wahre Erklärung und hieß ihn zu sich kommen. Nachdem er nun andere und wieder andere traurige Botschaft von diesem Ereigniß erhalten hatte, brach er am fünften Tage von jenem Orte auf und begab sich mit soviel Begleitung, als sich in der kurzen Zeit sammeln konnte, auf die Reise. Denn man fürchtete sehr, daß Wala[2], der im höchsten Ansehen bei Karl gestanden hatte, etwas Verderbliches gegen den Kaiser im Schilde führen möchte. Aber er kam schnell zu Ludwig und beugte sich vor ihm in demüthiger Unterwerfung, nach Sitte der Franken seiner Gnad sich empfehlend.

Und als erst dieser zum Kaiser gekommen war, ahmten ihm bald die übrigen Großen der Franken nach und wetteiferten in großer Menge dem Kaiser entgegen zu eilen.

Endlich erreichte Ludwig nach glücklich zurückgelegter Reise Aristallium und kam am dreizehnten Tage, seitdem er von Aquitanien aufgebrochen war, wohlbehalten in der Pfalz zu Aachen an.

Schon lange aber hatte seinen Sinn, obgleich von Natur so milde, das Treiben geärgert, welches seine Schwestern im väterlichen Hause führten, der einzige Flecken, welcher diesem anhaftete[3]. Um solchem Uebel abzuhelfen, indem er zugleich besorgte, daß etwa das Aergerniß, welches einst Hodiso und Hiltrud[4] ge-

1) Orleans. — 2) Wala, Sohn Bernhards, Enkel Karl Martells. — 3) Wir haben hierüber auch bei andern Schriftstellern Nachrichten und Zeugnisse, die so mild wie meist ge-

geben hatten, sich erneuern könnte, schickte er Wala und Warnarius, sowie Lantbert und Ingobert nach Aachen, um dort streng und genau darüber zu wachen, daß dergleichen nicht vorkomme, und befahl ihnen einige, welche durch besonders gräuliche Unzucht oder durch wegwerfenden Hochmuth sich des Majestätsverbrechens schuldig gemacht hätten, sorgsam bis zu seiner Ankunft in Gewahrsam zu halten. Denn manchen, welche noch auf der Reise zu ihm kamen und um Vergebung flehten, war diese gewährt worden. Zugleich befahl er, daß das Volk dort ruhig bleiben und ohne Furcht seine Ankunft erwarten sollte. Graf Warnar aber, ohne Wissen des Wala und Ingobert, nur mit Zuziehung seines Neffen Lantbert, ließ den Hoduin, der des genannten Verbrechens schuldig war, zu sich kommen, um ihn gefangen zu nehmen und dem König zur Bestrafung zu überliefern. Dieser aber, da ihn sein Gewissen peinigte, erkannte scharfsichtig den ihm gelegten Hinterhalt: er wollte ihm aber nicht aus dem Wege gehn und erreichte so selbst den verdienten Untergang, wie durch seine Hand auch Warnar. Denn als er dem Befehl gemäß zu diesem gekommen war, tödtete er ihn und verwundete den Lantbert am Knie, so daß derselbe lange daran krank lag; zuletzt aber durchbohrte er sich selbst mit seinem Schwert.

Solchen Schmerz aber erregte diese Nachricht vom Tode seines Freundes in des Kaisers Gemüth, daß ein gewisser Tullius, der zu denen gehörte, welche der kaiserlichen Verzeihung fast schon werth befunden waren, mit Verlust der Augen gestraft wurde.

22. So kam der Kaiser nach der Pfalz Aachen und wurde von den Verwandten und vielen tausend Franken mit großer Freude empfangen und zum zweiten Mal als Kaiser verkündet. Darauf dankte er denen, welche für das Begräbniß des Vaters Sorge ge-

schieht zu deuten dieser Bericht fast verbietet. — 4) Hiltrud, Schwester Karlmanns und Pippins; Odilo, Herzog von Baiern; die Metzer Annalen zum Jahr 743 sagen: „Im Jahr 743 ergab sich Odilo, Herzog der Baiern, welcher Hiltrud, Karls Tochter, die zu ihm floh, geheirathet hatte gegen den Willen Pippins und Karlmanns." Ihre Stiefmutter Sonichildis hatte sie dazu verführt. Die Sache scheint hier noch sehr glimpflich vorgetragen.

tragen hatten, und tröstete die von der Schwere des Verlustes niedergebeugten Verwandten.

Sogleich aber bestritt er selbst alles, woran es fehlte, um dem Vater die letzten Ehren zu erweisen. Denn nach verlesenem väterlichen Testamente fand sich nichts von den Gütern des Vaters, das nicht nach seiner Bestimmung vertheilt worden wäre. Es war aber nichts in seinem Testament vergessen. Was er den Kirchen zugetheilt wissen wollte, hatte er nach den Namen der Metropolitane, die er darüber schrieb, bis ins Einzelne bestimmt und es waren hiervon ein und zwanzig Abtheilungen. Was aber zum königlichen Schmuck gehörte, überließ er dem folgenden Geschlecht. Auch setzte er fest, was nach christlicher Sitte den Söhnen, Enkeln und Töchtern, so wie den königlichen Dienern und Mägden und im Allgemeinen allen Armen zugewiesen werden sollte. Dieß alles führte Kaiser Ludwig aus, wie er es geschrieben fand.

23. Hierauf ließ der Kaiser den ganzen weiblichen Troß, der sehr groß war, aus dem Palast schaffen, außer den sehr armen, welche er für den königlichen Dienst geeignet fand. Jede der Schwestern aber zog sich in die Besitzthümer, die sie vom Vater bekommen hatte, zurück; die aber, welche nichts der Art erlangt hatten, wurden vom Kaiser beschenkt und begaben sich nach den verliehenen Gütern. 814.

Hierauf [1] empfing der Kaiser die Gesandtschaften, welche an seinen Vater gerichtet waren, nun aber zu ihm kamen, hörte sie mit Aufmerksamkeit an, bewirthete sie aufs Beste und schickte sie reichlich beschenkt wieder zurück. Unter ihnen zeichnete sich besonders die des Kaisers von Konstantinopel, Michael, aus, an den der Kaiser Karl Gesandte geschickt hatte, den Bischof von Trier Amalar und den Abt Peter von Nonantula, um den Frieden mit ihm zu befestigen. Diese führten mit sich Gesandte Kaiser Michaels zurück, den Protospatarius Christoforus und den Diaconen Gregorius, welche an Kaiser Karl gerichtet waren, um über alles

1) Nach Einhards Annalen zum Jahr 814.

was geschrieben war, Antwort zu geben. Als diese der Kaiser entließ, schickte er mit ihnen Gesandte an den neuen Kaiser Leo, Northbert, Bischof von Regium, und Richoin, Grafen der Pictaven, durch die er um Erneuerung der alten Freundschaft und Bestätigung des Vertrages nachsuchte. In demselben Jahre hielt er eine allgemeine Reichsversammlung zu Aachen und schickte in alle Theile seines Reiches Getreue und Vertraute von seiner Seite, die streng auf Recht haltend das Verkehrte wieder in Ordnung bringen und allen mit gleicher Waage das ihnen gebührende Recht zumessen sollten. Auch seinen Neffen Bernhard[1], schon seit einiger Zeit König von Italien, der auf des Kaisers Ruf gehorsam erschienen war, entließ er mit vielen Geschenken in sein Reich. Den Fürsten Grimoald[2] von Benevent, der zwar nicht selbst kam aber seine Gesandten schickte, verpflichtete er durch Vertrag und Eide, daß er jährlich siebentausend Solidi Gold in den königlichen Schatz zahlen wollte.

24. In demselben Jahre[3] schickte er von seinen Söhnen den einen Lothar nach Baioarien, den andern Pippin nach Aquitanien, den dritten Ludwig, der noch sehr jung war, behielt er bei sich. Um dieselbe Zeit suchte auch Heriold, der die höchste Gewalt bei den Dänen hatte und früher von den Söhnen Gotfrieds der Herrschaft beraubt worden war, bei Kaiser Ludwig Zuflucht[4] und übergab sich nach Sitte der Franken seinem Schutze. Der König nahm ihn auf und hieß ihn nach Sachsen gehen, dort die Zeit abzuwarten, wo er ihm zur Wiedererlangung seines Reichs Hülfe leisten könnte. Zur selben Zeit gab er auch den Sachsen und Friesen das Recht des väterlichen Erbes, welches sie unter seinem Vater wegen ihrer Treulosigkeit nach dem Gesetz verloren hatten, in kaiserlicher Gnade zurück[5]. Einige rühmten deßhalb seinen edlen und

1) Pippins Sohn. — 2) Grimoald IV Storesaiz. — 3) Vergl. Einhards Annalen zum Jahre 814. — 4) Vergl. Dahlmann Geschichte von Dännemark I, 26. — 5) Diese wichtige Stelle wird verschieden erklärt: nach Funck sollen jene Ausdrücke auf eine zurückgenommene Verfügung sich beziehen, durch welche die Sachsen das Erbrecht an ihren Gütern verloren hatten und diese in bloße Beneficien verwandelt seien; andere glauben, Ludwig hätte denjenigen, welche unter Karl aus der Heimath fortgeführt wurden (vergl. Einhards An-

gütigen Sinn, andere aber nannten es unklug; denn diese Völker von Natur an Wildheit gewöhnt müßten durch solche Maßregeln in Zaum gehalten werden, damit sie nicht losgelassen sich ungestüm in Krieg stürzten. Der Kaiser aber, welcher glaubte sie sich desto enger zu verbinden, je mehr er sie mit Wohlthaten überhäufte, sah sich in seiner Erwartung nicht getäuscht. Denn diese Völker zeigten sich ihm immer später am ergebensten.

25. Im nächsten Jahre[1] wurde dem Kaiser gemeldet, daß einige 815.
mächtige Römer sich in eine nichtswürdige Verschwörung gegen Papst Leo eingelassen hätten; festgenommen aber und überführt habe sie der Papst mit dem Tode bestrafen lassen, gemäß dem dahin lautenden Römischen Gesetz. Der Kaiser indeß war unwillig als er hiervon Nachricht erhielt, daß von dem ersten Priester der Welt so strenge Strafen verhängt worden seien: und er schickte daher Bernhard, den König von Italien hin, damit dieser selbst sich unterrichtete in wieweit die Gerüchte hierüber wahr oder falsch gewesen wären und ihm darüber durch Gerold berichtete. König Bernhard aber ließ, als er nach Rom gekommen war, seine Ansicht durch den genannten Gesandten dem Kaiser mittheilen. Dem schickte jedoch Papst Leo gleich von seiner Seite Gesandte nach, den Bischof von Silva-candida Johannes, den Nomenclator Theodorus und den Herzog Sergius, welche ihn von allen Verbrechen, deren er bezüchtigt war, reinigten.

Der Kaiser hatte auch befohlen, daß die sächsischen Grafen und die von Kaiser Karl unterworfenen Abodriten Heriold Hülfe leisteten, damit er wieder in sein Reich eingesetzt würde; und er schickte dazu seinen Sendboten Baldricus. Als nun diese den Fluß Egidora[2] überschritten hatten, kamen sie in das Land der Nordmannen, an einen Ort der Sinlendi heißt. Da aber die Söhne Gotfrieds, obgleich sie viele Truppen und zweihundert Schiffe hatten, nicht näher kommen und eine Schlacht liefern wollten, drehten

nalen 807; Leben Karls Cap. 8) ihre väterlichen Besitzungen zurückgegeben. Vergl. Eichhorn d. St. und R. G. (5.) 1. §. 134. Funk, Ludwig der Fromme, 34.

1) Vergl. Einhards Annalen zum Jahr 815. — 2) Eider.

auch sie ihrerseits um, nachdem alles was man traf verwüstet und verbrannt, auch von dem Volke vierzig Geißeln gestellt worden waren. Hierauf kehrten sie zum König nach dem Ort Paderborn zurück, wo das ganze Volk zum allgemeinen Reichstag sich versammelt hatte. Dahin kamen auch alle Fürsten und Großen der östlichen Slaven. In demselben Jahre suchte Abulaz, König der Sarracenen, um einen dreijährigen Frieden beim König nach. Dieser wurde auch zuerst gewährt, später aber als unvortheilhaft wieder verworfen und den Sarracenen Krieg angekündigt. Um diese Zeit kamen Bischof Nortbert und Graf Sigwin von Konstantinopel zurück und überbrachten den Freundschaftsvertrag zwischen ihm (nämlich Leo) und den Franken. Zu ebenderselben Zeit wagten die Römer, da Papst Leo an einer schweren Krankheit darnieder lag, alle Güter, welche jene bebaute Häuser nennen und die von diesem Papst neu eingerichtet waren, zugleich auch die Besitzungen, von denen sie klagten, daß sie ihnen widerrechtlich entrissen seien, ohne gerichtlichen Spruch darüber abzuwarten, an sich zu reißen und wieder zuzueignen. Ihrem Beginnen ließ aber Bernhard durch Herzog Winigisus von Spoleto Einhalt thun und sandte sichere Nachricht über diese Dinge an den Kaiser.

816. 26. Nachdem der Kaiser den rauhen Winter in ungetrübter Gesundheit und ruhigem Glück hingebracht hatte, wurden, da des Sommers liebliche Reize folgten, von ihm die, welche die östlichen Franken genannt werden, und die Grafen vom Sächsischen Stamm gegen die Sorabischen Slaven geschickt, von denen es hieß, daß sie sich gegen seine Herrschaft aufgelehnt hätten. Ihr Versuch aber wurde ebenso schnell als leicht mit Gottes Hülfe unterdrückt. Auch die Wasken, welche die Gegend an den Pyrenäen bewohnen, fielen um jene Zeit nach ihrer gewohnten unbeständigen Art ganz von uns ab. Der Grund der Empörung aber war, daß der Kaiser ihren Grafen Sigwin [1] zur Strafe für seine schlechte Gesinnung, die kaum mehr zu ertragen war, die Herrschaft über sie entzogen

1) Siehe oben die Note zu Cap. 18.

hatte. Sie wurden aber in zwei Feldzügen so unterworfen, daß sie zu spät ihr Beginnen bereuten und sehr nach der Herrschaft des Kaisers verlangten.

Unterdeß erhielt auch der Kaiser Nachricht von dem Hinscheiden des Papstes Leo, das am fünf und zwanzigsten Mai[1], im ein und zwanzigsten Jahre seiner Regierung, erfolgt war, und der Erwählung des Diaconen Stephanus, welcher nach seiner Einweihung nicht säumte selbst zum Kaiser zu kommen. Er schickte aber eine Gesandtschaft voraus, welche beim Kaiser seine Wahl rechtfertigen sollte. Da der Kaiser von seiner Reise hörte, befahl er Bernhard seinem Neffen ihm Geleit zu geben; als er sich näherte, schickte er ihm noch andere Gesandte entgegen, die ihn mit der schuldigen Ehre weiterführen sollten. Er selbst beschloß seine Ankunft in Remi[2] zu erwarten. Darauf befahl er Hildebald, dem Erzcapellan des heiligen Palastes, Theodulf, Bischof von Aureliä[3], und Johannes, Bischof von Arelate[4], und vielen andern Dienern der Kirche, in ihrem Priesterschmuck dem Papst entgegen zu gehen; er selbst endlich begab sich bis tausend Schritt vom Kloster des heiligen Bekenners Remigius, empfing aufs Ehrenvollste den Statthalter des seligen Petrus, half ihm vom Pferde herabsteigen und führte ihn mit eigner Hand in die Kirche, wo ihn bei seinem Eintritt die verschiedenen Stände der Kirche in großem Jubel mit dem Gesang empfingen: Dich Gott loben wir, und so weiter. Als dieser Hymnus beendigt war, stimmte die ganze Römische Geistlichkeit die dem Kaiser gebührenden Lobgesänge an, deren Schluß der Papst durch eine Rede krönte. Hierauf begab man sich in das Innere des Hauses, wo der Papst die Gründe seiner Ankunft darlegte, und nachdem sie zusammen das Sakrament des Brods und Weins eingenommen hatten, kehrte der Kaiser zur Stadt zurück, der Papst aber blieb daselbst.

Am andern Tage aber lud der Kaiser den Papst zu sich ein,

1) Vielmehr den 11. Juni. — 2) Rheims. — 3) Orleans. — 4) Die Stadt Arles in der Provence am linken Ufer der untern Rhone; von dieser Stadt hatte das Königreich Arelate seinen Namen.

gab ihm ein köstliches Gastmahl und ehrte ihn mit reichen Geschenken. Und in gleicher Weise wurde am dritten Tage der Kaiser vom Papst eingeladen und mit vielen verschiedenen Geschenken überhäuft; am nächsten Tage aber, dem Sonntag, ward der Kaiser mit dem kaiserlichen Diadem gekrönt und während der Feier der Messe vom Papste gesegnet. Hierauf kehrte der Papst nachdem er alles was er wünschte erreicht hatte nach Rom zurück. Der Kaiser aber ging nach Compendium[1] und empfing dort die Gesandten des Königs Abdirhaman, des Abulaz Sohn. Nach einem Aufenthalt von zwanzig oder mehr Tagen begab er sich für den Winter nach Aachen.

817. 27. Der Kaiser[2] hatte befohlen, daß die Gesandten des Sarracenenkönigs dorthin zu ihm kommen sollten. Aber daselbst angelangt wurden sie fast drei Monate zurückgehalten, bis sie, ihres Aufenthaltes überdrüssig, vom Kaiser Erlaubniß zur Rückkehr erhielten.

Während er in dieser Pfalz verweilte, empfing er auch einen Gesandten, mit Namen Nicephorus, der vom Kaiser von Konstantinopel, Leo, an ihn geschickt war. Die Gesandtschaft aber betraf außer Freundschaft und Bündniß, die Grenzen der Römer, Dalmater und Slaven. Und weil weder diese noch der Vorsteher jener Grenzen Chadalo anwesend waren, ohne welche die Angelegenheit nicht geordnet werden konnte, wurde um dieß beizulegen und zu schlichten Albgarius mit dem Befehlshaber jener Gegenden Chadalus[3] nach Dalmatien gesandt. In demselben Jahre schickten die Söhne Gottfrieds, früheren Königs der Nordmannen, da sie von Heriold bedrängt wurden, Gesandte an den Kaiser und baten um Frieden. Aber diese Gesandtschaft wurde als unnütz und heuchlerisch zurückgewiesen, und dem Heriold Unterstützung gegen jene gewährt. In diesem Jahre verfinsterte sich der Mond am 5. Februar um die zweite Stunde der Nacht; und ein wunderbarer Komet erschien im Zeichen des Fuhrmanns. Papst Stephan starb im dritten Monat,

1) Compiegne. — 2) Vergl. Einhards Annalen zum Jahr 817. — 3) Ziemlich unverständlich aus Einhard ausgezogen.

nachdem er von Francien nach Rom zurückgekehrt war, und Paschalis bestieg als sein Nachfolger den päpstlichen Stuhl. Nach der feierlichen Weihe schickte er Gesandte mit vielen Geschenken und einem Entschuldigungsschreiben an den Kaiser, worin er ausführte daß er nicht aus Ehrgeiz oder freiem Willen, sondern auf die Wahl des Klerus und die Beistimmung des Volkes hin diese Würde mehr mit Zaudern angenommen als hastig ergriffen habe. Der Träger dieser Gesandtschaft war der Nomenclator, der als er seinen Auftrag erledigt und alles Gewünschte erlangt hatte, nämlich in Betreff der Bestätigung des Vertrages und der Freundschaft nach Sitte seiner Vorgänger, nach Rom zurückkehrte.

28. In demselben Jahre[1] da die Zeit der Fasten schon ziemlich vorüber war, am Donnerstag der letzten Woche, wo das Andenken an das Abendmahl des Herrn gefeiert wird, als der Kaiser nach Beendigung der Festlichkeit aus der Kirche in den Pallast sich zurückbegeben wollte, stürzte ein hölzerner Gang, durch den man gehen mußte, von Alter morsch geworden und durch fortwährende Nässe verfault, indem das Untere wich, unter den Füßen des Kaisers und seiner Begleiter zusammen; und den ganzen Pallast erfüllte das Gekrach mit Schrecken, denn alle fürchteten, daß etwa der Kaiser von den zusammenstürzenden Trümmern erschlagen worden wäre. Aber Gott, der ihn liebte, schützte ihn vor der augenscheinlichen Gefahr. Denn während zwanzig und mehr seiner Begleiter, die mit ihm zu Boden stürzten, schwere Verletzungen davontrugen, erlitt er weiter keinen Schaden, als daß er sich mit dem Griff des Schwertes an der untern Brust beschädigte und am hintern Ohr die Haut etwas aufgerissen wurde; zugleich auch der Schenkel nahe den Schamtheilen durch einen schweren Balken gequetscht war; indeß wurde schnell Hülfe gebracht und der Kaiser durch Beistand der Aerzte in kurzer Zeit wieder völlig hergestellt. Denn schon nach zwanzig Tagen begab er sich zur Jagd nach Noviomagum[2]. Von da zurückgekehrt hielt der Kaiser eine allgemeine Versammlung zu

1) Vergl. Einhards Annalen zum Jahr 817. — 2) Nimwegen.

Aachen, wo er zeigte, welchen Eifer für den göttlichen Dienst er im Innern des Herzens trüge. Denn von den Bischöfen und der vornehmsten Geistlichkeit der heil. Kirche ließ er ein Buch zur Regelung des kanonischen Lebens zusammenstellen, in welchem die vollständige Einrichtung jenes ganzen Ordens enthalten ist, wie man aus ihm, wenn man es aufschlägt, selbst sieht. Darin ließ er auch alle Vorschriften über Speise und Trank und alle andern Bedürfnisse aufnehmen, damit Männer wie Frauen, welche unter diesem Orden Christo dienten, durch keine Sorge um äußere Bedürfnisse gehemmt in freier Knechtschaft sich dem Herrn widmen konnten. Dieses Buch schickte er in alle Städte und Klöster des kanonischen Ordens seines Reiches durch kluge Abgesandte, welche es in allen oben genannten Orten abschreiben lassen und darauf halten sollten, daß der schuldige Kreuzesdienst gehörig geleistet würde [1].

Diese Sache erregte in der Kirche große Freude und Jubel und setzte dem frommen Kaiser mit wohlverdientem Lob ein ewiges Denkmal. Zugleich bestimmte der Gott angenehme Kaiser den Abt Benedikt und mit ihm Mönche von in jeder Beziehung strengem Lebenswandel, nach allen Klöstern herumzuziehen und eine sämmtlichen, sowohl Mönchs- als Nonnenklöstern gleichmäßige und feststehende Lebensweise nach der Regel des heiligen Benedikts einzuführen.

Und da der fromme Kaiser zugleich erwog, daß es sich für die Diener Christi nicht gezieme menschlicher Knechtschaft unterworfen zu sein und daß viele habsüchtig das geistliche Amt zu eigenem Gewinn ausbeuteten, verordnete er, daß diejenigen, welche aus unfreiem Stande, empfohlen durch ihre Kenntnisse oder ihre Sittenreinheit, zum Altardienste angenommen würden, zuvor von ihrem Herrn, weltlichen oder geistlichen, freigelassen, und dann erst zu den Stufen des Altars geführt werden sollten.

Und da er wollte, daß jede Kirche ihr besonderes Vermögen und Einkommen hätte, damit nicht etwa aus Mangel daran der

1) Bildlich vom Dienst der Kirche.

Kirchendienst vernachlässigt würde, ließ er in die genannte Verordnung die Bestimmung aufnehmen, daß den einzelnen Kirchen ein Scheffel nebst einer jährlichen festen Abgabe, ein Knecht und eine Magd gegeben werden sollten. Das war des heiligen Kaisers Uebung, das sein tägliches Spiel, das sein Ringkampf in der Palästra, darnach zu streben, daß sein Reich in heiliger Gelehrsamkeit und heiligen Werken immer herrlicher strahlte und der, welcher mit ähnlicher Erniedrigung Christi Beispiel nachahmend sich zum Armen erniedrige, mehr und mehr erhoben würde. Da endlich fingen Bischöfe und Geistliche an das mit Gold und Edelsteinen besetzte Cingulum abzulegen, und köstliche Gewänder sowie Stiefel mit Sporen kamen bei ihnen aus dem Gebrauch. Denn für widersinnig hielt er es, wenn einer, der dem geistlichen Stande angehörte, daran dachte den Glanz weltlichen Ruhmes zu suchen.

29. Aber der Feind des Menschengeschlechts ertrug nicht diese heilige und Gottes würdige Frömmigkeit, die ihm überall entgegentrat und alle Stände der Kirche gegen ihn in den Kampf führte, sondern er suchte mit aller ihm zu Gebote stehenden Macht den ihn angreifenden zu bedrängen und durch seine Glieder dem starken Streiter Christi soviel er konnte mit Gewalt und List zuzusetzen. Denn nachdem dieß alles gehörig in Ordnung gebracht war und der Kaiser auf demselben Reichstag seinen erstgebornen Sohn Lothar zum Mitkaiser ernannt, von seinen andern Söhnen aber Pippin nach Aquitanien, Ludwig nach Baiern geschickt hatte, damit das Volk wüßte, welchem Herrscher es gehorchen sollte, wurde ihm der Abfall der Abodriten gemeldet, welche mit den Söhnen Gotfrieds verbündet das jenseit der Elbe gelegene Sachsen verwüsteten. Der Kaiser aber schickte gegen sie hinreichende Truppen und unterdrückte mit Gottes Hülfe ihren Aufstand. Er aber begab sich zur Jagd nach den Wäldern des Vosegus.

Als er aber, fränkischer Sitte gemäß, die Jagd beendet hatte und für den Winteraufenthalt nach Aachen zurückgekehrt war[2],

1) und 2) Vergl. Einhards Annalen zum Jahr 817.

3*

erhielt er die Nachricht, daß sein Neffe Bernhard, König von Italien, zu welcher Ernennung er selbst beim Vater am meisten beigetragen hatte, sich durch die Rathschläge einiger schlechten Menschen so habe verleiten lassen, daß er von ihm abgefallen sei; und alle Städte und Vornehme des Königreichs Italien hätten sich der Empörung angeschlossen; zugleich habe man auch alle Pässe, welche nach Italien führten, verrammelt und durch Wachen versperrt. Als er dieß durch sichere Boten, besonders Bischof Rathald und Puppo[1] erfahren hatte, sammelte er von überall her, sowohl Gallien als Germanien, viele Truppen und zog mit einer großen Heeresmacht bis nach Cavillonum[2]. Da aber Bernhard sah, daß er dem Kaiser an Kräften nicht gewachsen und unfähig war, sein Beginnen durchzuführen, indem täglich viele von den Seinigen abtrünnig wurden, kam er, an seiner Sache verzweifelnd, zum Kaiser, that seine Waffen ab und warf sich demselben zu Füßen, indem er bekannte, übel gehandelt zu haben. Seinem Beispiel folgten seine Großen, legten die Waffen nieder und übergaben sich seiner Macht und seinem Gericht. Und auch alle nähere Umstände, wie und warum sie den Aufstand begannen, welchen Zweck sie dabei verfolgt und welche Mitschuldigen sie hineingezogen hätten, gaben sie auf die erste Befragung an. Die Urheber aber der Verschwörung waren Eggideo, der erste unter den Freunden des Königs; Reginhar, früher Pfalzgraf des Kaisers, Sohn des Grafen Meginhar, und Reginhard, Vorsteher der königlichen Kammer. Sehr viele Laien und Geistlichen waren außerdem Mitschuldige dieses Verbrechens, unter denen auch einige Bischöfe vom Sturm dieses Ungewitters mit fortgerissen wurden, nämlich Anselm, Bischof von Mediolanum[3], Wolfold von Cremona und Theodulf von Aurelia[4].

818. 30. Nachdem die Führer des Aufstandes bekannt geworden und in Haft gebracht waren, kehrte der Kaiser, wie er gewollt hatte, zum Winter nach Aachen zurück, wo er bis zum heiligen Osterfest verweilte. Als dieß vorüber war, gab er die Einwilligung, daß

1) Graf von Brixen. — 2) Chalons. — 3) Mailand. — 4) Orleans.

der bisherige König Bernhard und seine Helfershelfer bei jenem Verbrechen, die nach Recht und Gesetz der Franken mit dem Tode bestraft werden sollten, mit Verwerfung des härteren Urtheils, der Augen beraubt wurden, obgleich viele dagegen arbeiteten und wünschten, daß mit ihnen nach der ganzen Strenge des Gesetzes verfahren würde. Aber trotz der gnädigen Handlungsweise des Kaisers führte die gemilderte Strafe dennoch zu demselben Erfolge. Denn Bernhard und Reginhar zogen sich den bittern Tod zu, da sie die Blendung nicht geduldig genug trugen. Die in diesen Aufstand verwickelten Bischöfe schickte er in Klöster, nachdem sie von den übrigen Bischöfen entsetzt worden waren. Von den übrigen aber befahl er keinen des Lebens zu berauben oder durch Verlust eines Gliedes zu strafen, sondern schickte sie je nach dem Maaß ihrer Schuld in die Verbannung oder ließ sie zu Mönchen scheeren.

Nach diesem erhielt der Kaiser Nachricht von dem Uebermuth der ungehorsamen Britonen[1], welche soweit in ihrer Frechheit gegangen waren, daß sie einen der Ihrigen, Marmanus, zum König zu ernennen wagten und jeglichen Gehorsam verweigerten. Um ihren Hochmuth zu strafen, sammelte der Kaiser von überall her eine Kriegsmacht und zog zum Angriff gegen das Britonische Gebiet; nachdem er eine Versammlung zu Venedi[2] gehalten hatte, brach er in die Provinz ein und verwüstete Alles in kurzer Zeit und mit geringer Mühe, bis durch den Tod des Marmanus, der, als er sich mitten in das Lager stürzte, von einem Aufseher der königlichen Pferde Namens Choslus getödtet wurde, mit ihm ganz Britannien besiegt erlag und sich unterwarf, auf welche Bedingungen immer der Kaiser wollte, wieder zu dienen. Und Geißeln wen und wieviel er befahl wurden gestellt und angenommen, und das ganze Land nach seinem Willen eingerichtet.

31. Hierauf[3] verließ der Kaiser das Gebiet der Britonen und begab sich nach der Stadt Andegavi[4] zurück. Hier hatte die Kö-

1) In Bretagne. — 2) Vannes, nahe der Küste, etwas nördlich von der Mündung der Vilaine. — 3) Vgl. Einhards Annalen zum Jahr 818. — 4) Angers an der Mayenne, rechtem Nebenfluß der Loire.

nigin lange krank darniedergelegen, bis sie am dritten Tage nach der Rückkehr des Kaisers starb, am dritten October. In diesem Jahre trat am achten Juli eine Sonnenfinsterniß ein. Nach der Bestattung der Königin begab sich der König über Rotomagum[1] und die Stadt Ambiani[2] auf geradem Wege nach Aachen, um dort den Winter zuzubringen.

Als er auf der Rückreise nach der Pfalz Heristallium kam, erschienen Gesandte des Herzogs Sigo von Benevent, die viele Geschenke brachten und ihren Herrn wegen der Theilnahme an der Ermordung seines Vorgängers Grimoald reinigten. Auch von andern Völkern kamen Gesandte, so von den Abodriten, Goduskanern und Timotianern[3], die das Bündniß mit den Bulgaren aufgegeben und kürzlich sich mit den Unsrigen verbündet hatten. Unter andern hatte auch Liutewit, Fürst des unteren Pannoniens, Gesandte geschickt, die den Cadalus — fälschlich, wie es sich später zeigte — anklagten, weil seine Härte nicht mehr zu ertragen wäre. Als er diese angehört, beschieden und entlassen hatte, begab sich der Kaiser, seinem Willen gemäß, für den Winteraufenthalt nach jener Pfalz. Während er hier verweilte, wurde ihm von den Sächsischen Herzögen der König der Abodriten, Sclaomir, überliefert. Da er sich, der Abtrünnigkeit beschuldigt, nicht rechtfertigen konnte, wurde er in die Verbannung geschickt und sein Reich dem Ceadrag, des Trasco Sohn, übergeben.

819. 32. Um dieselbe Zeit[4] empörte sich ein gewisser Waskone, Lupus, des Centullus Sohn, und griff in einer Schlacht Werin, den Grafen der Arverner, und Berengar, den Grafen von Tolosa, an, verlor jedoch außer vielen andern seinen Bruder Gersanus; er selbst entkam für's Erste durch die Flucht, wurde aber später vor den Kaiser geführt, zur Verantwortung gezogen und seines Verbrechens überführt, mit der Verbannung bestraft[5]. In diesem

1) Rouen. — 2) Amiens. — 3) Südslavische Völkerschaften. — 4) Vergl. Einhards Annalen zum Jahr 819. — 5) Lupus, der Sohn des Centullus, Enkel des Adalricus, hatte nach dem Tode des Großvaters und des Vaters einen Theil Waskoniens von Ludwig dem Frommen erhalten. In der Vorschrift Karls des Kahlen für den Abt Oddonius heißt es: Dieses (Wasconien) verloren später Lupus, des Centullus, und Garsimirus, des Sciminus

Winter hielt der Kaiser in seiner Pfalz eine allgemeine Versammlung seines Volkes und vernahm die Berichte seiner Sendboten aus allen Theilen des Reichs, welche er des Zustandes der heiligen Kirche willen, um das Verfallene wieder herzustellen und das Bestehende zu befestigen, ausgeschickt hatte; und was er für nützlich hielt, fügte er im Drang seiner heiligen Frömmigkeit hinzu, und ließ nichts ungeschehen, wovon er meinte, daß es zur Ehre der heiligen Kirche Gottes gereichen könnte. Auch zu den Gesetzen ließ er einige neue Bestimmungen hinzufügen, in welchen die Rechtsverhältnisse mangelhaft waren, welche noch jetzt als sehr nothwendig befolgt werden. Um diese Zeit dachte er auf den Rath der Seinigen in eine neue Ehe zu treten; denn viele fürchteten, er möchte die Regierung des Reichs ganz niederlegen. Endlich that er ihrem Willen Genüge und wählte, nachdem er die von allen Seiten her ihm vorgeführten Töchter der Vornehmen gemußert hatte, Judith, des edeln Grafen Welpo Tochter, zur Gemahlin. Im nächsten Sommer versammelte sich das Volk um ihn in seiner Pfalz Hangelinheim [1]. Hier erhielt er auch Nachricht von seinem Heer, welches geschickt war, um die offene Empörung Liudewits zu unterdrücken. Indeß mißglückte dieß Unternehmen fast ganz. Liudewit aber, darüber von Hochmuth aufgeblasen, ließ dem Kaiser durch Gesandte Bedingungen ankündigen, unter denen er, wenn sie der Kaiser erfüllen wollte, sich wieder wie früher seinen Befehlen unterordnen wollte. Da der Kaiser jedoch dieß alles als unnütz verwarf, beharrte Liudewit in der Empörung und suchte so viele er konnte mit hineinzuziehen. Nachdem das Heer von den Pannonischen Grenzen zurückgekehrt war, ohne daß es Liudewit zum Gehorsam gebracht hatte, wurde Cadolach, Herzog von Friaul, vom Fieber befallen und starb, und Baldricus trat an seine Stelle

Sohn, wegen ihrer Untreue, indem jener, wie sein Vater Seiminus, in der Schlacht fiel, und Lupus, des Centullus Sohn, wegen Tyrannei verbannt und der Herrschaft entsetzt wurde. Damals entzog unser Vater, nachdem er Wasconien wiederum unter seiner Herrschaft vereinigt hatte, dieses Land ganz den Händen der Eudonischen Nachkommen und übergab es der Verwaltung anderer aus unserm Blut. Denn er gab das Herzogthum Waskonien dem Totilus als erstem Herzog, und nach ihm dem Elgihin, welcher es noch inne hat.

1) Ingelheim.

Sobald dieser in die Provinz gekommen war und das Karantanische Land betreten hatte, schlug er mit nur wenigen der Seinen die Truppen des Liudewit am Fluß Dravus[1] und zwang sie Alle, indem er die noch Uebrigen in die Flucht jagte, sein Gebiet zu verlassen.

So von Baldricus geschlagen stieß er (d. i. Liudewit) auf Borna, den Herzog von Dalmatien, am Fluß Calapius[2]. Borna aber, von den Goduscanern aus Untreue oder Furcht verlassen, entging nur durch die Hülfe der Seinigen unversehrt der drohenden Gefahr; unterwarf jedoch später jene, die ihn verlassen hatten. Im nächsten Winter brach Liudewit wiederum in Dalmatien ein und suchte alles zu vernichten, indem er was Leben hatte mit dem Schwerte tödtete, das Leblose aber dem Feuer übergab. Da Borna ihm nicht mit Gewalt zu begegnen vermochte, suchte er durch List ihm zu schaden. Er ließ sich nämlich nicht auf offene Schlacht mit Liudewit ein, sondern wußte durch unvorhergesehene Ueberfälle sein Heer so zu Grunde zu richten, daß derselbe bereute und sich schämte solches unternommen zu haben. Denn nachdem Borna dreitausend von seinem Heer getödtet, auch viele Pferde und Gepäck ihm abgenommen hatte, zwang er ihn sein Land zu verlassen. Das alles vernahm der Kaiser mit Freude zu Aachen.

Unterdessen waren die Wasken, welche ihrem angebornen Laster nachhängend sich empört hatten, von Pippin, dem Sohne des Kaisers, so unterworfen worden, daß keiner von ihnen mehr sich aufzulehnen wagte. Der Vater aber hatte ihn besonders dazu hingeschickt. Nach diesem entließ der Kaiser die Versammlung, jagte zur geeigneten Zeit in den Ardennen und kehrte zum Winter nach seiner Pfalz Aachen zurück.

820. 33. In derselben Pfalz[3], schon zur Winterszeit, hieß der Kaiser sein Volk sich versammeln. Um diese Zeit erhielt Borna, der über die Anfeindungen Liudewits sich beklagt hatte, starke Hülfsmannschaften vom Kaiser, welche das Land desselben verheeren könnten.

1) Drau. — 2) Culpa. — 3) Vergl. Einhards Annalen zum Jahr 820.

Diese Truppen in drei Haufen getheilt, verwüsteten im Anfang des Frühjahrs Liudewits Land fast ganz mit Feuer und Schwert, während er, sich sicher in einer hochgelegenen Veste behauptend, weder zur Schlacht noch zur Unterhandlung erschien. Als die Unsrigen wieder nach Hause zurückkehrten, ergaben sich die Karniolenser und einige von den Karantanern, welche zum Liudewit übergegangen waren, unserm Herzog Baldricus. Auf jener Reichsversammlung erschien auch Bera, Graf von Barcinona, von einem gewissen Sanila der Untreue angeklagt, und kämpfte mit diesem nach eignem Recht — da sie beide Gothen waren — zu Pferde und wurde besiegt. Da aber nach dem Gesetz gegen ihn verfahren und er als des Majestätsverbrechens schuldig mit dem Tode bestraft werden sollte, schenkte ihm der Kaiser das Leben und bestimmte ihm Rotomagum[1] zum Aufenthaltsort. Zu derselben Zeit wurde dem Kaiser gemeldet, es seien dreizehn Raubschiffe von den Nordmannischen Gebieten ausgelaufen und wollten um zu plündern an unsern Küsten landen. Von Flandern aber und der Mündung der Seine zurückgetrieben, wo der Kaiser vorsorglich gegen sie Maßregeln zum Schutz angeordnet hatte, wandten sie sich nach Aquitanien und kehrten, nachdem sie ein Dorf Namens Buin verwüstet hatten, mit vieler Beute beladen nach Hause zurück.

34. In diesem Jahre[2] brachte der Kaiser den Winter in Aachen 821.
zu. Daselbst wurde im Monat Februar eine Versammlung gehalten und drei Heere abgeschickt, um das Land Liudewits zu verwüsten. Abulat, dem König der Sarracenen, wurde, nachdem man den scheinbaren Frieden, welchen man mit ihm geschlossen, aufgehoben hatte, der Krieg angekündigt. In demselben Jahre am ersten Mai hielt der Kaiser eine zweite Versammlung zu Noviomagum[3], in der er die Theilung des Reichs, welche er schon früher unter seinen Söhnen gemacht hatte, öffentlich vortragen und von allen anwesenden Vornehmen bestätigen ließ. Auch die Gesandten des Papstes Paschalis, Petrus, Bischof von Centumcelli, und den

1) Rouen. — 2) Vergl. Einhards Annalen zum Jahr 821. — 3) Nimwegen.

Nomenclator Leo, empfing er, hörte sie an und entließ sie. Von da begab er sich zurück nach Aachen und brachte die übrige Zeit des Sommers und die Hälfte des Herbstes in den Gegenden des Ardennerwaldes bis zum hohen Rumerischen Berg[1] und den weiten Wildnissen des Vosagus zu. Da unterdeß Borna gestorben war, setzte der Kaiser seinen Neffen, Namens Ladasclaus, zum Nachfolger ein. Um diese Zeit erhielt er auch Nachricht von dem Tode des Kaisers von Konstantinopel, Leo, der von seinen Hausleuten, vorzüglich dem Michael getödtet worden war, und der Erhebung Michaels auf den Thron durch die Unterstützung seiner Mitverschworenen und besonders der prätorianischen Soldaten. In demselben Jahre, Mitte October, wurde eine Reichsversammlung in dem Dorfe des Theodo[2] abgehalten; und daselbst gab der Kaiser seinem erstgeborenen Sohn Lothar Hirmengard, die Tochter des Grafen Hugo, unter großen Feierlichkeiten zur Gemahlin. Dorthin waren auch Gesandte des Papstes, der Primicarius Theodorus und Florus, mit vielen und großen Geschenken gekommen. Wie aber schon bei allen andern Gelegenheiten die Güte des Kaisers sich bewundernswürdig gezeigt hatte, so offenbarte sich besonders in dieser Versammlung auf das Glänzendste, in wie hohem Grade er sie im Herzen trug.

Denn er berief alle diejenigen, welche sich gegen sein Leben und seine Regierung verschworen hatten, aus der Verbannung zurück und schenkte ihnen nicht nur Leben und Leib unversehrt, sondern gab ihnen auch die Besitzungen, die ihnen nach dem Gesetz entzogen worden waren, zum Beweis seiner großen Milde zurück. Auch Adalhard, dem frühern Abt des Klosters Korbeja, der aber damals im Kloster des heiligen Filebert sich aufhielt, gab der Kaiser die frühere Stellung in seinem Kloster wieder und setzte ihm seinen Bruder Bernarius, den er aus dem Kloster des heiligen Benedikt zurückrief und wieder zu Gnaden annahm, in diesem Amt zur Seite. Nachdem dieß geschehen, und anderes was das allgemeine Wohl erfor-

1) Remiremont. — 2) Diedenhofen.

derte, ausgeführt war, schickte er seinen Sohn Lothar nach Wormatia, um dort den Winter zuzubringen; er selbst begab sich nach Aachen zurück.

35. Im nächsten Jahre[1] beschied er eine allgemeine Reichsver- 822. sammlung an den Ort, welcher Attiniacus[2] heißt. Und als Bischöfe, Aebte und geistliche Männer, sowie auch die Großen seines Reiches zur Berathung zusammenberufen waren, suchte er zuerst mit seinen Brüdern sich zu versöhnen, die er wider ihren Willen hatte zu Mönchen scheeren lassen, dann aber überhaupt mit allen, welchen er irgend eine Kränkung zugefügt hatte. Dann aber bekannte er öffentlich gefehlt zu haben und übernahm, das Beispiel des Kaiser Theodorus nachahmend, eine freiwillige Buße, sowohl für jenes alles, als für das, was er an seinem eignen Neffen Bernhard geübt hatte; und, indem er alles derartige, was von ihm, oder von seinem Vater ausgegangen war, durch reiche Almosenspenden, unausgesetzte Gebete der Diener Christi und eigne Buße sühnte, suchte er die Gottheit so zu versöhnen, als ob das, was jeden nach dem Gesetz getroffen hatte, Folge seiner eignen Grausamkeit gewesen wäre. Um dieselbe Zeit schickte er auch ein Heer aus Italien gegen Liudewit nach Pannonien. Da dieser sich hier nicht halten konnte, verließ er die eigne Stadt und begab sich zu einem Fürsten Dalmatiens, der ihn bei sich aufnahm. Er aber tödtete den Fürsten, welcher ihn aufgenommen und unterwarf sich die Stadt desselben. Und obgleich er weder den Unsrigen eine Schlacht geliefert noch Unterhandlungen mit ihnen gepflogen hatte, schickte er dennoch Gesandte und ließ erklären, daß er Unrecht gehandelt habe, versprach auch zum Kaiser zu kommen. Um dieselbe Zeit wurde dem Kaiser gemeldet, daß die Wächter der Spanischen Grenze den Fluß Sicoris[3] überschritten hätten, in das Innere von Spanien eingedrungen und mit großer Beute von da zurückgekehrt wären, nachdem sie alles verwüstet und verbrannt hätten, wohin sie gekommen. Auch diejenigen, welche die Britannischen

1) Vergl. Einhards Annalen zum Jahr 822. — 2) Attigny. — 3) Segre.

Marken hüteten, waren in Britanien eingedrungen und verheerten das Land mit Feuer und Schwert, wegen eines Aufstandes den ein Britone, Namens Wiomarchus erregt hatte. Als dieß geschehen, kehrten sie glücklich zurück. Nach dem Schluß des Reichstages, schickte der Kaiser seinen Sohn Lothar nach Italien und mit ihm seinen Verwandten den Mönch Wala, sowie den Oberthürward Gerung, um nach ihrem Rath die öffentlichen sowie die Privatangelegenheiten des Italienischen Reiches zu ordnen, zu befestigen und zu behüten. Seinen Sohn Pippin aber, den er nach Aquitanien zu schicken beschlossen hatte, verheirathete er vorher mit der Tochter des Grafen Theotbert[1] und sandte ihn dann die Regierung jenes Landes zu übernehmen. Nachdem dieß besorgt war, lag er nach der Sitte der fränkischen Könige während der Herbstzeit der Jagd ob und begab sich für den Winteraufenthalt über den Rhein nach einem Ort, der Frankonoford heißt und hielt hier eine Versammlung der umliegenden Völker, das heißt derer, welche jenseits des Rheins[2] der fränkischen Herrschaft gehorchen. Mit diesen verhandelte er über alles, was zum allgemeinen Nutzen zu dienen schien und sorgte auf die geeignete Weise für die Angelegenheiten der einzelnen. Auf derselben Versammlung erschien eine Gesandtschaft der Avaren, welche Geschenke überbrachte. Auch Gesandte der Normannen waren anwesend, den Frieden zu erneuern und zu bestätigen. Nachdem er diese angehört und mit passender Antwort entlassen hatte, brachte er den Winter an diesem Ort in den Gebäuden zu, die für ihn, wie es sich ziemte und die Jahreszeit erforderte, neu errichtet waren.

823. 36. In demselben[3] Dorf, nämlich Frankonoford, hielt der Kaiser nach Ablauf des Winters, im Monat Mai, eine Versammlung der östlichen Franken, der Sachsen, und anderer angrenzender Völker, auf der er den Streit zweier Brüder, welchen sie über das Reich mit großer Heftigkeit gegen einander führten, in passender

1) Graf des Gaus Madriacus, am linken Ufer der mittlern und untern Eure, Vater Odos von Orleans. — 2) D. i. auf dem rechten Rheinufer. — 3) Vergl. Einhards Annalen zum Jahr 823.

Weise schlichtete. Es waren aber von Geburt Wilten, Söhne des früheren Königs Liubi, mit Namen Milequastus und Cedeadragus; ihr Vater Liubi war von den Abodriten, mit denen er in Krieg gestanden hatte, getödtet worden und hatte das Reich dem Erstgebornen hinterlassen. Da dieser aber sich in der Regierung mehr als sich gehörte, unthätig erwies, wandte sich die Gunst des Volkes dem jüngeren Bruder zu. Da sie nun in diesem Streit vor dem Kaiser erschienen, wurde der jüngere Bruder, nachdem der Wille des Volkes erforscht und erkannt war, zum Fürsten erklärt; beide aber entließ der Kaiser mit reichen Geschenken ausgestattet und durch Eide gebunden, unter einander versöhnt und ihm zugethan. Unterdeß hatte Lothar, der Sohn des Kaisers, der, wie wir gesagt haben, vom Vater nach Italien geschickt war, nach dem Urtheil der Männer, welche ihm zur Begleitung gegeben waren, die sich darbietenden Geschäfte besorgt und dachte daran, zum Vater zurückzukehren und ihm über die verschiedenen Angelegenheiten, wovon einiges abgethan, anderes noch unerledigt war, Bericht abzustatten, als er vom Papst eine Einladung erhielt und sich darauf zur Feier des bevorstehenden heiligen Osterfestes nach Rom begab, wo er vom Papste mit großen Ehren aufgenommen wurde und an jenem Feste in der Kirche zum heiligen Petrus die kaiserliche Krone und den Namen Augustus empfing. Von hier begab er sich nach Pavia, wo er durch einige nothwendige Abhaltungen sich genöthigt sah, länger zu verweilen, und kam im Monat Juni zum Vater, über das was geschehen war zu berichten und über das Begonnene sich Rath zu holen. Zur Vollendung dessen, was noch nicht Erledigung gefunden hatte, wurde der Pfalzgraf Adalhard und mit ihm Mauring geschickt.

Da um dieselbe Zeit Gundulf, der Bischof von Metz, gestorben war, baten die ganze Geistlichkeit und das Volk jener Kirche, wie von einem Geist beseelt, daß ihnen Drogo, des Kaisers Bruder, der auf das Würdigste als Mönch lebte, zum Vorsteher gegeben würde; und auf wunderbare Weise vereinigte sich die Stimme des Kaisers, seiner Großen und des ganzen Volkes wie durch eine treibende Kraft zusammengeführt auf diesen einen, so daß alle es wollten, keiner aber gefunden wurde, der es nicht wollte. Daher gewährte der Kaiser mit großer Freude die Bitte der Kirche und gab ihnen denjenigen, um welchen sie nachgesucht hatten, zum Bischof. In derselben Versammlung wurde auch der Tod des Tyrannen Liudewit gemeldet, der durch eine Hinterlist getödtet war. Der Kaiser löste den Reichstag auf und beschied eine andere Versammlung für den Herbst nach Compendium.

37. In dieser Zeit[1] wurde auch dem Kaiser die Nachricht gebracht, daß Theodorus, Primicerius der heiligen Römischen Kirche, und der Nomenclator Leo geblendet und dann im bischöflichen Haus des Lateran enthauptet worden wären. Die aber, welche jene getödtet hatten, zogen sich großen Haß zu, weil gesagt wurde, daß die Hingerichteten wegen ihrer Treue gegen Lothar dies erduldet hätten. Auch litt bei dieser Angelegenheit der Ruf des Papstes, indem seiner Zustimmung alles zugeschrieben wurde. Alsbald schickte der Kaiser zur genauen und gründlichen Untersuchung der Sache den Abt des Klosters vom heiligen Vedast und Hunfried, Grafen von Chur; aber noch ehe diese abgingen, kamen Gesandte des Papstes Paschalis, Johannes, Bischof von Silva-candida, und Benedict, Archidiacon der heiligen Römischen Kirche, welche der Anklage Vertheidigung entgegenstellten und den Kaiser um Untersuchung über diese Dinge ersuchten. Als er diese angehört und mit geeigneter Antwort zurückgeschickt hatte, hieß er die bestimmten Gesandten, wie ihnen befohlen war, nach Rom gehen und dort die Wahrheit der verschiedenen Nachrichten erforschen. Er aber kam, nachdem er an mehreren Orten wie es ihm gut dünkte verweilt hatte, zur festgesetzten Zeit, am ersten November, nach Kompendium. Dorthin zur Versammlung kehrten die nach Rom geschickten Gesandten zurück und meldeten, daß Papst Paschalis sich mit vielen Bischöfen durch einen Eid vom Mord der Getödteten gereinigt habe; die Mörder selbst hätte er aber nicht ausliefern

1) Vergl. Einhards Annalen zum Jahr 823.

wollen, sondern erklärt, daß die Getödteten mit Recht für ihre Thaten diese Strafe verdient hätten: zugleich stellten sie auch päpstliche Gesandte vor, die Gleiches berichteten. Die Namen der Gesandten waren Johannes, Bischof von Silva-candida, der Bibliothekar Sergius, der Subdiacon Quirinus und der Befehlshaber der Truppen Leo. Der Kaiser, von Natur sehr mild, glaubte daher, da er keine weitere Genugthuung für die Getödteten, obgleich sehr darauf bedacht, erlangen konnte, von der Untersuchung dieser Sache abstehen zu müssen und entließ die Römischen Gesandten mit der gebührenden Antwort. Um diese Zeit beunruhigten einige Zeichen das Gemüth des Kaisers, vorzüglich eine Erderschütterung in der Pfalz Aachen und Töne zur Nachtzeit vernommen; dann das Fasten eines Mädchens, das sich ein ganzes Jahr jeglicher Speise enthielt, häufige und ungewöhnliche Blitze, das Herabfallen von Steinen mit dem Hagel, Pestilenz von Menschen und Vieh. Um dieser verschiedenen Dinge willen hieß der Kaiser öfters Fasten halten, und ermahnte die Priester, durch anhaltendes Beten und reiche Almosen die Gottheit zu versöhnen, indem er mit Gewißheit voraussagte, daß diese Wunderzeichen schweres Unheil für das menschliche Geschlecht anzeigten.

Im Monat Juni[1] desselben Jahres wurde ihm von der Königin Judith ein Sohn geboren, den er bei der Taufe Karl nennen ließ. In demselben Jahre erhielten die Grafen Eblus und Asenarius Befehl über das Pyrenäengebirge zu gehen. Als diese mit vielen Truppen bis nach Pampilona gekommen waren und nach vollendetem Geschäft von da zurückkehrten, erfuhren sie die übliche Treulosigkeit des Landes und die angeborene Hinterlist der Bewohner. Denn von den Eingebornen umringt fielen sie nach Verlust ihres ganzen Heeres in die Hände der Feinde. Den Eblus schickten sie darauf nach Cordoba an den König der Sarracenen; Asenarius[2] aber, als mit ihnen verwandt, wurde geschont.

824.

1) Den 13. Juni. — 2) Asenarius, Graf von Jacca, hatte seine Tochter Maria dem Wandregisil, einem Grafen des spanischen Limes, der aus Eudos Geschlecht stammte, zur Frau gegeben.

824. 38. Unterdeß wurde Lothar, als er, wie oben gesagt ist, vom Vater abgesendet nach Rom gekommen war, aufs freundlichste und ehrenvollste vom Papst Eugenius empfangen. Und da er über das, was vorgefallen war, sich beschwerte, nämlich warum diejenigen, welche dem Kaiser und ihm und den Franken treu gewesen waren, ungerechten Todes gestorben wären, und die, welche noch lebten, von den übrigen verspottet würden, und warum so viele Klagen gegen die Römischen Päpste und Richter ertönten, fand sich, daß durch Unkenntniß oder Unthätigkeit mehrerer Päpste und die blinde und unersättliche Habsucht der Richter viele Güter ungerechter Weise eingezogen worden waren. Darauf gab nun Lothar, was ungerecht entzogen war, zurück und bereitete damit dem Römischen Volk große Freude. Auch wurde nach alter Sitte festgesetzt, daß von Seiten des Kaisers Abgeordnete geschickt werden sollten, die, mit der gerichtlichen Macht bekleidet, allem Volk zu der Zeit, wo es dem Kaiser passend schiene, mit gleicher Wage Gerechtigkeit zumessen sollten. Als der Sohn, zurückgekehrt, solches dem Vater berichtete, empfand dieser als ein Freund der Billigkeit und Pfleger der Gerechtigkeit große Freude darüber, daß den ungerecht Unterdrückten durch die Gerechtigkeit Befreiung und Hülfe geworden wäre.

825. 39. Im nächsten Jahre befahl der Kaiser, daß sein Volk zur Versammlung im Monat Mai nach Aachen kommen solle. Während er sich hier aufhielt, wurde ihm eine Gesandschaft der Bulgaren, welche nach seinem Befehl lange in Bajoarien gewartet hatte, vorgeführt, welche nächst der Herstellung des Friedens besonders über die Bewachung der Grenzen zwischen Franken und Bulgaren verhandeln sollte. Auch eine große Anzahl vornehmer Britanier erschien, die mit vielen Worten Unterwerfung und Gehorsam versprachen, unter denen auch Wiemarchus war, welcher wie es schien die Uebrigen an Ansehn übertraf und einst so weit in seiner Tollkühnheit und seinen thörichten Wagstücken gegangen war, daß er den Kaiser veranlaßt hatte, einen Feldzug in jene Gegenden zu unternehmen, um seinen Uebermuth zu bändigen.

Als dieser indeß jetzt erklärte, daß er seine That bereue, und sich der kaiserlichen Treue übergab, wurde er von ihm, seinem Charakter gemäß, wie er immer Milde zu üben pflegte, gnädig aufgenommen und erhielt, nebst den andern reichlich beschenkt, Erlaubniß, in sein Vaterland zurückzukehren. Da er aber später in seiner gewohnten Treulosigkeit, alles vergessend was er versprochen und was er gutes empfangen hatte, nicht unterließ seine Nachbarn, die dem Kaiser treu anhingen, anzufallen und auf alle mögliche Weise zu plagen, kam es dahin, daß er von den Leuten des Lantbert im eignen Haus überfallen, mit dem Ende aller seiner Uebelthaten auch sein Lebensende fand. Nachdem nun der Kaiser die Gesandten der Bulgaren sowohl wie der Britannier entlassen hatte, begab er sich zur Jagd in die Wildnisse des Vosegus, wo er blieb, bis er im Monat August zu der angesagten Reichsversammlung nach Aachen zurückkehrte. Um diese Zeit hieß er den Frieden, um welchen die Normannen baten, im Monat October bestätigen; und nachdem alles ausgeführt war, was er befohlen hatte auf jener Versammlung auszuführen und zu bestimmen, begab er sich mit seinem Sohn Lothar nach Noviomagum; den jüngern, Ludwig, schickte er nach Bajoarien; in der Herbstzeit jagte er und kehrte dann mit Anfang des Winters nach der Pfalz Aachen zurück.

Als[1] die von der Versammlung zurückgekehrten Bulgarischen 826.
Gesandten ihrem König die Briefe des Kaisers überbracht hatten, war dieser wenig über ihren Inhalt erfreut, da er das, was er wollte, nicht erreicht hatte. Im Aerger also schickte er denselben Gesandten wieder an den Kaiser, um ihm anzukündigen, daß entweder eine bestimmte Grenzlinie festgesetzt werden solle, oder jeder so gut er könne die Marken seines Gebietes schützen möge. Da sich aber ein Gerücht verbreitet, daß der König, welcher diese Erklärung abgeben ließ, sein Reich verloren hätte, hielt der Kaiser so lange den Gesandten zurück, bis er durch den abgeschickten Pfalzgraf Bertricus gehört hatte, daß es eine unbegründete Nach-

1) Vergl. Einhards Annalen zum Jahr 826.

richt wäre. Von der Wahrheit in Kenntniß gesetzt, entließ er den Gesandten ohne die Angelegenheit erledigt zu haben.

40. Am ersten Februar [1] desselben Jahres kam Pippin, der Sohn des Kaisers, zu seinem Vater nach Aachen. Der Kaiser empfahl ihm Sorge zu tragen, daß er, wenn etwa in Spanien neue Unruhen ausbrechen sollten, sich gerüstet hielte, diesen entgegenzutreten, und entließ ihn dann nach Aquitanien. Der Kaiser aber kam am ersten Juni nach Ingelheim und traf dort sein Volk, wie er es befohlen, zum Reichstag versammelt. Auf dieser Versammlung, seiner Sitte gemäß, berieth, verordnete und setzte er vieles fest, was der Kirche nützlich war; hörte und erledigte die Botschaften, welche ihm sowohl von Rom als vom Berg Olivetus durch den Abt Dominicus überbracht waren. Auch zwei Herzoge, Ceadrag von den Abotriten und Tunglo von den Soraben, die angeklagt waren, schickte er, da die Beschuldigung sich nicht hinreichend erwies, nachdem er sie mit harten Worten zurechtgewiesen, in ihre Heimath zurück. Von dem Lande der Nordmannen erschien mit seiner Frau und einer großen Anzahl Dänen Heriold und wurde zu Mogontiakum in der Kirche zum heiligen Alban mit allen den Seinigen getauft und vom Kaiser reichlich beschenkt. Da aber der Kaiser fürchtete, daß ihm etwa um dieser That willen der Aufenthalt im Vaterlande verweigert werden dürfte, gab er ihm eine Grafschaft in Friesland mit Namen Riustri, wohin er, wenn es die Nothwendigkeit erforderte, sich zurückziehen könnte.

Inzwischen wurde dem Kaiser von Baldricus, der nebst Geraldus und den übrigen Wächtern der Pannonischen Grenzen anwesend war, ein Presbyter Namens Georgius, ein Mann von gutem Lebenswandel, vorgestellt, welcher versprach, eine Orgel nach Art der Griechen machen zu wollen. Der Kaiser nahm ihn freundlich auf, dankte Gott, weil er ihm das gäbe, was bisher in seinem Reiche fremd gewesen wäre, empfahl ihn dem Vorsteher des heiligen Schatzes, Tankulf, hieß ihn auf öffentliche Kosten ver-

1) Vergl. Einhards Annalen zum Jahr 826.

pflegen und gab Auftrag alles, was nöthig wäre, anzuschaffen. Er selbst begab sich Mitte October nach einem Ort jenseit des Rheins, der Salz heißt, wohin er die deutschen Stämme zu einer Versammlung beschieden hatte. Während er sich hier aufhielt, wurde ihm die Treulosigkeit und der Abfall Aizos gemeldet, der, von dem Hof des Kaisers plötzlich geflohen, nach Ausona[1] gegangen wäre und, dort aufgenommen, Roda zerstört habe; denen, die ihm zu widerstehen versuchten, hätte er vielen Verlust beigebracht, die Kastelle, welche er einnehmen konnte, stark durch hineingelegte Besatzungen befestigt und vom König der Sarracenen Abderrhaman, an den er seinen Bruder geschickt hätte, eine starke Heeresmacht gegen uns empfangen. Diese Dinge beunruhigten sehr das Gemüth des Kaisers und reizten ihn, Strafe dafür zu nehmen. Er hielt es jedoch für besser, nichts vorschnell zu unternehmen und erst die Entscheidung seiner Rathgeber, was bei dieser Lage zu thun sei, abzuwarten. Um dieselbe Zeit schickte Hilduin, Abt des Klosters vom heiligen Dionysius, nach Rom Mönche als Ueberbringer seines Gesuchs an den Papst Eugen, worin er bat, daß ihm die Gebeine des seligen Martyrers Sebastian überliefert würden. Diesen Wunsch gewährte der Papst und schickte durch die genannten Gesandten die Ueberreste des heiligen Streiters Christi. Diese wurden mit großen Ehren von dem genannten Mann in Empfang genommen und einstweilen mit dem Wagen, auf welchem sie herbeigeschafft waren, neben dem Leichnam des seligen Medardus beigesetzt. Während sie hier ruhten, verlieh Gott durch sie den Sterblichen eine so große Fülle von Segnungen, daß ihre Menge jede Zahl übersteigt. Und ihre Beschaffenheit macht sie fast unglaublich, wenn man sie nicht mit Ohren vernimmt, welche überzeugt sind, daß nichts dem göttlichen Befehle widersteht, sondern für den, welcher glaubt, alles möglich ist.

41. Während dessen[2] feindete Aizo diejenigen, welche innerhalb unserer Grenzen wohnten, an und verwüstete vorzüglich die Ceri- 827.

1) Vich. — 2) Vergl. Einhards Annalen zum Jahr 827.

4*

tanische und Ballensische Gegend; so weit aber ging sein Uebermuth, daß er, unterstützt von Maurischen und Sarracenischen Hülfstruppen, die Unsrigen zwang, mehrere Kastelle und Städte, welche sie bisher inne gehabt hatten, zu verlassen; eine große Anzahl fiel auch von uns ab und machte mit ihm ein Bündniß. Unter andern schloß sich auch Willemund, Bera's Sohn, mit sehr vielen ihrer Empörung an. Zur Unterdrückung des Aufstandes und zur Verstärkung der Unsrigen schickte Ludwig, während er selbst ein Heer sammelte, das sich hinbegeben sollte, den Abt Elisacher, Graf Hildebrand und Donatus voraus. Diese vorrückend, mit den Truppen der Spanier und Gothen verbunden, widerstanden kräftig den Angriffen der Feinde, indem besonders Bernhard, Graf von Barcinnona, ihre Unternehmungen vereitelte. Als dieß Aizo sah, begab er sich zu den Sarracenen und bat sie um ein prätorianisches Heer. Es wurde ihm gegeben und er führte es unter seinem Befehlshaber Abumarvan bis nach Cäsaraugusta[1] und weiter nach Barcinnona. Der Kaiser schickte darauf seinen Sohn Pippin, den König von Aquitanien, gegen sie, und zugleich als Sendboten von seiner Seite die Grafen Hugo und Matfried[2]. Da aber diese aus Furcht langsamer, als es sich gehörte, anrückten, gewannen die Mauren soviel Zeit, daß sie, nachdem sie die Gegend von Barcinnona und Gerunda verwüstet hatten, sich unversehrt nach Cäsaraugusta zurückziehen konnten. Es gingen aber diesem Unglück schreckliche Zeichen bei nächtlicher Zeit vorher, von menschlichem Blut geröthet und in blassem Lichte strahlend. Als der Kaiser, der zu Kompendium die jährlichen Geschenke entgegennahm, dieß vernahm, schickte er Hülfstruppen zum Schutz der genannten Markgrafschaft und vergnügte sich bis zur Winterszeit in den um Compendium und Carislacum liegenden Wäldern und Bergen mit der Jagd.

827. Im Monat August desselben Jahres verschied Papst Eugenius, der Diakon Valentinus trat an seine Stelle. Als dieser aber kaum

1) Zaragoza. — 2) Hugo von Tours und Matfried von Orleans.

einen Monat jenen überlebte, wurde Gregor, Presbyter der Kirche zum heiligen Marcus, zum Nachfolger gewählt, die Weihe aber bis zur Einwilligung des Kaisers aufgeschoben. Als dieser seine Genehmigung gegeben und die Wahl der Geistlichkeit und des Volkes gutgeheißen hatte, wurde er zum Papste geweiht. Desselben Jahres im Monat September kamen Gesandte des Kaisers Michael nach Compendium, wurden ehrenvoll empfangen, auf das beste verpflegt, reichlich beschenkt und glücklich wieder nach Hause geschickt. In diesem Jahre schickte Heinhard [1], einer der gelehrtesten Männer seiner Zeit, vom Feuer heiliger Frömmigkeit angetrieben, nach Rom und ließ die Leichname des heiligen Marcellinus und Petrus mit Bewilligung des Papstes nach Francien bringen und bestattete sie mit vielen Ehren in seinem Gebiete und auf eigene Kosten. Um ihrer Verdienste willen verrichtet der Herr daselbst noch bis jetzt viele Wunder.

42. Im Monat Februar des folgenden Jahres wurde eine allgemeine Reichsversammlung zu Aachen gehalten, wo außer andern Dingen besonders die letzten erbärmlichen und schmachvollen Ereignisse in der spanischen Mark die Gemüther bewegten. Nachdem diese Angelegenheit erörtert und auf das Sorgfältigste untersucht worden war, wurden diejenigen als die Urheber der Schuld befunden, welche vom Kaiser als Anführer bestellt worden waren. Der Kaiser strafte sie darauf nur mit Verlust ihrer Ehren für ihre Schuld an dieser Schmach. Auch dem Baldricus, Herzog von Friaul, angeklagt und überführt, daß durch seine Feigheit und Sorglosigkeit unser Gebiet von den Bulgaren verwüstet worden war, wurde das Herzogthum genommen und seine Macht unter vier Grafen vertheilt. Und der Kaiser, von Natur barmherzigen Sinnes, wünschte immer lieber den Fehlenden Gnade angedeihen zu lassen; wie aber diejenigen, an welchen er sie übte, seine Milde mißbrauchten um grausam zu handeln, wird sich bald zeigen, wenn wir sehen werden, wie sie dem Kaiser für das Leben, welches sie

1) Der bekannte Schriftsteller Einhard, welchen wir schon öfters als Quelle unserer Lebensbeschreibung angemerkt haben.

ihm dankten, soviel an ihnen war, schweren Kummer und Elend bereiteten. Um dieselbe Zeit kehrten Galitchar, Bischof von Camaracum, und Ansfried, Abt des Klosters Monantula, von den jenseit des Meeres gelegenen Ländern zurück, und berichteten, daß sie auf das freundlichste vom Kaiser Michael empfangen worden wären. Im folgenden Sommer hielt der Kaiser eine allgemeine Versammlung zu Hengelunheim[1], wo er die Gesandten des Römischen Papstes, den Primicerius Quirinus und den Nomenclator Theophilactus, welche viele Geschenke überbrachten, empfing und entließ. Und als er nach dem Dorf des Theodo gekommen war, verbreitete sich das Gerücht, daß die Sarracenen in unser Gebiet eingefallen wären, worauf der Kaiser alsbald seinen Sohn Lothar mit vielen starken fränkischen Truppen nach jener Mark sandte. Dieser hatte, dem väterlichen Befehle gehorsam, Lugdunum erreicht und wartete auf einen Boten aus dem Spanischen Lande, als sein Bruder Pippin, um sich mit ihm zu unterreden, daselbst eintraf. Während sie hier verweilten, kehrte der Abgesandte zurück und berichtete, daß die Mauren und Sarracenen zwar ein sehr großes Heer gesammelt hätten, jedoch nicht vorgerückt seien und nicht mehr jetzt in unser Gebiet Einfälle machten. Auf diese Kunde begab sich Pippin nach Aquitanien, Lothar aber kehrte glücklich zum Vater zurück. Unterdeß hatten die Söhne Gotfrieds, früheren Königs der Dänen, den Heriold aus dem Reiche verjagt. Da aber der Kaiser dem Heriold Hülfe leisten wollte, andererseits jedoch mit den Söhnen Gotfrieds einen Friedensvertrag geschlossen hatte, so befahl er den sächsischen Grafen, welche von ihm mit Heriold selbst dazu abgeschickt waren, mit jenen zu unterhandeln, daß sie Heriold, wie es früher gewesen wäre, wieder als Mitbesitzer der Herrschaft aufnehmen sollten. Heriold aber, ungeduldig über diese Verzögerung, steckte, ohne daß es die Unsrigen wußten, einige Dörfer der Dänen an und führte Beute mit sich fort. Die Dänen, welche meinten, dieß sei nach dem Willen der Unsrigen geschehen, überfielen diese, unversehens und ohne daß sie etwas dergleichen ahnten,

1) Ingelheim.

überschritten den Fluß Aegidora[1], vertrieben sie aus dem Lager, jagten sie in die Flucht und zogen sich dann, nachdem sie sich aller Dinge bemächtigt hatten, in ihr eigenes Lager zurück. Darauf jedoch, als sie die Wahrheit der Sache erfuhren und die gebührende Strafe fürchteten, schickten sie zuerst an diejenigen, welchen sie diese Niederlage beigebracht hatten und dann an den Kaiser Gesandte, bekannten ihr Unrecht und boten eine entsprechende Genugthuung zur Sühne. Die Art der Genugthuung stellten sie ganz dem Willen des Kaisers anheim, wenn nur der Frieden fest und ungestört bliebe. Der Kaiser gewährte ihnen nach ihrem Wunsch und Ansuchen.

Graf Bonifacius, den der Kaiser zum Befehlshaber von Korsika gesetzt hatte, hatte mit seinem Bruder Bernhard und mehreren andern in Verbindung, eine Anzahl von Schiffen bestiegen und das Meer durchkreuzt um Seeräuber aufzufangen; da er jedoch keinen fand, landete er an der Insel der ihm befreundeten Sarder und setzte von hier, versehen mit einigen des Seewegs kundigen Leuten, nach Afrika über, zwischen Utika und Carthago. Hier sammelte sich schnell eine große Menge Afrikaner gegen ihn, fünfmal kämpfte er mit ihnen, fünfmal wurden sie geschlagen und verloren eine sehr große Anzahl der Ihrigen; dabei fielen auch einige von den Unsrigen, welche große Aufregung oder Unbedachtsamkeit und Leichtsinn zu weit in Wagnisse fortgerissen hatte. Bonifatius aber zog sich mit den Seinigen auf die Schiffe zurück und fuhr wieder nach Haus: die Afrikaner jedoch ließ er in früher unbekannter und unerhörter Furcht zurück. In diesem Jahr traten zwei Mondfinsternisse ein, am ersten Juli und in der Geburtsnacht des Herrn Jesus Christus. Auch wurde dem Kaiser aus Waskonien Getreide gebracht, von kleinem Korn, aber nicht rund wie Erbsen, von dem man sagte, es sei vom Himmel gefallen. Den Winter verbrachte der Kaiser zu Aachen.

43. Nach Ablauf[2] dieser Jahreszeit, als die heiligen Tage 829.
der Fasten gefeiert wurden und das ehrwürdige Osterfest bevorstand, trat um Mitternacht ein so gewaltiger Erdstoß ein, daß alle Ge-

Die Eider. — 2) Vergl. Einhards Annalen zum Jahr 829.

bäude davon einzustürzen drohten. Und diesem folgte ein heftiger Sturm, der nicht nur kleinere Häuser, sondern selbst die kaiserliche Pfalz in Aachen erschütterte und sogar die bleiernen Platten, mit denen die Kirche der heiligen Maria, der Mutter Gottes, gedeckt war, zum größten Theil abriß. Nachdem der Kaiser in der Pfalz Aachen noch durch viele nothwendige Geschäfte und Sorgen um das öffentliche Beste aufgehalten worden war, beschloß er am ersten Juli abzureisen und nach Worms zu gehen, wo im Monat August eine allgemeine Reichsversammlung abgehalten werden sollte. Ein Gerücht aber, nach dem die Nordmannen den Friedensvertrag zu brechen und unsere Grenzen zu überschreiten gedächten und das jenseit der Elbe gelegene Gebiet plündern wollten, nöthigte ihn von diesem Plane etwas abzugehen. Da jedoch die Dinge sich anders verhielten, kam der Kaiser noch zur bestimmten Zeit am festgesetzten Orte an, verhandelte was nöthig schien, nahm die jährlichen Geschenke in Empfang und schickte seinen Sohn Lothar nach Italien. Und da er auf dieser Versammlung hörte, daß heimliche Ränke, von denjenigen, welchen er das Leben geschenkt hatte, nach Art der Krebse gegen ihn im Gang wären und die Gemüther vieler, gleichsam wie durch Minen in Unruhe versetzt würden, beschloß er gegen sie ein Bollwerk zu errichten. Er machte nämlich Bernhard, bisher Grafen der Spanischen Gebiete und Grenzen zum Schatzmeister: ein Ereigniß, welches den Samen der Zwietracht nicht vernichtete, sondern nur noch förderte; da jedoch diejenigen, welche an dieser Pest litten, noch nicht offen ihre Wunde zeigen konnten, indem sie keine günstige Gelegenheit sahen, das was sie wünschten auszuführen, beschlossen sie dieß auf eine andere Zeit zu verschieben. Der Kaiser aber, nachdem er das, was die Nothwendigkeit erforderte, in Ordnung gebracht hatte, ging über den Rhein nach dem Dorf Frankonoford und jagte hier so lange es ihm gefiel und die nahe Kälte des Winters zuließ. Von da kehrte er zum Fest des heiligen Martinus nach Aachen zurück und feierte daselbst würdig dieses Fest und das des heiligen Andreas, sowie das Geburtsfest des Herrn und die übrigen.

44. Um die Zeit der Fasten, als der Kaiser die an der Meeresküste gelegenen Orte bereiste, deckten endlich die Häupter der schlechten Partei, da sie es nicht mehr länger zu tragen vermochten, die lange verborgene Wunde auf. Zuerst nämlich verschworen sich die Vornehmen durch ein Bündniß mit einander, dann gesellten sie sich Geringere bei, von denen ein Theil immer nach Veränderungen begierig, wie Hunde und Raubvögel, anderen Schaden zuzufügen sucht, um selbst daraus Gewinn zu ziehen. Auf die Beistimmung der meisten rechnend, wenden sie sich an den Sohn des Kaisers, Pippin, stellen ihm die widerfahrene schlechte Behandlung vor, die Unverschämtheit Bernhards, der alle andern mit Verachtung behandle; sie erklären ihn, was zu sagen Frevel ist, für den Schänder des väterlichen Ehebettes; der Vater aber sei durch Zaubereien so berückt, daß er dieß nicht nur nicht zu bestrafen im Stande sei, sondern nicht einmal bemerke. Er müsse, sagten sie, als guter Sohn über die Schmach des Vaters empört sein, den Vater sich selbst und seiner Würde wiedergeben, wofür ihm nicht nur der Ruf der Tugend folgen würde, sondern auch Vergrößerung des irdischen Reiches. Durch diese Anreizungen verlockt ging der Jüngling mit ihnen und vielen eignen Truppen über Aurelia, wo man den Hodo verjagte und Mathfried wieder einsetzte, bis nach Werimbria. Der Kaiser aber, als er von diesem bewaffneten Aufstand gegen sich, seine Frau und Bernhard hörte, erlaubte dem Bernhard, sich durch die Flucht zu retten, und hieß seine Frau zu Laudunum [1] im Kloster der heiligen Maria ihren Aufenthalt nehmen; er selbst begab sich nach Compendium [2]. Darauf schickten diejenigen, welche mit Lothar nach Werimbria [3] gekommen waren, den Werin [4], Lantbert [5] und viele andere und ließen die Königin aus der Stadt und dem Kloster fortführen und dahin bringen, wo sie waren. Diese aber brachten sie durch die Androhung verschiedener Strafen, ja selbst des Todes, endlich dahin, daß sie versprach, sie würde, wenn man ihr eine Unterredung mit dem Kaiser verstattete, 830.

1) Laon. — 2) Compiegne. — 3) Verberie, südlich von Compiegne an der Oise gelegen. — 4) Graf von Auvergne. — 5) Graf von Nantes.

ihn überreden, die Waffen niederzulegen, sich das Haar scheeren zu lassen und dann sich in ein Kloster zu begeben. Sie selbst wolle den Schleier nehmen und ein Gleiches thun. Je mehr sie dieß wünschten, um so eher glaubten sie es auch. Sie schickten daher dieselbe unter Begleitung zum Kaiser. Und als ihr dieser eine geheime Unterredung gewährt hatte, nahm sie mit seiner Erlaubniß, um dem Tode zu entgehen, den Schleier; wegen seines Eintritts jedoch in den Mönchsstand forderte er Zeit zur Ueberlegung. Von so ungerechtem Haß aber wurde der Kaiser, welcher gegen andere stets gütig war, verfolgt, daß ihnen selbst sein Leben lästig war: ihnen, welche nach Recht und Gesetz ihr Leben verloren hätten, wenn es ihnen nicht durch seine Gnade geschenkt worden wäre. Nachdem daher die Königin zurückgekehrt war, mußte sie noch viel Ungemach erdulden, bis man sie zuletzt mit Beistimmung des Volkes ins Exil schickte und ins Kloster der heiligen Radegunde[1] einsperren ließ.

45. Im Monat Mai kam Lothar, der Sohn des Kaisers, aus Italien und traf den Kaiser in Compendium; an ihn schloß sich alsbald die ganze dem Kaiser feindliche Partei an; indeß fügte er selbst damals dem Vater nichts Schmachvolles zu, sondern billigte nur, was geschehen war. Endlich wurde auch Heribert, Bernhards Bruder, gegen den Willen des Kaisers mit Verlust der Augen gestraft, und Hodo, sein Vetter, nachdem ihm die Waffen genommen, ins Exil geschickt, beide als Mitwisser und Förderer der von Bernhard und Judith begangenen Verbrechen. In dieser Lage brachte Ludwig, bloß dem Namen nach Kaiser, den Sommer hin. Als der Herbst nahte, wollten diejenigen, welche dem Kaiser feindlich gesinnt waren, daß irgendwo in Francien eine Versammlung gehalten würde. Der Kaiser arbeitete jedoch dem heimlich entgegen, da er den Franken mißtraute und lieber den Germanen sich anvertraute. Und er setzte es durch, daß alles Volk nach Neomagum[2] zusammenberufen wurde. Da er aber weiter fürchtete,

1) Bei den Pictaven, siehe oben Cap. 19. — 2) Nimwegen.

daß die Menge der Gegner den Sieg über die geringe Anzahl seiner Getreuen davontragen möchte, befahl er, daß jeder, der zur Versammlung käme, nur in einfacher Begleitung erscheinen sollte. Auch hieß er Lantbert die ihm anvertrauten Grenzen bewachen, und entsandte den Abt Helisachar, um in seinem Namen Recht zu sprechen. Endlich kam man nach Neumagum, wohin ganz Germanien zusammengeströmt war, um seinem Kaiser beizustehen. Der Kaiser aber, der die Kräfte der Gegner noch mehr schwächen wollte, fragte anklagend den Abt Hilduin, warum er nicht, wie ihm geboten, in einfacher Begleitung, sondern mit so vielen Bewaffneten erschienen sei. Da er dieß nicht leugnen konnte, erhielt er Befehl, augenblicklich den Palast zu verlassen und mit wenigen Leuten den Winter im Lager nahe bei Paderborn zuzubringen. Walach wurde nach Corbeja zurückgeschickt, dort seines Amtes zu warten. Als dieß diejenigen sahen, welche zusammengekommen waren, um dem Kaiser entgegenzutreten, entschlossen sie sich mit gebrochenen Kräften zu einem Schritt letzter Verzweiflung. In der Nacht versammelten sie sich in der Wohnung Lothars und erklärten, man müsse es entweder zu den Waffen kommen lassen oder vor der Macht Ludwigs sich irgend wohin zurückziehen. Nachdem sie über dieser Berathung die ganze Nacht zugebracht hatten, ließ der Vater seinem Sohne am Morgen sagen, er solle nicht den öffentlichen Feinden trauen, sondern als Sohn zu ihm, dem Vater, kommen. Als er dieß hörte, ging er trotz der Abmahnungen derer, welche um ihn waren, zum Vater, von dem er nicht mit harten Scheltworten angefahren, sondern in milder und gemäßigter Weise zurechtgewiesen wurde. Da aber jener sich ins Innere des Hauses begeben hatte, begann das Volk auf Anreizen des Teufels gegen einander zu rasen, und die Wuth wäre bis zum gegenseitigen Morden gestiegen, wenn nicht die Klugheit des Kaisers dem vorgebeugt hätte. Während nämlich jene unter einander tobten und fast bis zur Raserei sich ereiferten, zeigte sich der Kaiser mit seinem Sohn der gesammten Menge. Sogleich legte sich die ganze Aufregung; denn als sie des Kaisers Worte gehört hatten, standen sie vom Streit ab. Darauf ließ der Kaiser alle Führer dieser nichtswürdigen Empörung in besondere Haft bringen. Als sie aber, vor Gericht geführt, von allen Richtern und den Söhnen des Kaisers nach dem Gesetz als Majestätsverbrecher zum Tode verurtheilt wurden, befahl er, keinen von ihnen hinzurichten, sondern ließ, größere Milde übend als sie einzelnen gut zu sein schien, aber nach seiner gewöhnlichen gütigen und gnädigen Art, die Laien an den geeigneten Orten zu Mönchen scheeren, die Geistlichen aber in angemessenen Klöstern verwahren.

831. 46. Nach Erledigung dieser Angelegenheit ging der Kaiser für den Winter nach Aachen. Er hatte aber während dieser Zeit seinen Sohn Lothar stets bei sich. Unterdeß schickte er nach Aquitanien und ließ die Kaiserin und ihre Brüder Kawar und Rodulf, die zu Mönchen geschoren waren, zurückholen; würdigte jene jedoch nicht eher der ehelichen Ehre, bis sie sich auf die vorgeschriebene gesetzliche Weise von den Beschuldigungen gereinigt haben würde. Nachdem dieß geschehen war, schenkte er am Fest der Reinigung Mariä (2. Februar) allen zum Tode Verurtheilten das Leben und entließ Lothar nach Italien, Pippin nach Aquitanien und Ludwig nach Bajoarien; er aber feierte die Fastenzeit und das Osterfest an jenem Orte. Als dieß vorüber war, begab er sich nach Ingelheim. Um dieselbe Zeit, eingedenk seiner gewöhnlichen Barmherzigkeit, die, wie von sich Job sagt, von Anfang an mit ihm wuchs und aus Mutterleib mit ihm hervorgegangen zu sein scheint, rief er die, welche für ihre Handlungen nach verschiedenen Orten verwiesen worden waren, zurück und setzte sie wieder in ihre Besitzthümer ein; und stellte denen, welche zu Mönchen geschoren waren, frei, ob sie im geistlichen Stande bleiben oder zu ihrem frühern Leben zurückkehren wollten.

Von da ging er über den Vosagus in die Gegend des Rumerischen Berges[1] und trieb hier so lange es ihm beliebte Fischerei und Jagd, seinen Sohn Lothar aber entließ er nach Italien. Darauf befahl er, daß zum Herbst im Dorf des Theodo sein Volk zur

1) Remiremont.

allgemeinen Versammlung erscheinen solle. Hierhin kamen drei Gesandte der Sarracenen von den überseeischen Gebieten — zwei davon waren Sarracenen, der dritte ein Christ — und brachten viele Geschenke aus ihrem Vaterlande, unter andern verschiedene Arten von Wohlgerüchen und Stoffen. Der Kaiser gewährte ihnen den erbetenen Frieden und entließ sie dann in ihre Heimath. Auch Bernhard erschien, der auf die angegebene Art durch die Flucht sich gerettet und lange an den Grenzen von Spanien in der Verbannung gelebt hatte. Er begab sich zum Kaiser und bat ihn, sich nach der bei den Franken üblichen Sitte reinigen zu dürfen, indem er bereit sei, demjenigen, welcher ihn des Verbrechens zeihe, entgegen zu treten und mit den Waffen die Anschuldigung zu nichte machen wolle. Da aber kein Ankläger, obgleich aufgefordert, sich meldete, wurde die Reinigung ohne Waffen durch Eide vollzogen. Auch hatte der Kaiser befohlen, daß zu dieser Versammlung sein Sohn Pippin eintreffen sollte; dieser aber blieb während des Reichstages aus und kam erst als er vorüber war. Der Kaiser, welcher diesen Ungehorsam sowie überhaupt seinen großen Uebermuth strafen wollte, befahl Pippin dazubleiben und behielt ihn bis Weihnachten in Aachen bei sich. Dieser aber unwillig, außerhalb seines Landes so lange festgehalten zu werden, ergriff die Flucht und begab sich ohne Wissen des Vaters nach Aquitanien. Der Kaiser blieb auch die übrige Zeit des Winters in Aachen.

47. Nachdem die Kälte des Winters überstanden und der Früh- 832.
ling wiedergekehrt war, wurde dem Kaiser gemeldet, es seien Unruhen in Bajoarien ausgebrochen. Alsbald brach er auf, um sie zu unterdrücken und ging bis Hausburg[1], beschwichtigte die Aufregung, kehrte unverzüglich zurück und gebot eine allgemeine Reichsversammlung nach Aureliä, wohin er Pippin zu kommen befahl: der obwohl wider Willen eintraf. Mit Rücksicht aber auf die Rathschläge einiger schlechten Menschen, welche seinen Sohn sowohl durch Drohungen als Versprechungen zum Bösen zu verleiten suchten, und vor allem Bernhard fürchtend, von dem es hieß, daß sich

1) Augsburg.

Pippin, jetzt wieder in Aquitanien anwesend, seines Raths bediene, überschritt der Kaiser den Ligeris[1] und ging mit seiner Begleitung bis zur Pfalz Jucundiacum[2], im Gebiet der Lemovicer. Nachdem hier die Angelegenheit Beider reiflich erwogen worden war, wurde Bernhard, der Untreue angeklagt, ohne daß jedoch ein Ankläger dieß im Kampf an ihm beweisen wollte, seiner Ehren beraubt, Pippin aber sollte zur Besserung seiner schlechten Sitten unter besonderer Bewachung nach Trier gebracht werden. Auf dem Wege dahin aber wurde er bei Nacht von den Seinigen aus der Haft entführt und streifte bis zur Rückkehr des Kaisers überall wo er konnte und wollte umher. Und damals setzte auch der Kaiser zwischen seinen Söhnen Lothar und Karl eine Theilung des Reichs fest, die aber bei eintretenden Hindernissen, von denen geredet werden wird, nicht nach Wunsch zur Ausführung kam. Zur gelegenen Zeit verließ der Kaiser Aquitanien, berief aber bald darauf zum Fest des heiligen Martin eine Versammlung des Volkes und suchte auf jede Art seinen flüchtigen Sohn Pippin wieder zur Rückkehr zu bewegen. Dieser aber wollte nicht. Nun trat der Winter in seiner ganzen Härte und Rauhigkeit ein; zuerst fortwährende Regengüsse, dann aber große Kälte, welche den nassen Boden gefrieren machte, was so vielen Schaden verursachte, daß, da die Pferde immer die Beine brachen, kaum noch jemand eins zum Reiten hatte. Da aber viel Mannschaft durch die große Anstrengung zu Grunde gegangen war und das Heer auch sehr von den unvermutheten Streifzügen der Aquitanier litt, beschloß der Kaiser nach einem Dorf Namens Restis[3] sich zu begeben, dort über den Ligeris zu gehen und für den Winter nach Francien zurückzukehren. Und dieß that er auch, obwohl mit weniger Ehre als sich geziemte.

833. 48. Der dem menschlichen Geschlecht und dem Frieden feindliche Teufel ließ indeß dem Kaiser keine Ruhe, sondern reizte die Söhne desselben durch die Kunstgriffe seiner Diener, indem er sie glauben machte, daß der Vater selbst sie verderben wollte: und sie

1) Loire. — 2) Joac in Limosin. — 3) In Anjou oberhalb Semur.

bedachten nicht, daß der, welcher gegen alle Fremden so mild wäre, gegen die Seinigen nicht grausam sein könnte. Aber weil böse Gesellschaft gute Sitten verdirbt und der weiche Wassertropfen selbst den harten Stein durch häufiges Treffen aushöhlt, brachten sie es endlich so weit, daß die Söhne des Kaisers mit soviel Mannschaft als sie konnten sich vereinten und den Papst Gregor um Beistand anriefen unter dem Schein, als ob er allein die Söhne mit dem Vater aussöhnen müsse und könne. Die wahre Absicht jedoch offenbarte sich später. Von der andern Seite kam darauf der Kaiser mit starker Macht im Monat Mai nach Wormatia und überlegte hier lange, was zu thun wäre. Zuerst schickte er Gesandte, den Bischof Bernhard[1] und andere, an seine Söhne und ermahnte sie zu ihm zurückzukehren. Aber ziemte es sich wohl, daß der römische Papst, wenn er nach der Sitte seiner Vorgänger erschienen war, so lange Zeit vorübergehen ließ, ohne zum Kaiser zu kommen? Als aber das überall verbreitete Gerücht neben anderm Wahren vom römischen Papste sagte, daß er deswegen anwesend wäre, um sowohl den Kaiser als die Bischöfe in die Bande der Exkommunikation zu schlagen, wenn man ihm und den Söhnen des Kaisers nicht nach ihrem Willen Folge leisten wolle, gingen die Bischöfe des Kaisers in kühner Anmaßung etwas zu weit, indem sie erklärten, daß sie sich in keiner Weise seinem Ansehn unterordnen, und wenn er gegen sie den Bann ausspräche, ihn selbst für gebannt erklären würden. Anders aber lautet die Bestimmung der alten Canones. Endlich am Feste des heiligen Vorgängers 24. Juni. Christi, Johannes, gelangte man an den Ort, welcher von dem, was sich daselbst ereignet hat, mit ewiger Schmach des Namens gezeichnet ist, indem er das Lügenfeld heißt. Da nämlich diejenigen, welche dem Kaiser Treue gelobt hatten, wortbrüchig wurden, blieb der Ort, wo sich dies zutrug, mit seinem Namen Zeuge jener Nichtswürdigkeit. Als sie aber nicht weit von da zur Schlacht gerüstet mit ihren Heeren hielten, und man glaubte, daß es bald

1) Bischof von Straßburg.

zu den Waffen kommen werde; wurde dem Kaiser gemeldet, daß der römische Papst nahe. Bei seiner Ankunft empfing ihn der Kaiser an der Spitze seines Heeres weniger ehrenvoll als sich gebührte, und erklärte ihm, daß er sich selbst solchen Empfang bereitet habe, da er auf so ungewöhnliche Art zu ihm komme. Darauf aber in sein Zelt geführt, zeigte der Papst unter vielen Betheuerungen, daß er die Reise keines andern Grundes wegen unternommen habe, als weil es geheißen, daß der Kaiser in unversöhnlicher Zwietracht mit seinen Söhnen lebe und habe er daher nach beiden Seiten hin nur Frieden stiften wollen. Er hörte nun auch, was der Kaiser seinerseits vorbrachte, und blieb mit ihm mehrere Tage zusammen. Vom Kaiser aber an seine Söhne zurückgesendet, den gegenseitigen Frieden herzustellen, erhielt er, da inzwischen fast alles Volk, theils durch Geschenke bewogen, theils durch Versprechungen verlockt oder Drohungen eingeschüchtert, zu ihnen und ihrem Anhange in großen Massen übergegangen war, die Erlaubniß nicht mehr, wie ihm befohlen war, zum Kaiser zurückzukehren. Während so die Truppen auf jener Seite sich mehrten und beim Kaiser immer mehr abnahmen, stieg der Abfall von Tag zu Tag so, daß am Tage des heiligen Paulus das Volk um den Söhnen zu schmeicheln, einen Angriff auf den Kaiser zu machen drohte. Da der Kaiser unfähig war, ihnen kräfigen Widerstand zu leisten, ließ er seinen Söhnen sagen, sie sollten ihn nicht der Wuth des Volkes Preis geben. Sie erwiederten ihm darauf, er möge das Lager verlassen und zu ihnen kommen; sie würden ihm sogleich entgegen gehen. Als sie sich gegenseitig trafen, ermahnte der Vater die Söhne, welche von den Pferden abgestiegen waren und zu ihm herantraten, daß sie ihres Versprechens eingedenk, ihn, seiner Frau und seinem Sohne, was sie einst versprochen hätten, unverletzt halten sollten. Nachdem sie entsprechend geantwortet hatten, umarmte er sie und wurde in ihr Lager geleitet. Bei seiner Ankunft aber wurde seine Gemahlin von ihm entfernt und nach den Zelten Ludwigs gebracht. Ihn selbst und den noch sehr jungen Karl nahm Lothar mit sich und befahl ihm mit einigen Wenigen in einem dazu bestimmten

Zelte zu bleiben. Hierauf verpflichteten sie das Volk durch Schwur und theilten das Reich unter sich in drei Stücke. Die Gemahlin des Kaisers, von Ludwig in Empfang genommen, wurde wieder nach der Italiänischen Stad Tortona in die Verbannung geführt. Als dieß Papst Gregor sah, kehrte er in großer Trauer nach Rom zurück; und von den Brüdern ging Pippin nach Aquitanien, Ludwig nach Bajoarien. Lothar aber kam mit dem Vater, der allein in besonderer Begleitung ritt und für sich blieb, nach dem Dorf Merlegium [1]. Hier blieb er so lange es ihm gut dünkte, ordnete an, was Noth that, entließ das Volk und gebot eine große Versammlung nach Compendium. Dann ging er bei Maurmünster über den Vosagus und erreichte Mediomatricum, das mit seinem andern Namen Metz heißt. Von da zog er nach Wiridunum [2] und weiter nach der Stadt Suessiones [3] wo er im Kloster des heiligen Medardus seinen Vater in strenger Haft zu halten befahl; Karl that er nach Prumia [4], ohne ihn jedoch scheeren zu lassen. Er selbst vergnügte sich mit Jagen, bis er zum Herbst, den ersten Oktober, wie festgesetzt war, den Vater mit sich führend nach Compendium kam.

49. Während er daselbst verweilte traf eine an den Vater gerichtete Gesandtschaft des Kaisers von Konstantinopel ein, Marcus, Erzbischof von Ephesus und der Protospatarius des Kaisers, überreichte die für ihn bestimmten Geschenke, behielt aber die dem Vater geschickten zurück. Lothar empfing die Gesandten, die obgleich an den Vater gerichtet, nun zu ihm kamen, hörte sie an und entließ sie, die nun zu Haus von diesem unerhörten Trauerspiel berichteten. Auf derselben Versammlung, da viele der Anhänglichkeit an den Vater und der Untreue gegen den Sohn beschuldigt wurden, entkräfteten einige durch einfache Worte, andere durch Eidschwur die Anklage. Alle aber außer den Urhebern erfaßte Jammer über diese Sache und über solchen Wechsel der Dinge.

1) Marlei. — 2) Verdün. - 3) Soissons. — 4) Berühmtes Kloster in den Ardennen.

Deßhalb in Furcht, daß nicht etwa alles was geschehen wäre, wieder zurückginge, sannen die Theilhaber dieses nichtswürdigen Verbrechens mit einigen Bischöfen auf ein schlaues Mittel: sie wollten nämlich den Kaiser verurtheilen, daß er für alles, was er schon abgebüßt hatte, noch einmal durch öffentliche Buße, nach abgelegten Waffen, unwiderruflich sich der Kirche in die Arme werfen sollte, während doch sowohl die weltlichen Gesetze die einmalige Schuld nicht zweimal strafen als auch unser Gesetz sagt, Gott verdamme nicht doppelt um ein und dasselbe. Wenige widersetzten sich diesem Urtheil; viele waren damit einverstanden; die meisten, wie es bei solchen Gelegenheiten zu gehen pflegt, stimmten, um nicht die Vornehmen zu beleidigen, jedem Worte bei. So abwesend und ungehört, ohne Geständniß und ohne Beweis verurtheilt, wurde er gezwungen vor dem Leichnam des heiligen Bekenners Medardus und des heiligen Märtyrers Sebastian seine Waffen abzuthun und vor dem Altar niederzulegen; dann bekleideten sie ihn mit einem Bußgewand und schlossen ihn unter strenger Bewachung in ein Haus ein. Nachdem dieß geschehen war, kehrte das Volk, vom Reichstag entlassen, zum Fest des heiligen Martin (2ten November) traurig über diese Dinge nach Hause zurück. Lothar aber begab sich mit dem Vater für den Winter nach Aachen. Während der Zeit des Winters indeß kam das Volk, sowohl in Francien als Burgund, Aquitanien und Germanien in großer Menge zusammen und ergingen sich in traurige Klagen über das Unglück des Kaisers. Und zwar sammelten in Francien Graf Eggebard und der Marschall Wilhelm so viele Leute als sie konnten zu dem gemeinsamen Zwecke den Kaiser wieder einzusetzen. Aus Deutschland aber wurde Abt Hugo [1] von Ludwig und denen, welche dorthin geflohen waren, nämlich dem Bischof Drogo [2] und den übrigen nach Aquitanien geschickt und trieb Pippin eben dazu an. In Burgundien regten Bernhard [3] und Werin [4] das Volk durch Ansprachen auf, gewannen

1) Abt von St. Quentin, Bruder Ludwigs des Frommen. — 2) Drogo, Bischof von Metz, Karls des Großen Sohn. — 3) Der schon öfter erwähnte Bernhard von Septimanien. — 4) Werin Graf von Macon.

es durch Versprechungen, verpflichteten es durch Eide und vereinigten alle in demselben Streben.

50. Nach Verlauf des Winters, da schon der Frühling sein 834.
rosiges Antlitz zeigte, schlug Lothar den Vater mit sich führend den Weg durch den Hasbengau[1] ein, und wandte sich nach der Stadt Varisius, wohin er alle seine Getreuen beschieden hatte. Graf Eggebard aber und andere Vornehme des Gaus zogen ihm entgegen, um für die Befreiung des Kaisers zu kämpfen; und es wäre zur Entscheidung gekommen, wenn nicht der fromme Kaiser, die Gefahr so vieler anderen und die eigne fürchtend, sie durch Befehl und flehentliche Bitten von diesem Vorhaben abgehalten hatte. So kamen sie endlich zum Kloster des heiligen Märtyrers Dionysius.

51. Pippin aber war mit einem großen Heere von Aquitanien ausgezogen und bis zur Seine gelangt, wo er Halt machte, da er durch die Zerstörung der Brücken und das Versenken der Schiffe am Uebergang verhindert war. Andererseits rückten Graf Werin und Bernhard mit vielen Begleitern aus den Burgundischen Landen bis zum Fluß Matrona[2] vor und blieben dort durch die rauhe und ungünstige Witerung zurückgehalten, theils auch um noch mehrere von den Ihrigen zu sammeln, einige Tage in dem Dorf Bonogilum[3] und den umliegenden Gütern. Es war aber kurz vor der Fastenzeit; und am Donnerstag der ersten Woche schickten sie den Abt Adrebald und Graf Gauzhelm[4] als Gesandten an Lothar, den Sohn des Kaisers, und verlangten, daß der Kaiser der Haft entlassen und ihnen übergeben werden sollte. Zugleich versprachen sie ihm, wenn er dieß bewillige, sich beim Vater für sein Wohl und seine Ehre verwenden zu wollen; im andern Falle würden sie, wenn es Noth thäte, mit eigener Gefahr ihn holen und gegen die, welche sich ihnen dabei widersetzten, die Waffen brauchen; Gott sei Richter. Hierauf erwiederte Lothar; niemand bedauere mehr das Mißgeschick seines Vaters als er; aber nicht ihm dürfe die Schuld der übertragenen Herrschaft zugerechnet werden, da sie selbst

1) In der Nähe von Lüttich. — 2) Marne. — 3) Boneuil im Gau von Paris. — 4) Bruder Bernhards von Septimanien.

ja den Kaiser im Stich gelassen hätten. Nicht minder ungerecht sei es die Gefangenschaft des Vaters ihm zur Last zu legen, da man doch wisse, daß die Bischöfe denselben dazu verurtheilt hätten. Mit dieser Rechtfertigung schickte er die Gesandten zu denen, welche sie abgeordnet hatten, zurück. Die Grafen Werin und Odo[1] aber, schlug er ihnen vor, sowie die Aebte Fulko[2] und Hugo[3] sollten zu ihm kommen um mit ihm zu berathen, wie ihrer Bitte Genüge geschehen könne. Auch hieß der Sohn des Kaisers, Lothar, am andern Morgen Gesandte schicken, um von ihnen die Zeit, wann die genannten Männer kommen sollten zu erfahren, damit sie dann am bestimmten Tage bei ihm zur Berathung über jene Angelegenheit einträfen. Bald aber änderte er seinen Entschluß, ließ den Vater im Kloster des heiligen Dionysius zurück, wandte sich mit seinen Anhängern nach Burgund und ging bis nach Viennar, wo er Halt machte. Die aber, welche mit dem Kaiser zurückgeblieben waren, drangen in ihn, wieder den königlichen Schmuck anzulegen. Der Kaiser obgleich auf die oben angegebene Art aus der Gemeinschaft der Kirche geschlossen, wollte dennoch bei diesem eiligen Ausspruch sich nicht beruhigen, sondern ließ am andern Tage, dem Sonntag, in der Kirche des heiligen Dionysius sich durch die Bischöfe wieder mit der Kirche versöhnen und von ihrer Hand die Waffen anlegen. Dabei aber brach das Volk in ungeheuren Jubel aus, und selbst die Elemente schienen sein Unglück zu bedauern und dem wieder Erhobenen Glück zu wünschen; denn bis zu dieser Zeit hatten so gewaltige Stürme und heftige Regengüsse gewüthet, daß der Wasserstand das gewöhnliche Maaß weit überstieg, und wegen der Winde die Flüsse gar nicht zu befahren waren. Bei seiner Freisprechung aber zeigten sich die Elemente so einig, daß bald die Wuth der Winde sich legte und des Himmels Antlitz in der frühern, seit längerer Zeit nicht gesehenen Heiterkeit erschien.

52. Der Kaiser trat nun seine Reise von diesem Orte an; den Sohn aber, der sich entfernt hatte, wollte er, obgleich viele dazu

1) Odo von Orleans. — 2) Fulko Abt von Fontenaille und Erzcapelan des Kaisers. — 3) der oben genannte Abt von St. Quentin. — 4) Am linken Ufer der Rhone.

riethen, durchaus nicht verfolgen. Zuerst kam er nach Nantogilum[1] und dann nach dem königlichen Dorf Caristacum[2]. Hier traf er seinen Sohn Pippin und die, welche jenseit der Matrona wohnen; dann auch die, welche zu Ludwig, seinem Sohn, über den Rhein geflohen waren und seinen Sohn selbst, der zu ihm kam. Und während seines Aufenthaltes daselbst, um die Mitte der Fasten, 15. März. da der festlich frohe Tag selbst es begünstigte und der Meßgesang in der Kirche dazu aufforderte, wo es heißt: freue dich Jerusalem und begehet alle den festlichen Tag, die ihr sie liebt, erschien eine große Menge seiner Getreuen zu der allgemeinen Freude glückwünschend. Nachdem der Kaiser sie freundlich empfangen und ihnen für die bewahrte Treue gedankt hatte, entließ er mit vieler Freude seinen Sohn Pippin nach Aquitanien, und gestattete den andern nach den betreffenden Orten zurückzukehren. Er selbst aber zog nach Aachen und nahm hier die Kaiserin aus den Händen Bischof Ratalds[3] und des Bonifacius[4], welche sie aus Italien entführt hatten, in Empfang. Daselbst traf er auch seinen Sohn Pippin[5]; Karl aber hatte er schon länger bei sich. Und mit gewohnter Andacht beging er an jenem Orte das heilige Osterfest.

Nachdem dies vorüber war, ging er zur Jagd nach den Ardennen, und vergnügte sich nach Pfingsten in den Gegenden des Rumerischen Berges mit Jagd und Fischfang. Während Lothar, der Sohn des Kaisers, den Vater verlassen und nach den genannten Gebieten sich begeben hatte, waren in Neustrien die Grafen Lantbert und Matfried[6] und viele andere zurückgeblieben, die mit eigner Macht diese Gegenden zu behaupten suchten. Darüber aufgebracht ergriffen Graf Odo[7] und viele von des Kaisers Partei die Waffen gegen sie und suchten sie aus jenen Gebieten zu vertreiben,

1) Nanteuil südlich von Verberie. — 2) Kiersy. — 3) Ratald, Bischof von Verona. — 4) Bonifacius, Graf von Korsika. — 5) Es muß dieß ein Schreibfehler des Verfassers sein; man kann kaum annehmen, daß unter Pippin Ludwig verstanden sei, da dieser ihn auf dem Wege von Kiersy nach Aachen begleitet (vgl. Annalen von St. Bertin 834) hatte; wir wissen aber, daß des 818 geblendeten Bernhards Sohn Pippin, mit Bonifacius und Ratald zum Kaiser nach Aachen kam und dieser ist ohne Zweifel gemeint. Vgl. die Annal. von St. Bertin 834 und Reginos Chronik. 818. — 6) Von Nantes und Orleans. — 7) Nachdem Matfried abgesetzt war, Graf von Orleans.

oder wenigstens mit ihnen zu kämpfen. Da aber diese Sache nachlässiger, als sich gehörte, betrieben ward, auch nicht die nöthige Vorsicht beobachtet wurde, schlug sie ihnen zu nicht geringem Schaden aus. Denn von den Feinden unversehens überfallen, wandten sie den Angreifenden den Rücken; Odo selbst mit seinem Bruder Wilhelm [1] und vielen andern fiel; die Uebrigen suchten Heil in der Flucht. Nach diesem Ereigniß schickten diejenigen, welche den Sieg davongetragen hatten, da es ihnen nicht sicher schien, länger dort zu bleiben und sie auch nicht vermochten mit Lothar sich zu vereinigen, in der Besorgniß, der Kaiser möchte sie noch in dieser Stellung angreifen oder jedenfalls, wenn sie sich nach ihren Besitzungen begäben, auf dem Marsch ihnen entgegentreten, so schnell als möglich an Lothar, daß er ihnen in dieser Gefahr zu Hülfe komme. Als Lothar von ihrer Bedrängniß und ihren Thaten hörte, beschloß er ihnen beizustehen. Um diese Zeit hatte Graf Werin [2] mit vielen Genossen das Kastell Cavillonum [3] befestigt, damit es ihm und den Seinigen zur Zuflucht und zum Schutz dienen sollte, wenn einer von der Gegenpartei gegen sie etwas im Schilde führte. Als dieß Lothar zu Ohren gekommen war, faßte er den Plan, ganz unvermuthet dort zu erscheinen; dieß glückte ihm aber nicht. Indeß gelangte er hin und belagerte die Stadt, während die ganze Umgegend durch Feuer verheert wurde. Fünf Tage kämpfte man heftig; endlich wurde die Stadt friedlich übergeben, aber als dieß geschehen, wurden nach Art grausamer Krieger die Kirchen geplündert und verwüstet, die Schätze geraubt und selbst die allgemeinen Vorräthe nicht geschont. Zuletzt wurde die ganze Stadt durch eine verheerende Feuersbrunst zerstört, nur eine kleine Kirche blieb stehen, die, ein erstaunenswerthes Wunder, obgleich auf beiden Seiten von wüthenden und leckenden Flammen umgeben dennoch nicht abbrannte; die Kirche war aber Gott geweiht zu Ehren des heiligen Märthyrers Georg. Uebrigens war es

1) Graf von Blois; unter andern fielen noch Graf Wido von Mans, Graf Fulbert und der Kanzler Theudo, Abt von Marmoutiers bei Tours. — 2) Graf von Macon. — 3) Chalons sur Saone.

nicht der Wille Lothars gewesen, daß die Stadt verbrannt wurde. Nach Einnahme der Stadt wurden unter dem wilden Zuruf des Heeres Graf Gauzhelm[1], Graf Sanila[2] und ein königlicher Vasall Madelhelm enthauptet. Auch Gerberga, die Tochter des verstorbenen Grafen Wilhelm[3], wurde als Giftmischerin in dem Fluß ersäuft.

53. Während sich dieß zutrug, war der Kaiser mit seinem Sohn Ludwig nach der Stadt Lingones[4] gekommen, wo er Nachricht von jenem Ereigniß erhielt, die ihn sehr traurig stimmte. Lothar indeß nahm seinen Weg von Cavillanum nach Augustodunum[5] und kam von da nach Aureliä; dann zog er weiter in den Cinomannischen Gau bis zu einem Dorf Namens Matvalis[6]. Der Kaiser aber mit den Seinigen und einem großen Heer, von seinem Sohn Ludwig begleitet, verfolgte ihn. Als dies sein Sohn Lothar hörte, schlug er, nachdem er die Seinigen an sich gezogen, nicht weit vom Vater sein Lager auf: und man blieb so vier Tage, während die Gesandten hin und wieder gingen. In der vierten Nacht jedoch brach Lothar mit allen den Seinigen auf und nahm seinen Weg rückwärts; in starken Märschen folgte ihm der Kaiser, bis man den Ligeris[7] erreichte in der Nähe des Kastells Blesis, wo die Ciza in den Ligeris fließt. Als hier von beiden Seiten das Lager aufgeschlagen war, stieß auch Pippin mit so viel Truppen als er hatte sammeln können zum Vater. Unfähig zu widerstehen, kam Lothar um Vergebung flehend zum Vater, der ihn, nachdem er mit strafenden Worten ihm sein Mißfallen bezeigt und ihn sowohl, wie seine Vornehmen durch bestimmte Eide verpflichtet hatte, nach Italien schickte, und hinter ihm verrammelte man die Pässe, welche in dieses Land führen, damit Niemand ohne Erlaubniß der Wächter durchziehen könnte. Hierauf begab sich der Kaiser mit seinem Sohn Ludwig nach Aureliä, von wo er den Sohn und die Uebrigen in ihre Heimath zurückschickte, und ging dann nach Parisius.

1) Graf von Roussillon. — 2) Der Ankläger des Grafen Bera von Barcelona. — 3) Tochter des berühmten heiligen Wilhelm von Toulouse, Schwester Gauzhelms und Bernhards. — 4) Langres. — 5) Autun. — 6) Laval an der Mayenne im westlichen Maine. — 7) Loire.

Zum Fest des heiligen Martin aber hielt er in der Pfalz Attiniacum[1] eine allgemeine Reichsversammlung, wo er in geistlichen und in weltlichen Dingen vieles Schlechte, was sich eingewurzelt hatte, abstellte, wie unter andern dieß. Er befahl seinem Sohne Pippin durch den Abt Helmold[2] die geistlichen Güter in seinem Reiche, welche er entweder selbst den Seinigen geschenkt, oder diese sich selbst zugeeignet hatten, ohne Zögern den Kirchen wieder zurück zu geben. Auch schickte er Sendboten in den Städten und Klöstern umher, um das verfallene Kirchenwesen wieder aufzurichten; ebenso befahl er, daß Sendboten die einzelnen Grafschaften durchzögen und dem frechen Treiben der Räuber und Diebe, das zu unglaublicher Höhe gestiegen, ein Ende machten; und wo die Macht derselben zu groß wäre, sollten sie noch die nächsten Grafen und die Leute der Bischöfe aufbieten, um diese Banden zu vernichten. Und über alles gebot er ihnen auf der nächsten allgemeinen Reichsversammlung in Wormatia[3] Bericht abzustatten, welche nach verflossenem Winter, wenn des Frühlings Reize dazu einluden, angesagt war.

54. Den größten Theil des Winters verbrachte der Kaiser zu Aachen. Von da reiste er nach dem Dorf des Theodo[4] noch vor Weihnachten, welches Fest er mit seinem Bruder Drogo[5] zu Metz
835. feierte. Das Fest aber der Reinigung Mariä beschloß er im Dorf des Theodo zu begehen, wohin das Volk, auf seinen Befehl, zur Reichsversammlung kam. Während seines Aufenthalts daselbst stellte er gegen einige Bischöfe wegen seiner Absetzung Untersuchung an. Da aber mehrere nach Italien geflohen waren, andere vorgeladene dem nicht Gehorsam geleistet hatten, war von den Angeschuldigten Ebo der einzige Anwesende; als diesem nun stark zugesetzt wurde, über diese Dinge sich zu rechtfertigen, führte er zu

1) Attigny. — 2) Ermoldus Nigellus, Freund Pippins, war beschuldigt, diesen gegen seinen Vater aufgereizt zu haben und deßhalb von Ludwig aus Aquitanien nach Straßburg verwiesen worden. Später kam er wieder zu Gnaden. Er hat Gedichte über die Thaten des Kaisers und andere geschrieben, welche uns erhalten sind. — 3) Die Versammlung war nicht nach Worms, sondern nach Stremiacum unweit Lyon geboten. — 4) Diedenhofen. — 5) Drogo war Erzbischof von Metz.

seiner Vertheidigung an, daß er allein vorgenommen würde, während alle andern, in deren Gegenwart dieß geschehen, weggeblieben und daher frei wären. Da aber die übrigen Bischöfe ihm die Nothwendigkeit seines Erscheinens entgegenhielten, ihn jedoch wegen der Reinheit seines Willens entschuldigten, legte Ebo endlich, überdrüssig mit dieser Sache immer belästigt zu werden, auf den Rath einiger Bischöfe eine Beichte ab, erklärte, daß er sich für unwürdig des Priesteramts halte und auf alle Zeit sich desselben enthalten wolle: dieß theilte er den Bischöfen und durch sie dem Kaiser mit. Hierauf wurde Agobard, Erzbischof von Lugdunum, der auf die Vorladung nicht erschienen, nachdem er dreimal aufgefordert war sich zu vertheidigen, seiner erzbischöflichen Würde entsetzt; die andern aber, wie wir gesagt, waren nach Italien geflohen. Am nächsten Sonntag, dem letzten vor Anfang der Fastenzeit [1], begab sich der Kaiser, die Bischöfe und das ganze Volk der Reichsversammlung nach der Stadt Mettä [2], und nach der Messe sangen sieben Erzbischöfe sieben Sprüche von der Versöhnung mit der Kirche über ihn ab, und alles Volk, als es dieß sah, dankte Gott sehr für die vollständige Wiedereinsetzung des Kaisers. Nach dem allen kehrte der Kaiser sowie das Volk fröhlich nach dem Dorf des Theodo zurück, und am ersten Sonntag der heiligen Fasten entließ er alle in ihre Heimath. Er selbst blieb daselbst die Fastenzeit und feierte das Osterfest zu Mettä. Nach dem Osterfest aber und dem Tag der Pfingsten, begab er sich nach der Stadt Wangiones, welche jetzt Wormatia heißt, um dort die angesagte Versammlung abzuhalten. Dorthin kam auch sein Sohn Pippin, und sein anderer Sohn Ludwig fehlte ebenfalls nicht. Nach seiner Sitte ließ aber der Kaiser keineswegs den Reichstag vorübergehen, ohne für das öffentliche Wohl zu sorgen, denn eifrig untersuchte er, was die nach den verschiedenen Gegenden geschickten Sendboten gethan hatten. Da sich fand, daß viele Grafen bei der Unterdrückung und Ausrottung der Räuber nachlässig gewesen waren, strafte er auf ver-

1) Den 7. März. — 2) Metz.

schiedene Weise unter hartem Tadel ihre Trägheit; und ermahnte seine Söhne und das Volk, die Gerechtigkeit zu lieben, die Räuber zu verfolgen, die Guten und ihre Besitzungen von Unterdrückung zu befreien, indem er ihnen drohte noch schwere Strafen über diejenigen zu verhängen, welche dieser Ermahnung nicht nachkommen würden.

Nachdem er diese Reichsversammlung entlassen und die nächste auf Ostern nach dem Dorf des Theodo berufen hatte, begab er sich zum Winter nach Aachen und befahl seinem Sohn Lothar, dorthin alle seine Großen zu schicken, damit sie auf Mittel und Wege einer Versöhnung zwischen ihnen beiden dächten. — Die Kaiserin Judith nämlich hatte mit den Räthen des Kaisers in Ueberlegung genommen, daß, da die Kraft des Kaisers sehr abzunehmen schiene und besonders wenn sein Tod einträte, ihr sowohl wie Karl große Gefahr drohe, falls sie nicht einen der Brüder gewännen, und keinen besser dazu geeignet gefunden von den Söhnen des Kaisers, als Lothar, worauf sie den Kaiser ermahnten, an ihn Friedensgesandten zu schicken und ihn zu sich einzuladen. Er aber, immer Freund des Friedens und der Einigkeit, wünschte nicht nur seinen Sohn, sondern auch seine Feinde mit sich in Liebe verbunden zu sehen.

836. 55. Im genannten Dorf erschienen darauf um die festgesetzte Zeit viele Gesandte seines Sohnes, an deren Spitze Wala stand. Nachdem aber die Angelegenheit genau erwogen und zum Abschluß gebracht war, suchte der Kaiser und seine Frau sich vor allem mit Wala zu versöhnen, dem der Kaiser alles, was er sich gegen sie beide hatte zu Schulden kommen lassen, mit vieler Freude und Güte des Herzens verzieh: und durch ihn sowie die übrigen Gesandten ließ er seinem Sohn sagen, daß er sobald als möglich komme: dieß würde ihm von großem Vortheil sein. Zurückgekehrt theilten sie den Auftrag Lothar mit. Die Ausführung dieses Planes jedoch scheiterte an einem heftigen Fieber, von dem Wala dahingerafft, Lothar selbst aber auf das Krankenlager geworfen und lange Zeit gequält wurde. Als der Kaiser von der schweren Krankheit

seines Sohnes gehört hatte, schickte er in seiner Güte treue Gesandte, seinen Bruder Hugo und den Graf Albgar, an seinen Sohn, und suchte allen seinen Beschwerden abzuhelfen, das Beispiel des seligen David nachahmend, der von seinem Sohn so vielfach verfolgt und gereizt, dennoch über seinen Tod bitteres Leid trug.

Nachdem Lothar aber wieder hergestellt war, wurde dem Kaiser gemeldet, daß derselbe die früher versprochenen Bedingungen seines Eides gebrochen hätte, und seine Leute besonders die Kirche des heiligen Petrus, welche sowohl sein Großvater Pippin als sein Vater Karl und er selbst nicht minder in ihren Schutz genommen hatten, mit grausamen Verwüstungen heimsuchten. Dieß erbitterte den milden Kaiser so, daß er alsbald außerordentliche Gesandten abschickte, denen er kaum die nöthige Zeit zu einer solchen Reise gewährte. Er ermahnte Lothar, daß er solches nicht zulassen solle; erinnerte ihn eingedenk zu sein, daß als er das Reich Italien erhalten hätte, zugleich auch die Sorge für die Römische Kirche ihm übertragen worden wäre, die vor Feinden zu schützen verpflichtet er nicht von Seinigen berauben lassen dürfte. Er erinnerte ihn ferner an die geschwornen Eide, daß er nicht, ihrer vergessend, oder sie gering achtend die Gottheit erzürnte, wovon er wohl wisse, daß es nicht ungestraft geschehe; zugleich befahl er seinem Sohn, für ihn auf dem Wege nach Rom die Leistungen an Mundvorräthen bereit zu halten und passende Standquartire einzurichten, da er die Schwellen der Apostel besuchen wolle. Dieß verhinderte aber ein Einfall der Normannen in Friesland. Während er selbst gegen diese zog, um ihren Uebermuth zu strafen, schickte er Gesandte an Lothar, den Abt Fulko [1], Graf Richard und den Abt Adrebald, von denen Fulko und Richard mit Lothars Antwort zu ihm zurückkehren, Adrebald aber weiter nach Rom gehen sollte, um Papst Gregors Rath über alle nothwendige Angelegenheiten einzuholen und ihm den Willen des Kaisers sowie die übrigen Aufträge mitzutheilen.

1) Abt von Fontanelle, jetzt Verweser des Erzbisthums Rheims für den abgesetzten Ebo.

Lothar hierüber, sowie über Güter, welche Italienischen Kirchen genommen waren, zur Rede gesetzt, zeigte sich zu Einzelnem bereit, erklärte aber anderes nicht verhüten zu können.

Fulko und Richard meldeten dieß dem Kaiser, der aus Friesland nach Besiegung der Normannen zurückgekehrt war, in der Pfalz Frankfurt; hier hielt er die Herbstjagd ab und begab sich zum Winter nach Aachen.

56. Adrebald aber kam, wie ihm befohlen war, nach Rom, wo er Papst Gregor krank fand, der besonders an fortwährenden Blutungen aus der Nase litt. Aber so erfreut war er über die Worte und die Theilnahme des Kaisers, daß er versicherte, er vergäße über diese Botschaft fast ganz sein Leiden. Daher sorgte er auch für den Gesandten während seiner Anwesenheit aufs Beste und beschenkte ihn reichlich beim Abschied; mit ihm aber schickte er noch zwei Bischöfe, Peter von Centumcellä und Georg, Regionarius[1] in Rom, auch einen Bischof. Als Lothar von der Sendung der genannten Bischöfe hörte, schickte er Leo — der damals in großem Ansehen stand — nach Bononia[2], der durch schreckliche Drohungen sie von der Weiterreise abhielt. Adrebald aber ließ sich den für den Kaiser bestimmten Brief heimlich geben und spielte ihn glücklich dem Kaiser in die Hände, indem er ihn einem seiner Leute anvertraute, der als Bettler verkleidet die Alpen überschritt. Was für eine verderbliche Krankheit um diese Zeit das Volk, welches Lothar gefolgt war befiel, ist wunderbar zu sagen. Denn in Kurzem vom ersten September bis zum Martinsfest starben diese Vornehmen: Jesse, früher Bischof von Ambiani[3], Helias, Bischof von Tricasina[4], Wala, Abt des Klosters Korbei, Matfried[5], Hugo[6], Lantbert[7], Gotfried, dessen Sohn Gotfried, Agimbert, Graf von Pertois[8] und Burgarit, der ehemalige königliche Jägermeister; Richard entging kaum dem Tode: bald darauf starb auch er. Diese

1) Jedem Stadttheile von Rom waren besondere Diakonen, Subdiakonen, Notare und Vertheidiger zugewiesen, die Regionarien hießen. Georg war entweder Diakon oder Subdiakon. — 2) Bologna. — 3) Amiens. — 4) Troyes. — 5) Graf von Orleans. — 6) Hugo von Tours, Lothars Schwiegervater. — 7) Graf von Nantes. — 8) Grafschaft an der Marne.

waren es, um deren Verlust man sagte, Francien sei an Adel verwaist, seine Kraft sei vernichtet, da gleichsam die Nerven durchschnitten wären, seine Weisheit sei mit ihnen in das Grab gegangen. Aber vor ihrem Tod zeigte Gott wie heilsam und wie vernünftig es sei, zu beachten, was er gesagt hat[1]: Ein Weiser rühme sich nicht seiner Weisheit, ein Starker rühme sich nicht seiner Stärke, ein Reicher rühme sich nicht seines Reichthums.

Wer aber bewundert hinreichend, welche Mäßigung der Kaiser unter Gottes Leitung bewahrte? Denn als er die Botschaft davon erhalten hatte, zeigte er sich selbst weder erfreut noch schadenfroh über den Tod seiner Feinde, — sondern er schlug sich gegen die Brust und bat Gott unter Thränen und Seufzen, daß er ihnen gnädig sein möchte. Um dieselbe Zeit erhob sich bei den Britonen 837.
ein Aufstand, der aber so schnell gedämpft wurde, als der Kaiser seine Hoffnung auf den setzte, von dem gesagt ist[2]: Du vermagst alles, was du willst.

In den Tagen, wo das Fest der Reinigung unsrer seligsten Jungfrau Maria gefeiert wurde, kam eine große Versammlung, besonders von Bischöfen in Aachen zusammen[3], in welcher wie von andern für das Beste der Kirche zu treffenden Anordnungen, so besonders über die Eingriffe Pippins und der Seinigen in das Besitzthum vieler Kirchen verhandelt wurde. Dieser Sache wegen wurde ein Erlaß des Kaisers und vom ganzen Konzil ein Ermahnungsschreiben abgeschickt, worin Pippin und die Seinigen an die große Gefahr erinnert wurden, in welche sie sich durch Beraubung des Kirchengutes stürzten. Dieß hatte den erwünschten guten Erfolg. Denn Pippin nahm die Ermahnung seines frommen Vaters und der heiligen Männer freundlich an, folgte willig und befahl durch Ausdrücken seines eignen Ringes alles Weggenommene zurückzugeben.

57. Die nächste Reichsversammlung hielt der Kaiser im Lugdunensischen Gau[4] zur Sommerszeit in dem Ort, welcher Stre-

1) Jeremias 9, 23. — 2) Weisheit Salomonis 12, 18. — 3) Diese Versammlung wurde den 6. Februar gehalten. — 4) Gau von Lyon.

miacus heißt[1], mit seinen Söhnen Pippin und Ludwig; Lothar hatte die erwähnte Krankheit verhindert zu erscheinen. Hier hieß er die Lage der Kirchen zu Lugdunum und Vienna in Erwägung ziehen, welche des Oberhauptes entbehrten; indem von beiden Bischöfen, Agobard, öfter vorgeladen um Rechenschaft abzulegen, nicht gekommen war, Bernhard von Vienna zwar sich eingestellt, aber schnell wieder die Flucht ergriffen hatte. Aber diese Angelegenheit blieb, wie gesagt, wegen Abwesenheit der Bischöfe unerledigt. Auch die Sache der Gothen wurde daselbst verhandelt, von denen einige der Partei Bernhards anhingen, andere aber auf Seiten Berengars standen, eines Sohnes des früheren Grafen von Turones, H.[2] Da aber Berengar bald starb, blieb die große Gewalt über Septimanien in Bernhards Händen, nachdem Sendboten hingeschickt waren, um den eingerissenen Uebelständen abzuhelfen und einen bessern Zustand zu schaffen. Nachdem dieß verrichtet, entließ der Kaiser seine Söhne und das Volk und traf nach der Herbstjagd zum Fest des heilgen Martin in Aachen wieder ein, wo er den Winter zubrachte; denn nach hergebrachter und ihm stets theurer
838. Sitte, feierte er daselbst den Geburtstag des Herrn und das Osterfest.

38. Während des Osterfestes aber erschien ein furchtbares und trauriges Wunderzeichen, nämlich ein Komet im Sternbild der Jungfrau, in dem Theile des Zeichens, wo man unterhalb des Gewands zugleich den Schwanz der Wasserschlange und den Raben verbindet. Dieß Gestirn, das nicht wie die sieben Wandelsterne nach Morgen sich bewegte, durchschritt in fünfundzwanzig Tagen, was wunderbar zu berichten, die Zeichen des Löwen, des Krebses und der Zwillinge und legte endlich am Kopf des Stieres unter den Füßen des Fuhrmanns den feurigen Leib mit dem langen Schweif nieder, den es nach allen Seiten hinstreckte. Als der Kaiser, der sich viel mit diesen Dingen beschäftigte, dieß Gestirn, da es zuerst erschien, gesehen hatte, erkundigte er sich bevor er sich zur

1) Vgl. die Annalen von St. Bertin und Fulda zum Jahre 835, in welchem diese Versammlung statt fand. Stremiacum liegt östlich von Lyon, jetzt Cremieu. — 2) Hugo von Tours.

Ruhe begab, bei einem den er holen ließ — eben dieser war ich, der ich dieß geschrieben habe, und von dem man glaubte, daß er sich auf diese Wissenschaft verstehe — was ich davon dächte. Und da ich den Kaiser um Zeit bat, die Gestalt des Gestirns zu betrachten und dadurch die Wahrheit zu ergründen und am andern Morgen, was ich gefunden hätte, ihm berichten wollte, sagte der Kaiser, der merkte ich wolle nur Aufschub haben, — wie es auch sich verhielt — um nicht etwas trauriges antworten zu müssen: Gehe in das Haus daneben und melde uns, was du beobachtet hast. Denn ich weiß, daß ich diesen Stern an keinem Abend bisher gesehn habe noch du ihn mir gezeigt hast; aber ich denke, daß dies der Komet sei, von dem wir an den vorhergehenden Tagen gesprochen haben. Und als ich nach einigen Worten der Erwiederung schwieg, fuhr er fort: eins übergehst du mit Schweigen; es heißt ja, daß solch ein Zeichen auf Veränderung des Reichs und Tod des Fürsten deutet. Da ich ihm hierauf das Zeugniß des Propheten anführte, der sagt[1]: Ihr sollt euch nicht fürchten vor den Zeichen des Himmels wie sich die Heiden fürchten; entgegnete er in einziger Erhabenheit des Geistes und Weisheit: wir sollen keinen andern fürchten, außer dem, der uns und dieses Gestirn geschaffen hat. Aber wir können die Güte dessen nicht genug bewundern und loben, der uns aus unserer Trägheit, da wir Sünder und ohne Reue sind, durch solche Zeichen zu reißen sucht. Weil daher dieß Zeichen mich und alle andern gemeinsam trifft, so wollen wir alle nach bestem Wissen und Vermögen uns der Besserung befleißigen, damit nicht etwa, wenn jener seine Barmherzigkeit anbietet, wir um unserer Unbußfertigkeit willen, derselben unwürdig befunden werden. Nach diesen Worten trank er selbst etwas Wein und befahl allen ebenso zu thun; dann ließ er jeden nach Haus gehen. Er selbst aber verbrachte die Nacht, wie uns erzählt ist, fast ganz schlaflos, unter Lobgesängen und Gebeten zu Gott, bis der Morgen anbrach. Und in der Dämmerung rief er die Diener des Hofes zusammen und befahl, den Armen und den Dienern Gottes, sowohl Mönchen als

1) Jeremias 10, 2.

Kanonikern, reiche Almosen zu spenden und ließ soviel er konnte Messe lesen; nicht so sehr aus Furcht für sein Wohl, als aus Besorgniß für die ihm anvertraute Kirche. Nachdem dieß, wie er befohlen hatte, gehörig ausgeführt war, begab er sich zur Jagd nach der Arduenna. Und diese soll damals besonders reich ausgefallen und was er in jener Zeit unternahm, vom besten Erfolg gekrönt worden sein.

59. Außerdem gab der Kaiser auf dringendes Bitten der Kaiserin und der kaiserlichen Diener einen Theil des Reichs seinem geliebten Sohn Karl zu Aachen; da dieser (d. i. Theil) aber nur unrechtmäßiger Weise übrig war [1], soll auch von uns mit Stillschweigen darüber hinweggegangen werden. Als die Brüder dieß hörten, wurden sie darüber sehr aufgebracht und hielten zusammmen eine Unterredung. Indessen einsehend, daß nichts dagegen gethan werden könnte, ließen sie den ganzen Plan fallen und beschwichtigten so leicht die Aufregung des Vaters, die daher entstanden zu sein schien. Der Kaiser blieb den ganzen Sommer in Aachen und beschied zum Herbst, Mitte September, eine allgemeine Versammlung nach Carisiakum. Hierhin kam zu dieser Zeit sein Sohn Pippin aus Aquitanien und wohnte der Versammlung bei. Daselbst umgürtete der Kaiser seinen Sohn Karl mit den männlichen Waffen, das ist mit dem Schwerte, schmückte sein Haupt mit der königlichen Krone und übergab ihm den Theil des Reichs, welchen der mit ihm gleichen Namen tragende Karl besessen hatte, nämlich Neustrien [2].

Nachdem nun der Kaiser zwischen seinen Söhnen, soviel er konnte, das Band der Zuneigung befestigt hatte, entließ er Pippin nach Aquitanien und Karl in das ihm zugetheilte Gebiet des Reichs. Und die anwesenden Grafen der Provinz Neustrien reichten Karl die Hand und gelobten Treue mit dem Eide, die Abwesenden

1) Wohl nicht anders zu verstehen, als, daß Ludwig, ohne gegen seine andern Söhne unrecht zu handeln, diesen Theil, der eigentlich schon vergeben war, nicht an Karl geben konnte. — 2) Karl der Große ist gemeint, der nach des Vaters Tode im Jahr 868 das Reich mit seinem Bruder Karlmann theilte. Vgl. Einhards Annalen zum Jahr 868.

aber thaten später alle desgleichen. An demselben Ort und zu derselben Zeit waren auch fast alle Edele Septimaniens erschienen und führten Klage über Bernhard, den Herzog jener Gegenden, daß seine Leute über geistliche wie weltliche Güter ohne Furcht vor Gott und Menschen nach Belieben schalteten. Daher baten sie, der Kaiser möge ihnen den Schutz seiner Fürsorge gewähren und solche Sendboten in jenes Land schicken, die mit Kraft und Weisheit über die geraubten Güter gerechtes Urtheil fällten und ihr altes Gesetz aufrecht erhielten. Um dieß zu vollführen wurden nach ihrem Wunsch und der Wahl des Kaisers die Grafen Bonifacius[1] und Donatus[2] nebst dem Abt des Klosters Flaviacum, Adrebald geschickt. Hierauf verließ der Kaiser diesen Ort, vergnügte sich wie gewöhnlich im Herbst mit Jagen und kehrte dann nach Aachen zurück, um dort den Winter zu bleiben. In diesem Winter und zwar am ersten Januar erschien ein furchtbarer Komet im Sternbild des Skorpion, nicht lange nach Sonnenuntergang. Diesem drohenden Zeichen folgte bald darauf der Tod Pippins. Unterdeß überredete Judith, wohl eingedenk des Planes, den sie früher mit den Räthen des Kaisers und den übrigen Vornehmen der Franken entworfen hatte, den Kaiser, daß er an seinen Sohn Lothar Gesandte schicken möchte, die ihn einluden, unter der Bedingung, daß er seinen Bruder Karl lieben, unterstützen, schützen und behüten wollte, zum Vater zu kommen, von dem er Verzeihung für alle seine Uebelthaten empfangen würde, zugleich solle er auch die Hälfte des Reichs, Baiern ausgenommen, erhalten. Diese Sache erschien sowohl Lothar selbst, als auch den Seinigen in jeder Beziehung sehr vortheilhaft.

60. Er erschien daher, der Abrede gemäß, nach dem Osterfest in Wormatia. Der Vater empfing ihn mit großer Freude, ließ die Seinigen reichlich verpflegen und that alles, wie er gesagt hatte, indem er ihm eine Frist von drei Tagen stellte, um selbst mit den Seinigen das ganze Reich zu theilen, wenn ihm dieß genehm wäre, so aber, daß die Wahl der Theile dem Kaiser und seinem Sohn

1) Graf von Korsika. — 2) Graf Donatus von Melun.

Karl zustände, oder wenn er dieß lieber wollte, der Kaiser und Karl die Theilung des Reichs selbst vollzögen. Lothar und die Seinigen überließen die Theilung des Reichs dem Kaiser nach seinem Belieben, indem sie erklärten, daß sie wegen Unkenniß mit den Oertlichkeiten die Theilung nicht vornehmen könnten. Der Kaiser theilte daher nach gleichem Maaße, wie es ihm und den Seinigen wohl schien, das ganze Reich, Baiern ausgenommen, welches er Ludwig überließ und zu keinem Theil hinzufügte. Nachdem dieß Geschäft vollendet und die Söhne, sowie das ganze Volk zusammenberufen waren, nahm sich Lothar nach verstatteter Wahl den Theil östlich vom Fluß Mosa und überließ den westlichen seinem Bruder Karl und mußte vor allem Volk erklären, es sei sein Wille, daß Karl dieß besäße. Der Kaiser aber war hierüber sehr erfreut und das ganze Volk gab zu diesen Dingen seinen Beifall und sagte, daß ihm alles gefalle. Aber Ludwig fühlte sich nicht wenig durch das, was hier geschehen war, gekränkt. Der Kaiser dankte darauf für alles Gott und ermahnte die Söhne, einmüthig zu sein und sich einander zu beschützen; und zwar sollte Lothar für den jüngeren Bruder Sorge tragen und sich erinnern, daß er sein geistlicher Vater wäre; Karl aber ihm als seinem geistlichen Vater und älterem Bruder gehorsam sein und die schuldige Ehre erweisen. Nachdem er dieß wie ein Freund des wahren Friedens vollbracht und zwischen den Brüdern gegenseitige Liebe, zwischen ihren Völkern aber, soviel er vermochte, wechselseitige Zuneigung gegründet hatte, entließ er fröhlich den fröhlichen Lothar nach Italien mit vielen Geschenken, unter dem väterlichen Segen und Ermahnungen, das zu halten, was er vor kurzem versprochen hatte. — Den Ge-
839. burtstag des Herrn und das Osterfest beging der Kaiser auf das Feierlichste zu Aachen.

838. 61. Ludwig aber, da er von der Zuneigung des Vaters zu seinen Brüdern und der Theilung des Reichs unter sie hörte, wollte es nicht leiden. Er beschloß daher, das, was vom Reich jenseit des Rheins[1] läge, sich anzueignen. Als dem Kaiser dieß hinter-

1) d. i. auf dem rechten Ufer.

bracht wurde hielt er fürs Beste, bis nach Ostern mit seinen Maßregeln zu warten. Nachdem das Fest vorüber war, ging er, von der Ansicht geleitet, man dürfe in solchen Fällen durchaus nicht zaudern, mit einem großen Heere über den Rhein und zog an Magontia vorüber nach Tribur[1], wo er einige Zeit blieb, um seine Streitkräfte zu sammeln. Als dieß geschehen, rückte er bis nach Bodomia[2] vor. Hierhin kam, obgleich wieder Willen, sein Sohn, um Vergebung flehend, und vom Vater gescholten, bekannte er, übel gethan zu haben und versprach das Verbrochene wieder gut zu machen. Der Kaiser aber, in seiner gewohnten und von ihm immer gern geübten Milde, verzieh dem Sohne; und wenn er ihn zuerst, wie er es verdiente, mit etwas harten Worten anließ, so behandelte er ihn nachher doch wieder freundlich und entließ ihn in sein Reich.

Der Kaiser begab sich darauf zurück und überschritt den Rhein an dem Orte, welcher Confluentes heißt, um im Ardennenwald, wie gewöhnlich, zu jagen. Während er sich hiermit noch vergnügte, kamen zu ihm sichere Boten, die der Wahrheit gemäß berichteten, daß einige von den Aquitaniern seinen Ausspruch darüber erwarteten, wie die Verhältnisse des Aquitanischen Reichs geordnet werden sollten, andere aufgebracht wären, da sie gehört, daß der Vater dies Reich an Karl gegeben hätte. Da aber der Kaiser Sorge um diese Dinge trug, erschien der edle Bischof von Pictavi[3] Ebroin zu Flatern[4], und erklärte, daß er sowohl als die übrigen Großen dieses Reichs den Willen des Kaisers erwarteten und die Befehle des Herrschers ausführen würden. Es hatten sich aber in dieser Absicht die bedeutendsten Vornehmen verbunden, an deren Spitze eben jener ehrwürdige Bischof Ebroin, Graf Reginard[5], Graf Gerhard[6] und Graf Rathar, letztere beide Schwiegersöhne Pippins, standen, und viele hatten sich ihnen angeschlossen und ließen sich auf keine Weise abziehen. Der andere Theil des Volkes aber,

1) Auf dem rechten Ufer des Rheins oberhalb Mainz. — 2) Kaiserliche Pfalz an der Nordwestspitze des Bodensees. — 3) Poitiers. — 4) Ort in den Ardennen. — 5) Graf von Herbauge. — 6) Graf von Auvergne.

dessen Führer ein gewisser Emnus[1] war, erhob einen Sohn des verstorbenen Königs Pippin zum Herrscher, und überall umherziehend, wie es solcher Leute Art ist, übten sie Raub und Tyrannei. Bischof Ebroin bat daher den Kaiser, daß er diese Krankheit nicht lange um sich greifen ließe, sondern bei Zeiten durch seine Gegenwart Heilung brächte, bevor diese Pest die meisten angesteckt haben würde. Der Kaiser schickte darauf den genannten Bischof mit vielem Dank zurück und trug seinen Getreuen auf, was ihm zu thun nöthig schien; auch hieß er einige von ihnen im Herbst zu ihm nach Cavillonum kommen, wohin er eine allgemeine Reichsversammlung beschieden hatte. Keiner aber zürne dem Kaiser als ob er aus Grausamkeit seinen Enkel hätte des Reichs berauben wollen, da er doch den angeborenen Charakter jenes Volkes kannte, der mit ihnen gleichsam aufwächst, und wußte, daß sie, dem Leichtsinn und andern Lastern ergeben, längst dem Ernst und der Beständigkeit abgesagt hätten: und um Pippin, den Vater jenes, auch zu solch einem Menschen zu machen, hatten sie fast alle, welche zu seiner Beaufsichtigung vom Kaiser, in der Art wie sie diesem sein Vater Karl beigab, nach Aquitanien geschickt waren, aus dem Lande entfernt. Welche Masse furchtbarer Verbrechen und Laster aber im öffentlichen und Privatleben, nach ihrem Weggang in jenem Reiche hervortrat, zeigt noch das Treiben des jetzt lebenden Geschlechts.

Der fromme Kaiser wollte den Knaben gottesfürchtig und vernünftig erziehen lassen, damit er nicht in Laster versänke und so weder sich noch andere regieren und fördern könnte; indem er wie jener dachte, der als er das Reich nicht den noch im zarten Alter stehenden Kindern übergeben wollte, dieß zur Entschuldigung angeführt haben soll: nicht weil ich meine Kinder beneide verbiete ich, ihnen Ehrenbezeugungen darzubringen, sondern weil ich weiß, daß solches den wilden Sinn der Jünglinge nährt.

Der Kaiser begab sich also, wie er angekündigt hatte, zur

1) Graf zu Poitiers.

Herbstzeit nach der Stadt Cavillonum [1] und besorgte hier, seiner Gewohnheit gemäß, geistliche wie weltliche Angelegenheiten; dann wandte er sich nach Aquitanien, um daselbst die Ordnung herzustellen. Denn er verließ jenen Ort mit der Königin, seinem Sohn Karl und einem starken Heere, überschritt den Fluß Ligeris [2] und zog nach der Stadt Arverni [3]; hier empfing er die versammelten Getreuen gütig wie er immer zu thun pflegte und ließ sie seinem Sohne Karl den gewöhnlichen Eid der Treue leisten. Einige aber, die, ungehorsam, zu erscheinen und Treue zu geloben verweigert hatten, überdieß aber räuberisch das Heer umschwärmten und so viel sie konnten Beute machten, wurden, als man sie eingefangen hatte, der gerichtlichen Untersuchung vom Kaiser übergeben.

62. Unter diesen Geschäften kehrte das Fest der Geburt des 840.
Herrn wieder und er beging die Feierlichkeit in Pictavi in schuldiger und gewöhnlicher Ehre. Während er hier verweilte und alles anordnete, was das allgemeine Beste forderte, kam ein Bote, der berichtete, daß sein Sohn Ludwig mit einigen Sachsen und Thüringern in Alamannien eingefallen wäre. Dieß machte dem Kaiser großen Verdruß: denn zu dem, daß er schon unter den Beschwerden des hohen Alters litt und von der Masse Schleims — die sich im Winter vermehrte — seine Lunge angegriffen und die Brust geschwächt war, kam nun noch diese traurige Botschaft. Von so heftigem Zorn wurde er aber darüber ergriffen, obgleich sonst fast über menschliches Maaß mild, daß sich der Schleim verhärtete und in den Lebensorganen ein unheilbares Geschwür bildete. Ungebeugten Geistes aber, als er hörte, daß die Kirche Gottes und das christliche Volk von solchem Verderben heimgesucht würde, gab er sich weder dem Ueberdruß hin, noch ließ er sich vom Schmerz überwältigen. Sondern nachdem er die heiligen Fasten mit seiner Frau und seinem Sohne Karl begonnen hatte, eilte er fort, um diesen Sturm zu beschwichtigen. Und er, der diese Zeit durch Absingen von Psalmen, fortwährendes Gebet, Feier der Messen

1) Chalons sur Saone. — 2) Loire. — 3) Clermont.

und Almosenspenden ganz zu einer heiligen zu machen pflegte, so daß er kaum an einem oder zwei Tagen zur Erholung einen Ritt machte, wollte jetzt keinen Tag feiern. Denn nach dem Beispiel eines guten Hirten scheute er zum Besten der ihm anvertrauten Heerde nicht den Schaden am eignen Leibe. Daher ist nicht zu zweifeln, daß ihm die Belohnung geworden ist, welche der Höchste und der Fürst der Hirten solchen Arbeitern zu ertheilen versprochen hat. Unter großer Anstrengung, indem jene erwähnten Leiden seine Kraft verzehrten, kam er kurz vor Ostern nach Aachen und feierte daselbst in gewöhnlicher Andacht das Fest. Hierauf eilte er das angefangene Werk zu Ende zu führen. Er überschritt den Rhein und richtete seinen Marsch nach Thüringen, dem Orte zu, wo er wußte, daß sich Ludwig damals aufhielt. Als aber der Vater nahte, verließ diesen das Vertrauen auf seine Sache und vom Gewissen getrieben ergriff er die Flucht und zog durch das Slavenland nach Hause zurück.

Da nun sein Sohn dahin zurückgekehrt war, beschied der Kaiser eine allgemeine Reichsversammlung nach der Stadt der Wangionen, welche jetzt Wormatia heißt. Und da die Sachen so mit Ludwig standen, Karl, sein Sohn, aber in Aquitanien weilte, schickte der Kaiser an seinen Sohn Lothar nach Italien und befahl ihm zu jenem Reichstage zu erscheinen, da er mit ihm hierüber und über andere Dinge berathen wollte. Um diese Zeit trat am Dienstag nach St. Markustag eine merkwürdige Sonnenfinsterniß ein, indem durch Verschwinden des Lichts solche Dunkelheit sich verbreitete, daß kein Unterschied von wirklicher Nacht war. Denn die feste Ordnung der Sterne wurde so gesehen, daß kein Gestirn von der Schwäche des Sonnenlichts litt, vielmehr der Mond, welcher sich der Sonne gegenüber gestellt hatte, indem er allmählig nach Osten ging, diese von der westlichen Seite beleuchtete, so daß davon ein Theil in der sichelartigen Gestalt bemerkbar wurde, in welcher der Mond selbst im ersten oder zweiten Viertel erscheint. Dieß Zeichen, obwohl dem Bereich der Natur angehörig, erhielt [doch] durch die beklagenswerthe Folge seine volle Bedeutung.

Denn es wurde damit verkündigt, daß jenes größte Licht der Sterblichen, welches im Hause Gottes aufgestellt allen leuchtete, nämlich der Kaiser hochseligen Andenkens, in kürzester Zeit dem irdischen Treiben enthoben und die Welt durch sein Scheiden in der Finsterniß der Noth und Trübsal zurückgelassen werden sollte. Es fing jetzt aber an ein gänzlicher Widerwille gegen Nahrung ihn zu schwächen, der Magen wurde durch Speise und Trank zum Erbrechen gereizt, auch fühlte sich der Kaiser durch häufige Brustbeklemmungen gequält und den fortwährenden Husten erschüttert: alles zusammen hatte seine Kraft gebrochen. Denn wenn die Natur von ihrem Gefolge verlassen wird, muß das Leben nothwendig schwinden. Als der Kaiser dieß sah, ließ er sich auf einer Insel nahe bei Mainz eine zeltartige Sommerwohnung einrichten; hier matt und schwach sank er aufs Krankenlager nieder.

63. Wer aber schildert darauf seine Sorge um den Zustand der Kirche, seinen Schmerz über die ihr drohenden Erschütterungen? Wer kann die Ströme von Thränen berichten, welche er vergoß, um die göttliche Gnade zu beschleunigen? Denn darüber trauerte er nicht, daß er sterben müßte, sondern jammerte über das, was er als Zukunft voraussah, indem er sich einen Elenden nannte, dessen Leben unter solchem Elend und Jammer zu Ende ginge. Es waren aber, um ihn zu trösten, viele ehrwürdige Bischöfe und andere Diener Gottes erschienen, unter denen auch Heti, der ehrwürdige Erzbischof von Treveri [1], Otgar, Erzbischof von Mogontia [2], und Drogo, der Bruder des Kaisers, Bischof von Mettä [3] und Erzcaplan des Palastes, sich befanden, welchem letzteren er um so unbedingter sich und alles Seinige anvertraute, je näher er ihn sich verwandt wußte. Durch ihn brachte er täglich Gott das Geschenk seiner Beichte und das Opfer eines geängstigten Geistes und eines gedemüthigten Herzens dar, welches der Herr nicht verachtet. Vierzig Tage aber war der Leib des Herrn seine einzige Speise: und er lobte deswegen die Gerechtigkeit des Herrn, indem

1) Trier. — 2) Mainz. — 3) Metz.

er sagte: Du bist gerecht o Herr, daß du mich, da ich in der dazu bestimmten Zeit das Fasten unterlassen habe, jetzt nöthigst dieß nachzuholen. Er gab aber seinem ehrwürdigen Bruder Drogo den Auftrag, alle seine Diener vor sich zu bescheiden und seinen Schatz, der aus königlichem Schmuck, wie Kronen und Waffen, Gefäßen, Büchern und Priestergewändern bestand, in die verschiedenen Theile zu zerlegen. Und dazu hatte er ihm, wie er wollte, angegeben, was die Kirche, was die Armen, was endlich seine Söhne, nämlich Lothar und Karl, erhalten sollten. Und zwar vermachte er dem Lothar eine Krone und ein mit Gold und Edelsteinen verziertes Schwert unter der Bedingung, daß er Karl und Judith Treue bewahrte und jenem den ganzen Theil des Reichs gewährte und schützte, welchen er, der Kaiser, vor Gott und sämmtlichen Vornehmen der Pfalz als Zeugen, mit ihm und in seiner Anwesenheit Karl gegeben hatte. Nachdem dieß besorgt war, dankte er Gott, da er erfuhr, daß nun nichts mehr von irdischem Besitz sein wäre. Aber während der ehrwürdige Bischof Drogo und die andern für alles was geschah Gottt Dank abstatteten, da sie sahen, wie der, welchen alle Tugenden im Verein immer begleitet hatten, durch seine jetzige Standhaftigkeit, die mit dem Schwanz des Opferthieres zu vergleichen, das Opfer seines Lebens Gott ganz angenehm machte, war es eins, was ihre Freude herabstimmte. Sie fürchteten nämlich, daß der Kaiser im Haß wider seinen Sohn sterben möchte; denn sie wußten, daß die öfter geschnittene oder mit dem Eisen eingebrannte Wunde dem Kranken um so heftigeren Schmerz verursacht; aber auch seine immer bewiesene unerschütterliche Geduld kennend, ließen sie durch seinen Bruder Drogo, dessen Worte er nicht gering zu achten pflegte, leise beim Kaiser darüber anhorchen. Dieser offenborte zuerst die ganze Erbitterung seines Herzens, dann aber faßte er sich und suchte, alle seine Kräfte zusammennehmend, aufzuzählen, welche und wie große Widerwärtigkeiten dieser Sohn ihm bereitet und was er so, gegen die Natur und Gottes Gebot handelnd, verdient habe. Weil er aber, fuhr der Kaiser fort, nicht zu seiner Rechtfertigung hier erscheinen kann, so verzeihe ich ihm, soviel an mir ist, ihr und Gott seid des Zeugen, alles was er gegen mich verbrochen hat. Aber eure Sache wird es sein, ihn zu erinnern, daß er seines Vaters graue Haare mit Herzeleid in die Grube gebracht und Gottes des gemeinsamen Vaters Gebote und Drohungen verachtet hat.

Nachdem er dieß verrichtet und geredet hatte — es war am Sonnabend Abend, befahl er, daß man vor ihm in der Nacht die Vigillen feierte und ließ sich einen Splitter vom Kreuz Christi auf die Brust legen; und so lange er die Kraft besaß, schlug er immerfort mit der eignen Hand das Kreuz an Stirn und Brust; wenn er aber matt war, ließ er es von seinem Bruder Drogo über sich schlagen. So blieb er die ganze Nacht in völliger körperlicher Kraftlosigkeit, aber sein Geist war ganz klar. Am andern Morgen — des Sonntags — ließ er den Altardienst vorbereiten und von Drogo selbst die Messe halten; auch nahm er aus seinen Händen der Sitte gemäß das heilige Abendmahl, und ließ sich darauf einen Schluck warmen Getränks geben. Nachdem er hiervon ein wenig genossen, bat er den Bruder und die andern Anwesenden für ihre leiblichen Bedürfnisse Sorge zu tragen, er könne so lange warten, bis sie sich gestärkt hätten. Als aber der Augenblick des Verscheidens nahte, winkte er den Drogo zu sich, den Daumen mit den andern Fingern zusammendrückend, wie er zu thun pflegte, wenn er seinem Bruder durch Zeichen sich verständig machte, und ihm sowie den übrigen Priestern, da sie zu ihm traten, empfahl er sich so gut er konnte, durch Worte und Zeichen, bat um den Segen und verlangte, daß geschähe, was beim Heimgang eines Menschen üblich ist. Während sie damit beschäftigt waren, wandte er — wie mir mehrere erzählt haben — das Gesicht nach der linken Seite und rief zornig, mit Anstrengung aller Kraft, zweimal hutz, hutz, das heißt hinaus. Es ist aber klar, daß er einen bösen Geist sah, dessen Gesellschaft er weder im Leben noch im Tode dulden wollte. Dann richtete er seine Augen gen Himmel und je finsterer er dorthin geblickt hatte, desto heiterer schaute er hierin, so daß auf seinem Antlitz wie ein Lächeln schwebte. So erreichte er das Ende des irdischen Lebens und ging wie wir glauben glücklich zur Ruhe ein, denn wahr ist gesagt vom wahren Lehrer: Es kann nicht übel sterben, der gut gelebt hat. Er starb aber am zwanzigsten Juni, im Alter von vier und sechszig Jahren; über Aquitanien hatte er sieben und dreißig Jahre[2], als Kaiser sieben und zwanzig Jahre geherrscht.

Nachdem die Seele entschwunden war, ließ Drogo, der Bruder des Kaisers und Bischof von Mettä, mit andern Bischöfen, Aebten, Grafen, kaiserlichen Vasallen und einer großen Menge der Geistlichkeit und des Volkes die Leiche des Kaisers mit großen Ehren nach Mettä führen und in der Kirche des heilgen Arnulf[3], wo auch seine Mutter[4] begraben lag, beisetzen.

1) Darnach müßte Ludwig schon vor dem Juni 777 geboren sein, wogegen freilich die Angabe des Anonymus selbst, oben Kap. 3. streitet. Allerdings haben wir anderswo eine Nachricht, daß Ludwig i. J. 777 geboren ist. — 2) Vom Jahre 781, wo Ludwig vom Papst Hadrian zum König gekrönt wurde, bis 817 gerechnet, wo Aquitanien eigentlich erst Pippin übergeben wurde. — 3) Bischof von Metz, Stammvater des Karolingischen Geschlechts. — 4) Hildegard, vgl. Ludwigs Leben von Thegan, Kap. 2.

Gedruckt bei den Gebr. Unger in Berlin.

Die Geschichtschreiber

der

deutschen Vorzeit

in deutscher Bearbeitung

unter dem Schutze

Sr. Majestät des Königs Friedrich Wilhelm IV. von Preußen

herausgegeben von

G. H. Pertz, J. Grimm, K. Lachmann, L. Ranke, K. Ritter.

Mitgliedern der Königlichen Akademie der Wissenschaften.

IX. Jahrhundert. 6. Band.

Nithards vier Bücher Geschichten.

Berlin.

Wilhelm Besser's Verlagsbuchhandlung.

(Franz Duncker.)

1851.

Nithards
vier Bücher Geschichten.

Nach der Ausgabe der Monumenta Germaniae

übersetzt von

Dr. Julius von Jasmund.

Berlin.
Wilhelm Hesser's Verlagsbuchhandlung.
(Franz Duncker.)
1851.

Einleitung.

Graf Nithard, der Verfasser unserer Geschichten, war, wie er uns selbst berichtet [1], der Sohn des berühmten Angilbert, eines Vertrauten und Freundes von Karl dem Großen, und der Tochter dieses Kaisers Berchta. Ueber das Leben Nithards bis zum Tode seines Oheims, Ludwigs des Frommen, ist uns nichts bekannt, aber aus seinem Werke erkennen wir, daß die Erziehung Nithards eine sehr sorgfältige gewesen sein muß und derselbe jedenfalls schon früh jener Bildung zugeführt war, welche am Hofe Karls des Großen durch das Studium der Antike gepflegt nnd genährt wurde und zu deren Hauptträgern sein Vater Angilbert gehörte. Während des Bruderkrieges nach dem Tode Ludwigs des Frommen finden wir Nithard als ergebenen und thätigen Anhänger seines Vetters Karl: im Jahr 841 übernimmt er für diesen eine Gesandtschaft an den eben aus Italien heranziehenden Lothar, kämpft gegen diesen bei Fontanetum unter Graf Adalhard [2] und findet sich 842 unter den zwölf Gesandten Karls, welche zu Achen das von Lothar verlassene Reich mit Ludwig theilen sollten. Ein steter

1) Buch IV., Kap. 5. — 2) Nith. Geschichten Buch 2, Kap. 2. — 3) Geschichten Buch 2, Kap. 10.

Begleiter Karls auf seinen Zügen, ebenso geschickt zur Verhandlung wie zum Kampfe, durch seine Stellung der Ereignisse in ihrem ganzen Umfange und ihrem inneren Zusammenhange kundig, klaren Geistes, ernst, wahrheitsliebend und der Feder mächtig, war wohl keiner aus Karls Gefolge so geeignet, die Geschichte jener Zeit zu schreiben wie Nithard, der dennoch kaum solches Werk unternommen haben würde, wenn nicht König Karl ihm hierzu den bestimmten Auftrag ertheilt hätte.[1] Er begann die Geschichten im Jahre 841[2], führte sie aber leider nur bis zum Frühjahr des Jahres 843, wir wissen nicht sicher, wodurch an der Fortsetzung verhindert, ob er noch im Jahre 843 gestorben ist, oder dem im Werke öfters ausgesprochenem Wunsche gemäß sich vom öffentlichen Leben und den Staatsgeschäften ganz von da an zurückgezogen hat. Ein Schriftsteller des zwölften Jahrhunderts, Hariulf berichtet uns in seiner Chronik des Klosters Centulum[3], daß Graf Nithard kurze Zeit als Abt dem Kloster vorgestanden habe, und vom Abt Gervinus im eilften Jahrhundert in dem Sarkophag, in welchem früher Angelbert beigesetzt gewesen war, der einbalsamirte Leichnam Nithards gefunden, und am Kopf noch die Wunde erkannt worden wäre, an welcher er in der Schlacht gefallen. Aber wenn Nithards Werk auch nur einen sehr kurzen Zeitraum umfaßt, so wird es immer zu den bedeutendsten Quellen carolingischer Geschichte und zu den ausgezeichnetsten Erzeugnissen mittelalterlicher Historik gerechnet werden müssen. Denn daß ein Werk, wie das unsrige, unter den Stürmen des Krieges abgefaßt, von dem der Verfasser ohne daß es vollendet und durchgesehen, vielleicht unmittelbar durch den Tod abgerufen worden ist, in der Form manche Härte und manche Verstöße zeigt, wird nicht auf-

1) Einleitung zu Buch 1. — 2) Einleitung zu Buch 1. — 3) Centulum mit dem Kloster des heiligen Richerius, St. Riquier am rechten Ufer der untern Somme unweit des Meeres.

fallen, aber wir dürften vielleicht in andern Werken vergebens diese einfache und kräftige Sprache suchen, welche frei von dem künstlichen Schmuck der Entlehnungen und Nachbildungen von römischen Autoren, als der wahre Ausdruck des bewegten Lebens bei dem Leser ein Mitgefühl für Personen und Zustände zu erwecken weiß und durch die schneidende Kürze ihres Ausdrucks, an Tacitus leise erinnernd, hin und wieder ergreifend wirkt. Und wie die Sprache, so sind die Gedanken, ist der ganze Character des Werkes. Es ist ein Ganzes von einem Geist getragen, mit dem Stempel der Wahrheit besiegelt, die Nithard kannte und weil er sie kannte, für seine Pflicht hielt, den künftigen Geschlechtern rein und ungetrübt in seinen Geschichten zu überliefern. Dieser große Vorzug des Werkes, das uns als der Bericht eines Zeitgenossen entgegentritt, ergiebt von selbst, daß von einer Benutzung fremder Quellen bei Nithard nicht viel die Rede sein kann; nur dem ersten Buch, in welchem Nithard einen Ueberblick über die Regierung Ludwigs des Frommen giebt, scheint das größere Leben dieses Kaisers vom Anonymus als Quelle zu Grunde zu liegen; aber was dort als unverarbeitete Masse und ungeordneter Stoff erscheint, ist hier selbständig, unter Hinzufügung wichtiger Nachrichten, mit historischem Talente nach dem Gesichtspunkte verarbeitet, eine Einleitung zu geben, aus welcher der Leser die offenen und geheimen Triebfedern der Geschichten jener Zeit, die Gründe und den Ursprung des großen Bruderkrieges erkennen sollte. Und diese Absicht ist so vollständig erreicht, daß das erste Buch von Nithards Geschichten in der That als der rothe Faden dienen kann, mit dessen Hülfe der Forscher sich durch die wirren Verhältnisse der Regierung Ludwigs des Frommen, aus der Masse ungeordneter Details und den planlosen Erzählungen anderer Quellen wie der beiden Lebensbeschreibungen des Kaisers, kaum in ihrer wahren Natur erkennbar, mit Sicherheit hindurcharbeiten kann.

Nithards Werk ist im Mittelalter wenig bekannt gewesen, wie wir aus der geringen Benutzung ersehen, welche es durch andere Geschichtsschreiber erfahren hat; erst die neuere Zeit hat demselben die verdiente Berücksichtigung und Anerkennung erwiesen und die Wissenschaft wird diesen Ruhm dauernd fortan den Geschichten Nithards zu sichern wissen.

Nithards vier Bücher Geschichten.

Erstes Buch.

Da Ihr, mein Herr und König, und die Eurigen schuldlos schon seit zwei Jahren [1] von Eurem Bruder verfolgt wurdet, befahlt Ihr mir, wie Euch erinnerlich sein wird, bevor wir in die Cadhellonische Stadt eingerückt waren [2], die Geschichte Eurer Zeit durch die Feder der Erinnerung zu überliefern. Und dies gestehe ich würde für mich ein erfreulicher und angenehmer Auftrag gewesen sein, wenn ich die zur würdigen Ausführung solchen Werkes nöthige Muße hätte gewinnen können; nun aber, falls sich mancher Mangel und manche Nachlässigkeit in dem Werke findet, welche bei der Wichtigkeit des Gegenstandes vermieden sein sollte, erwarte ich von Euch und den Eurigen um so eher Nachsicht, als Ihr selbst wißt, daß ich mit der Abfassung dieser Geschichten beschäftigt, mit Euch zugleich von dem Sturm der Zeit fortgerissen wurde. Es war meine Absicht, im Allgemeinen die Ereignisse während der Regierung Eures frommen Vaters unberührt zu lassen; indeß dürfte den Lesern der wahre Hergang Eurer Streitigkeiten unklar bleiben, wenn ich nicht über Einiges, was sich zu jenes Kaisers Zeit zugetragen hat, wenige Worte vorausschickte. Auch schien es mir nicht wohlgethan, das ehrwürdige Andenken Eures Großvaters ganz mit Stillschweigen zu übergehen: daher sei damit der Anfang meiner Geschichten gemacht. —

1. Kaiser Karl, seligen Andenkens, mit Recht von allen Völkern der Große genannt, verschied in hohem Alter um die dritte

1) Bald nach des Vaters Tode begann Lothar den Kampf gegen Karl; es sind daher hier die Jahre 840 und 841 gemeint. – 2) Chalons für Marne.

1*

Stunde des Tags[1] und ganz Europa war voll des Segens und der Wohlthaten, die er gethan hatte; denn er war ein Mann, welcher an Weisheit und Tugend seine Zeitgenossen so überragte, daß er allen Bewohnern der Erde furchtbar, der Liebe und zugleich der Bewunderung werth erschien, und so war seine Regierung, wie alle erkannten, in jeder Weise ehrenvoll und segensreich. Das aber meine ich verdient vor Allem Bewunderung, daß er — ein Werk, welches selbst Rom nicht zu vollbringen vermochte — die wilden und eisernen Gemüther der Franken und Barbaren, durch wohlberechnete aber nicht maßlose Gewalt so bändigte, daß sie offen nichts zu unternehmen wagten, als was mit dem allgemeinen Wohl und Besten sich vertrug. Er regierte glücklich zweiunddreißig Jahre und trug die Krone des abendländischen Kaiserreichs in Ruhm und
814. Glanz vierzehn Jahre.

2. Als Erbe aller Größe und Macht folgte, da die übrigen eheligen Söhne Kaiser Karls schon früher gestorben waren, der jüngste derselben[2], Ludwig. Dieser eilte, sobald er sichere Nachricht vom Tode des Vaters erhalten hatte, von Aquitanien aus nach Achen[3], wo er ohne alles Hinderniß das von allen Seiten zuströmende Volk zum Gehorsam und zur Unterthänigkeit verpflichtete und mit seinen Getreuen Berathung pflog[4]. Und zwar befahl er sogleich die in großer Masse vom Vater hinterlassenen Schätze in drei Theile zu theilen; davon verwandte er den einen zur feierlichen Bestattung des Vaters, die übrigen Beiden theilte er unter sich und seine beiden leiblichen Schwestern, denen er befahl sich alsbald vom Palast in ihre Klöster zuzückzuziehen. Seine noch sehr jungen Brüder Drogo, Hugo und Theoderich[5] machte er zu seinen Tisch-

1) Karl stirbt den 28. Januar 814. — 2) Karl hatte von Hildegard drei Söhne, Pippin, Karl und Ludwig. Pippin starb den 8. Juli 810, als König von Italien, dessen Regierung ihm der Vater übertragen hatte, Karl anderthalb Jahr später, den 4. Dezember 811. — 3) Ludwig erhielt Anfang Februar zu Tedoadum oder Theotuadus, Doué, westlich von Saumür, unweit der Loire, wo er eine Reichsversammlung abhielt, die Nachricht vom Tode des Vaters. — 4) Man vergleiche über die Zustände am Hofe beim Regierungsantritt Ludwigs: Thegan, Leben Ludwigs des Fr. Kap. 8 und das größere Leben Ludwigs, Kap. 21—23. — 5) Drogo und Hugo, Söhne Karls des Großen von seiner Beischläferin Regina, Theoderich von der Beischläferin Theodelind.

genossen und ließ sie bei sich im Pallast anziehen; seinem Neffen Bernhard aber, Pippins Sohn, überließ er die Herrschaft in Italien. Bald darauf jedoch wurde dieser, weil er von Ludwig abgefallen war, festgenommen und von Bertmund, dem Befehlshaber der Lugdunensischen Provinz [1], des Augenlichtes und zugleich des Lebens
beraubt [2]. In Besorgniß aber, daß die genannten Brüder [3] das 817.
Volk aufwiegeln und ein Gleiches wie Bernhard thun möchten, beschied er sie zu einer allgemeinen Reichsversammlung [4], ließ sie scheeren und verwies sie unter freier Haft in Klöster [5]. Nach diesem verheirathete er ehrenvoll seine Söhne und vertheilte das gesammte Reich in der Art unter sie, daß Pippin Aquitanien, Ludwig Bajoarien, Lothar aber nach des Vaters Tode das ganze übrige Reich erhalten sollte; auch bewilligte er diesem mit ihm gemeinschaftlich den kaiserlichen Namen zu führen [6]. Inschwischen war Irmengard, die Königin und Mutter der genannten Söhne gestorben [7] und
bald darauf nahm Kaiser Ludwig Judith [8] zur Gemahlin, aus wel- 819.
cher Ehe Karl entsprang [9]. 823.

3. Nach der Geburt Karls wußte der Kaiser nicht was er mit diesem anfangen solle, da er das ganze Reich unter die übrigen Söhne vertheilt hatte. Und da der Vater hierüber in Sorge um

1) Lyon und Umgegend. — 2) Vgl. Einhards Annalen zum Jahr 817, Thegans Leben Ludwigs des Frommen Kap. 22. 23 und das größere Leben Ludwigs Kap. 29 und 30. — 3) Nämlich Hugo, Drogo und Theoderich. — 4) Auf der Reichsversammlung zu Diedenhofen (Thionville) im October 821 gab der Kaiser seinem Sohne Lothar die Tochter des Grafen Hugo von Tours, Irmingard, zur Gemahlin; im Jahre 822 verheirathete er Pippin, bevor dieser nach Aquitanien ging, mit der Tochter Theotberts, Grafen des Gaus Madriacus, am linken Ufer der mittlern und untern Eure; ihr Bruder war Odo von Orleans, der im Jahre 834 im Kampfe gegen Matfried und Lambert fällt. — 5) Ludwig versorgte sie später auf anständige Weise, indem er Drogo das Bisthum Metz, Hugo die Abteien St. Quentin und St. Bertin verlieh. — 6) Der Kaiser vollzog diese Theilung des Reichs auf dem Reichstag zu Achen im Jahre 817; sie wurde darauf in der Versammlung zu Nimwegen, im Mai 821, dem Volke öffentlich vorgetragen und von allen anwesenden Vornehmen bestätigt. Der Grund zu den späteren Unruhen und Kämpfen lag darin, daß Ludwig zu Gunsten des spätergeborenen Karls dieses Reichsgrundgesetz über die Theilung des Reichs willkührlich aufhob und umstieß. 7) Irmengard, Tochter des Herzogs Ingoram und durch diesen mit dem berühmten Bischof Rhuotgang von Metz verwandt, verheirathet sich mit Ludwig 798, stirbt zu Angers an der Mayenne, den 3ten October 818. — 8) Die schöne Judith, Tochter des vornehmen bairischen Grafen Welf, wird im Jahre 819 Ludwigs Gemahlin. — 9) Karl wird den 13. Juni 823 geboren.

Karl seine Söhne anging, verstand sich endlich Lothar dazu und bekräftigte eidlich, daß er, welchen Theil des Reichs auch der Vater dem Sohne geben würde, Karls Beschützer und Vertheidiger gegen alle seine Feinde für die Zukunft sein wolle. Auf Anreizen Hugos [1] aber, dessen Tochter Lothar zur Frau genommen hatte, und Mathfrieds [2] sowie anderer fing das was er gethan hatte, an, ihn zu gereuen und er arbeitete auf alle Weise darauf hin, wie er jene Uebereinkunft rückgängig machen könnte; dies entging Vater und Mutter nicht; Lothar aber strebte, wenn nicht offenbar, so doch im Geheim, das was der Vater festgesetzt hatte, umzustoßen.

Dagegen suchte sich der Kaiser eine Stütze in einem gewissen Bernhard [3], Herzog von Septimanien, ernannte ihn zu seinem Kämmerer, übergab ihm Karl und machte ihn nächst sich zum mächtigsten Mann im ganzen Reich. Anstatt aber, wie seine Pflicht war, das Reich zu befestigen, schwächte dieser es durch den unbesonnenen und schlechten Gebrauch, welchen er von seiner Gewalt machte. Um dieselbe Zeit wird durch kaiserlichen Befehl Alamannien Karl
829. übergeben [4]. Da endlich rief Lothar, wie wenn er gerechten Grund der Beschwerde gefunden hätte, die Brüder und das ganze Volk zur
830. Wiederherstellung der gesetzlichen Ordnung im Reiche auf. Und mit dem ganzen Herr überfielen sie den Vater in Compendium [5], schickten die Königin ins Kloster [6], ließen ihre Brüder Conrad und Rudolf scheeren und brachten sie nach Aquitanien unter die Aufsicht und Bewachung Pippins. Bernard ergriff die Flucht und zog sich nach Septimanien zurück; sein Bruder Eribert aber wird fest-

1) Hugo, Graf von Tours. — 2) Mathfried, Graf von Orleans. — 3) Bernhard, Herzog von Septimanien oder Gothien, d. i. des Küstenstrichs von der Rhone abwärts bis zu den Pyrenäen, Sohn des Grafen Wilhelm von Tolosa, der nachdem er lange Jahre ruhmvoll gegen die Saracenen gekämpft hatte, 806 Mönch zu Aniane wurde, daher auch der heilige Wilhelm genannt. Seit Beras Absetzung im Jahre 820 war Bernhard auch Graf von Barcelona und somit zugleich Markgraf der Spanischen Mark. — 4) Bei Thegan, Leben Ludwigs, Kap. 35 heißt es: Im nächsten Jahre (829) kam er (Ludwig) nach Wormatia, wo er seinem Sohn Karl, den die Kaiserin Judith geboren hatte, das Land Alamannien, Rhätien und einen Theil Burgunds in Gegenwart seiner Söhne Lothar und Ludwig übergab und sie wurden darüber erzürnt, sowie auch ihr Bruder Pippin — 5) Compiegne. — 6) Ins Kloster der heiligen Radegunde bei den Pictaven (Poitou).

genommen und nachdem man ihn geblendet, in die Gefangenschaft nach Italien abgeführt.

Nachdem Lothar auf diese Weise das Reich an sich gebracht hatte, behielt er den Vater und Karl in freier Haft bei sich; er gab diesem aber Mönche zur Gesellschaft, die ihn mit dem Mönchsleben bekannt machen und dazu bewegen sollten selbst in den geistlichen Stand einzutreten.

Das Reich aber, da jeder von seinen bösen Leidenschaften getrieben nur seinen Vortheil suchte, ging von Tag zu Tag mehr und mehr zu Grunde.

Daher wandten sich die Mönche, welche wir eben erwähnt haben, sowie die Uebrigen, welche das Geschehene schmerzte, mit der Anfrage an Ludwig, ob er, wenn ihm die Herrschaft wieder zugewendet würde, das Reich und vor allen den göttlichen Dienst, den Wahrer und Regierer aller Ordnung, aufrichten und fördern wolle. Und da er sich hiezu sogleich bereit zeigte, beschloß man schnell seine Wiedereinsetzung; er sandte aber heimlich einen gewissen Mönch Guntbald, unter dem Schein geistlicher Angelegenheiten, in dieser Sache an seine Söhne Pippin und Ludwig und ließ ihnen versprechen, daß, wenn sie bei seiner Wiedereinsetzung denen, welche diese wünschten, beistehen wollten, er beiden ihr Reich vergrößern werde. Und um deswillen gehorchten sie leicht und gern; und auf öffentlichem Reichstage[1] wurden Ludwig die Königin und ihre Brüder zurückgegeben und das ganze Volk unterwarf sich seiner Herrschaft. Dann wurden die, welche mit Lothar verbunden gewesen waren vor Gericht gestellt und von Lothar selbst zum Tode verurtheilt; Ludwig aber schenkte ihnen das Leben und schickte sie in die Verbannung. Lothar erhielt Erlaubniß, nach Italien, mit dem er sich nun allein begnügen mußte, unter der Bedingung zurückzugehen, daß er wider des Vaters Willen in der Folge nichts in der Regierung vornehmen wolle. Da nun die Dinge so standen und das Reich ein wenig wieder aufathmete, wollte auch sogleich der er-

1) Auf dem Reichstage zu Nimwegen im Jahre 830.

wähnte Mönch Guntbald, weil er viel zur Wiedereinsetzung des Kaisers beigetragen hatte, der nächste nach diesem im Reiche sein, während Bernhard, der wie wir oben gesagt haben, diese Stellung bisher eingenommen hatte, mit allen Kräften darnach strebte, sich wieder in ihren Besitz zu setzen. Auch Pippin und Ludwig, obgleich ihre Reiche nach dem vom Vater gegebenen Versprechen vergrößert worden waren, arbeiteten, hiermit nicht zufrieden, darauf hin die größte Macht im Reiche zu erlangen; diejenigen aber, in deren Händen damals die Regierung des Reichs sich befand, stellten sich, soviel sie konnten, diesen Wünschen nnd Bestrebungen entgegen.

833. 4. Um dieselbe Zeit [1] wurde Aquitanien Pippin genommen uod Karl gegeben nnd der Adel des Landes, welcher auf des Kaisers Seite stand, leistete dem neuen Herrscher den Eid der Treue. Dies erzürnte aber die oben erwähnten, sie erklärten, daß das Reich schlecht regiert werde und riefen das Volk auf, um Recht und Gesetz wieder herzustellen; Wala [2], Elisachar [3], Mathfried [4] und die übrigen, welche in die Verbannung geschickt waren, werden zurückgerufen; Lothar wird aufgefordert in das Reich einzudringen, selbst den römischen Bischof Gregor, um unter seiner Autorität besser ihre Pläne ausführen zu können, bewegen sie durch jene Scheingründe ihre Absichten zu unterstützen. So stoßen der Kaiser mit seinem gesammten Volk, die drei Könige, seine Söhne, und der Pabst Gregor mit seinem ganzen römischen Gefolge im Elsaß auf einander und schlagen ihre Lager am Berge Siegwald auf. Nachdem aber die Söhne durch verschiedene Lockungen das Volk zum Abfall vom Vater verleitet und sehr viele ihn verlassen hatten, wird der Vater, von nur wenigen begleitet, gefangen genommen [5];

1) Man vgl. zum Jahre 832 Thegans Leben Ludwigs Kap. 39, 40, 41 und das größere Leben Ludwigs Kap. 46 u. 47 — 2) Wala, Abt von Korvey, Bruder Adalhards und der heiligen Ida, der Gemahlin des sächsischen Grafen Egbert, von dem das Ludolfinische Geschlecht abstammt. Der Vater dieser drei Geschwister war Bernhard, natürlicher Sohn Karl Martells — 3) Elisachar war Abt. — 4) Graf von Orleans. — 5) Auf der großen Ebene, welche zwischen Straßburg und Basel liegt, das rothe Feld genannt, trafen die Genannten am 29. Juni 833 zusammen; der Ort selbst wurde von dem was sich daselbst ereignete, „mit ewigen Schmach des Namens gezeichnet,“ indem er von da an das Lügenfeld genannt wurde. Man vergleiche über diese Ereignisse noch Thegans Leben Ludwigs, Kap. 42, das größere Leben Ludwigs, Kap. 48 und die Annalen von St. Bertin zum Jahr 833.

seine Gemahlin ihm entrissen, wird nach Langobardien in die Verbannung geführt [1] und Karl zusammen mit dem Vater in strenger Haft gehalten. Pabst Gregor aber, von Reue über seine Reise ergriffen, kehrte später als er wünschte nach Rom zurück. Indeß verlor Lothar das auf diese Art wiedererworbene Reich, welches er so leicht zum zweiten Mal wieder alles Recht an sich gerissen hatte, auch nach Verdienst wieder auf eben so leichte Art. Denn Pippin und Ludwig, da sie sahen, daß Lothar das ganze Reich sich zueignen und die Macht seiner Brüder schwächen wollte, wurden sehr gegen ihn aufgebracht; Hugo [2] aber und Lambert [3] und Mathfried [4], von denen ein jeder nach Lothar die höchste Stelle einnehmen wollte, geriethen darüber in Feindschaft und da jeder nur seinem Vortheil nachgieng, wurde das Wohl und Beste des Reichs vernachlässigt. Das sah das Volk und zürnte darüber. Auch empfanden die Söhne wohl Schaam und Reue, daß sie den Vater zweimal seiner Würden und Ehren beraubt, das gesammte Volk aber, daß es zweimal seinen Kaiser verlassen hatte und sie faßten daher gemeinschaftlich den Plan, ihn wieder in die Herrschaft einzusetzen und in großer Masse machten sie sich auf nach dem Kloster des heiligen Dionysius [5], wo 834.
damals Lothar seinen Vater und Karl in Gewahrsam hielt. Als Lothar sah, daß seine Macht nicht groß genug war, dieser Aufregung Meister zu werden, ergriff er, noch ehe das Volk sich sammelte, die Waffen und begab sich in schnellen Märschen nach Vienna. Das Volk, welches zusammengeströmt war um für den Vater gegen den Sohn zu kämpfen, führte seinen König in die Kirche des heiligen Dionysius zugleich mit den Bischöfen und der ganzen Geistlichkeit, und sie brachten Gott demüthig ihre Lobgesänge dar, setzten dem König die Krone auf und legten ihm seinen Waffenschmuck an; dann aber traten sie zur Berathung zusammen, über das was zu thun nöthig schiene. Lothar zu verfolgen war der Vater nicht geneigt, aber er schickte Gesandte an ihn mit dem Be-

1) Judith erhielt Tortona als Aufenthaltsort angewiesen. — 2) Hugo von Tours, der Schwiegervater Lothars. — 3) Lambert, Graf von Nantes. — 4) Matfried, der schon öfter genannte Graf von Orleans. — 5) St. Denis bei Paris.

fehl, sich alsbald über die Alpen nach Italien zu begeben. Pippin, der zu ihm kam, nahm er gnädig auf, dankte ihm für den Eifer und die Mühe, welche er sich um seine, des Vaters Befreiung gegeben hatte und erlaubte ihm seinem Wunsche gemäß nach Aquitanien zurückzukehren. Nun eilten von allen Seiten die Getreuen, welche früher an der Regierung Theil gehabt und bisher dem Verderben sich zu entziehen gewußt hatten, zu Ludwig; und in ihrem Geleit brach er von St. Dionysius auf und begab sich zum Winteraufenthalt nach Achen, wo er seinen Sohn Ludwig traf [1] und auf das Herzlichste begrüßte; und zu seiner größern Sicherheit bat er den Sohn, bei ihm einige Zeit zu verweilen. Inzwischen hatten die, welche Judith in Italien bewachten [2], gehört, daß Lothar die Flucht ergriffen hätte und der Vater wieder das Reich regiere; sie nahmen daher Judith, flohen mit ihr, gelangten glücklich nach Achen und übergaben dem Kaiser das theure und werthe Geschenk. Nicht eher aber wurde sie des königlichen Betts gewürdigt, als bis sie sich von den gegen sie erhobenen Anschuldigungen, da kein Ankläger erschien, zugleich mit ihren Verwandten durch einen Eid gereinigt hatte.

5. Um dieselbe Zeit [3] standen Mathfried und Lambert [4] sowie die übrigen von der Partei Lothars an den Grenzen der Brittanischen Mark [5]. Um sie von dort zu vertreiben wurde Uodo [6] und alle, welche zwischen Sequana [7] und Ligeris [8] ihren Wohnsitz hatten aufgeboten und sammelten sich von allen Seiten zu starken Haufen.

Jenen gab die geringe Anzahl und daher die immer drohende Gefahr, in der sie schwebten, Einigkeit, den Uodo aber und die

1) Er traf Ludwig schon zu Carisiacum, Kiersy. — 2) Nach dem größeren Leben Ludwigs waren es Ratald, Bischof von Verona, Bonifacius, Graf von Korsika und Pippin, der Sohn des 819 getödteten Bernhard. — 3) Diese waren, während Lothar von St. Denis aus nach Vienna eilte, westwärts gezogen, wohl weil sie glaubten, in ihren Grafschaften sich leichter halten zu können. — 4) Mathfried von Orleans und Lambert von Nantes — 5) Die Britanische Mark oder das Land der Britanier ist die Bretagne. — 6) Odo, nach Mathfrieds Entsetzung im Jahre 828, zum Grafen von Orleans ernannt, vgl. das größere Leben Ludwigs Kap. 42 u. 44. — 7) Sequana: die Seine. — 8) Ligeris: die Loire.

Seinigen machte ihre Stärke sicher, uneinig und unachtsam. Daher wurden sie auch, als es zur Schlacht kam, geschlagen und zur Flucht genöthigt. Und es fielen dabei Uodo und Odo, Vivianus, Fulbert und eine unzählige Menge Volkes[1]. Dies meldeten die Sieger schleunigst dem Lothar und forderten ihn auf, so schnell er könnte, ihnen mit einem Heere zu Hülfe zu kommen. Lothar war dazu auch sogleich bereit und rückte mit einem großen Heere vor Cavillonum[2], belagerte die Stadt, stürmte drei Tage lang, eroberte sie endlich und ließ sie dann nebst allen Kirchen niederbrennen. Gerberga[3] ließ er wie eine Verbrecherin in dem Araris[4] ersäufen, Gozhelm und Senila[5] wurden enthauptet; dem Warin[6] schenkte er das Leben, wofür er sich aber eidlich verpflichten mußte, von nun an Lothar mit allen Kräften zu unterstützen. Von hier aus begaben sich Lothar und die übrigen, durch die beiden Siege, welche sie errungen hatten, übermüthig gemacht und schon voll Hoffnung, daß sie leicht das ganze Reich wiedergewinnen würden, nach der Stadt Aureliä[7], um dort über das Weitere Berathung zu pflegen. Als dies der Vater hörte, sammelte er eine starke Macht, zog seinen Sohn Ludwig, der mit seinem Heere jenseits des Rheins stand, noch zur Unterstützung an sich und eilte dann der genannten Stadt zu, um das schwere Unheil zu rächen, welches sein Sohn am Reiche verübt hatte. Lothar in der Hoffnung wie früher die Franken durch glänzende Verheißungen zu sich hinüberziehen zu können, hielt es fürs Beste, dem Vater entgegen zu gehen: so treffen sie von beiden Seiten zusammen und schlagen am Fluß bei einem Dorf, Calviacus genannt, ihre Lager auf[8]. Die Franken aber von Neue

1) Außer den Genannten fielen Odos Bruder, Graf Wilhelm von Blois, Graf Wido von Mans und der Kanzler Theudo, Abt von Noirmoutiers bei Tours. — 2) Chalons für Saone. — 3) Gerberga, Gerbirch, Tochter des schon genannten heiligen Wilhelm, Grafen von Toulouse, Schwester Bernhards von Septimanien und des hier genannten Gozhelm, Grafen von Ruscello, Roussillon. — 4) Araris, die Saone — 5) Senila, Graf, bekannt als der Ankläger des Bera, Grafen von Barcelona, vgl. das größere Leben Ludwigs zum Jahr 820, Kap. 33. — 6) Warin, Graf von Macon. — 7) Orleans. — 8) Lothar war von Chalons über Autun nach Orleans gegangen; dann zog er weiter in den Cenomanischen Gau und nahm bei einem Dorf Namens Matvalis; Laval an der Mayenne im westlichen Maine, eine feste Stellung. Ludwig stieß hier auf den Sohn; da dieser sich jedoch hier nicht sicher fühlen mußte, wandte er sich rückwärts und gieng bis zur Loire; der Vater folgte

ergriffen, daß sie zweimal ihren Kaiser verlassen hatten und des Glaubens, daß es schändlich sein würde, solche That abermals zu begehen, wiesen jede Aufforderung zum Abfall unwillig ab; daher sah sich Lothar, weil er keine günstige Gelegenheit weder zur Flucht noch zur Schlacht finden konnte, genöthigt, auf diese Bedingungen sich zu ergeben, daß er innerhalb einer bestimmten Zeit über die Alpen zöge, fernerhin ohne Befehl des Vaters nicht sich unterfange, die Grenzen Franciens zu überschreiten und ohne Einwilligung des Vaters nichts in der Regierung vornehmen dürfe. Solches zu thun und zu halten beschworen Lothar und alle die
834. Seinigen.

6. Nachdem dies in Ordnung gebracht war, regierte der Vater das Reich in gewohnter Art und mit seinen alten Rathgebern. Da er aber sah, daß das Volk ihm während seines Lebens gewiß nicht wieder untreu werden würde, berief er zum Winter eine große
837. Versammlung nach Achen und verlieh Karl den mit diesen Grenzen bezeichneten Theil des Reichs[1]. Nämlich vom Meere[2] aus

und in der Nähe des Castells Blesis, wo die Elza in die Loire fließt, stellten sie sich einander gegenüber auf.

1) Der Verfasser des größeren Lebens Ludwigs des Frommen sagt darüber Kap. 59: „Außerdem gab der Kaiser auf dringendes Bitten der Kaiserin und der kaiserlichen Diener einen Theil des Reichs seinem geliebten Sohn Karl zu Achen; da dieser aber nur unrechtmäßiger Weise übrig war (d. h. da dieser Theil, ohne gegen die andern Söhne unrecht zu handeln, denen er schon zugewiesen war, Karl nicht gegeben werden konnte) soll auch von uns mit Stillschweigen darüber hinweggegangen werden.“ In demselben Kap. heißt es dann weiter: „Der Kaiser blieb den ganzen Sommer in Achen und beschied zum Herbst, Mitte September, eine allgemeine Versammlung nach Carisiacum (Kiersy). Hierhin kam zu dieser Zeit sein Sohn Pippin aus Aquitanien und wohnte der Versammlung bei. Daselbst umgürtete der Kaiser seinen Sohn Karl mit den männlichen Waffen, das ist mit dem Schwerte, schmückte sein Haupt mit der königlichen Krone und übergab ihm den Theil des Reichs welchen der mit ihm gleichen Namen tragende Vorfahr besessen hatte, nämlich Neustrien.“ Mit dem Vorfahr ist Karl der Große gemeint, welcher bei der Theilung des Reichs mit seinem Bruder Karlmann im Jahre 768 Neustrien erhielt. — 2) Karls Reich begann demnach ungefähr an der Ems, umfaßte die davon westlich gelegenen Landschaften, d. i. Friesland, weiter südlich dann die Grafschaft Moilla, d. i. das Gebiet zwischen Maas und Waal, kurz vor ihrem Zusammenfluß, Haettra südlich von der Grafschaft Moilla, zwischen Maas und Rhein; Hammolant, an beiden Ufern des Rheins vor seiner Theilung, erstreckte sich nördlich bis Deventer und nordöstlich bis Goor und Delden; der Masagau, unterer und oberer, der untere vorzüglich am linken, der obere am rechten Ufer der Maas, geht westlich bis Trajecte (Mastricht) südlich und östlich noch über Achen hinaus; man darf zweifeln, ob Karl diesen ganzen Gau erhalten hat, wohl nur die Theile auf dem linken Maasufer. Dann alle Land-

einerseits und den Grenzen Sachsoniens andrerseits bis zu den Grenzen der Ripuarier ganz Frisien, und an den Grenzen der Ripuarier die Grafschaften Moilla, Haettra, Hammolant, Masagau; dann das Gebiet, welches zwischen Mosa und Sequana bis Burgundia hin liegt, zusammen mit dem Gebiet von Viridunum; und an den Grenzen Burgundias die Tullenser, Ordonenser, Bedenser, Blesenser, Pertenser, beide Barrenser, die Brionenser, Tricasiner,

schaften zwischen Maas und Seine; das Gebiet von Verdün mit eingeschlossen, bis zu den Grenzen von Burgund; östlich von Burgund, an den Anfängen der Maas und Mosel, die Grafschaften von Toul, an der Mosel, von bedeutendem Umfange, die Odornensische Grafschaft, an beiden Ufern der Oderna, Ornain, Zuflusses der Marne, nördlich ungefähr bis oberhalb Ligny, südlich bis Neufchateau sich erstreckend. Zwischen der Odornenser und Tullenser Grafschaft, liegt die Bedenser Grafschaft, von der Maas durchflossen; Comercy und Vaucouleurs geben ihre Ausdehnung an; nordwestlich und westlich von diesen Grafschaften liegen die Barrenser 1, die Pertenser, die Blesenser, die Barrenser 2, in einem Bogen von Osten nach Westen an den Grenzen Burgunds sich hinziehend. Von ihnen grenzt die Barrenser 1 östlich an die Bedenser, südlich an die Odornenser, nördlich an die Verdunenser Grafschaft; ihre westliche Grenze bildet meist der Ornain. In dieser Grafschaft liegen Ligny und Bar-le-Düc. Zwischen Saux und Marne in ihrem nördlichen, an beiden Ufern der Marne in ihrem südlichen Theil, um Joinville herum, im Osten von der Odornenser Grafschaft begrenzt, liegt die Pertenser Grafschaft; hiervon südlich, an beiden Ufern der Blesa, Blaise, bis zu ihrem Einfluß in die Marne, die Blesenser Grafschaft, an welche sich die Barrenser 2 anschließt; sie wird von der Aube durchschnitten; in ihr liegen Bar-sür-Aube und Clairvaux (die dritte Barrenser Grafschaft, in der Bar-sür-Seine liegt, gehörte schon zu Burgund). An die Blesenser und Barrenser Grafschaft lehnt sich im Nordwesten die Brionenser, an beiden Seiten der Aube, in ihr Brienne; dann westlich die Grafschaft Troyes an der Seyne und Aube; dann das Gebiet der Yonne, nördlicher um Sens (die Senonenser Grafschaft) südlicher um Auxerre (die Altissiodorenser Grafschaft). Westlich von der Senonenser Grafschaft die Wastinenser, le Gastinois, am linken Ufer der Seine, vom Loing durchschnitten, in ihr Lorris (Lauriacum) Chateau Landon, Nemours, Fontainebleau; gerade gegenüber auf dem rechten Ufer der Seine die Milidunenser Grafschaft, deren Lage die Stadt Melün, Melodunum, bezeichnet. Im Westen aber von der Wastinenser Grafschaft lag die Stampenser, längs des linken Ufers der Seine, bis Estampes, Dourdan, Montlhery; nördlich davon das Gebiet um Confre, die Castaenser Grafschaft und zuletzt Paris mit der dazu gehörigen Grafschaft. Von der Seine aus zog sich dann Karls Reich nördlich, alle Landschaften längs des Meeres bis nach Frieslaub umfassend. Nehmen wir hierzu die weitere Schenkung an Karl, nämlich das Land zwischen Loire und Seine — Nithard sagt zwar nur einen Theil, indeß dürfte doch wohl nur weniges ausgeschlossen gewesen sein — so wird man Karls Reich sich ungefähr vergegenwärtigen können, wenn man eine Grenzlinie zieht von der Mündung der Ems an aufwärts ein Stück am Fluß, dann die Grenze des jetzigen Ostfriesland entlang, von hier aus über Artel, Delden, Groenlo, Bocholt nach dem Rhein und weiter bis an die Maas; dann die Maas hinauf bis Mastricht, von wo man eine Linie ziehe bis Toul, dann bis zu der Quelle des Ornain, und weiter über Clairvaux nach Auxerre; diesen Punkt verbinde man mit der Loire, welche dann bis zu ihrem Einfluß ins Meer die Grenze bildet. Im Westen und Nordwesten ist das Meer die Grenze bis hinauf zur Mündung der Ems, von wo wir ausgegangen waren.

Autissioderenser, Senonische, Wastinenser, Milidunenser, Stampenser, Castraenser und Parisische Grafschaft; denn jenseit der Sequana bis zum Ocean und über das Meer bis Frisia. Und alle Bisthümer daselbst, alle Abteien, Grafschaften, öffentliche Güter, überhaupt alles was zwischen diesen Grenzen lag mit allen die dazu gehörten, wo sie auch immer lebten und wohnten, zusammt der ganzen geistlichen und väterlichen Gewalt gab er seinen Sohn Karl und flehte Gottes Gnade und Gottes Segen herab, daß dies ihm für alle Zeiten eigen und erhalten bliebe. Hilduin [1] aber, der Abt des Klosters vom heiligen Dionysius und Gerard, Graf der Stadt Parisius [2], sowie alle, welche in den obengenannten Landstrichen ihren Sitz hatten, strömten zusammen und leisteten Karl den Eid der Treue. Als dies Lothar und Ludwig hörten, wurden sie unwillig und beschlossen deshalb eine Zusammenkunft. Da sie aber bei einander waren, fanden sie, daß nichts von dem Geschehenen als gerechter Grund der Klage und Beschwerde angeführt werden könne, und trennten sich wieder, klüglich verheimlichend, daß sie etwas gegen des Vaters Willen im Sinne gehabt hätten. Indeß entstand doch eine nicht unbedeutende Bewegung, die aber der Kaiser leicht nieder zu drücken wußte. Von Achen
837. aus begab sich Ludwig Mitte September nach Carisiacum [3], wo er gleichfalls Unruhen dämpfte, und gab dem genannten Karl Waffen und Krone, sowie auch einen Theil des Reichs zwischen Sequana und Ligeris [4], stellte die Einigkeit zwischen Pippin und Karl, wie es wenigstens schien, wieder her und entließ dann Pippin gnädig nach Aquitanien; Karl aber schickte er nach dem Theil des Reichs, welchen er ihm gegeben hatte. Und alle, welche diese Gegenden bewohnten, kamen zu ihm und leisteten ihm den Eid der Treue. Um diese Zeit traf die Nachricht ein, daß Ludwig von seinem Va-

1) Hilduin, Abt von St. Denis, gehörte früher (830) zur Parthei Lothars und war deshalb lange bei Ludwig in Ungnade. Jüngerer Freund und Schüler Hilduins war der später als Erzbischof von Rheims so berühmt gewordene Hincmar, der als Verfaßer eines Theils der Annalen von St. Bertin auch für die deutsche Geschichtsschreibung von Bedeutung ist. — 2) Paris (Parisius, Parisii genannt) gehört mit dem ganzen Gau, wie aus der oben gegebenen geographischen Beschreibung erhellt, zum Reiche Karls. — 3) Kiersy. — 4) Seine und Loire.

ter abgefallen wäre und den ganzen Strich des Reichs, der jenseits des Rheins[1] läge, an sich reißen wolle; auf diese Kunde begab sich der Vater nach Magontia[2], wohin er eine Reichsversammlung 838.
berufen hatte, führte sein Heer über den Rhein und nöthigte dadurch Ludwig sich flüchtig nach Bajoarien zurückzuziehen. Darauf kehrte er freudig nach Achen zurück, denn wohin er sich gewendet hatte, überall war er durch Gottes Gnade siegreich gewesen. Da 839.
aber König Ludwig schon dem Greisenalter nahe und seine Gesundheit durch die vielen Trübsale, die er erlitten hatte, hinfällig geworden war, fürchteten die Mutter und die Vornehmsten des Volks, die nach dem Willen des Vaters für Karl gearbeitet und gesorgt hatten, daß wenn der Kaiser, ohne alles vollständig festgesetzt und geordnet zu haben, stürbe, sie dem Zorne der Brüder bis zur Vernichtung Preis gegeben sein würden und hielten es daher für nothwendig, daß, wen von den Söhnen der Vater sich zum Nachfolger erwähle, dieser und Karl, beide vereint, stark genug wären, wenn nach dem Tode des Kaisers die andern nicht sich einigen wollten, der Partei der Neider zu widerstehen. Als man nun von der Noth gedrängt, eifrig die Wahl des Nachfolgers in Berathung nahm, kamen mehr und mehr alle dahin überein, daß, wenn Lothar in dieser Angelegenheit Zuverlässigkeit zeige, man mit ihm ein Bündniß eingehen müsse. Denn wie wir oben erzählt haben, hatte Lothar früher dem Vater, der Mutter und Karl gelobt, daß welchen Theil des Reichs auch immer der Vater seinem Sohne Karl geben wolle, er damit sich zufrieden geben und Karl gegen alle Feinde schützen werde. Daher wählte man Gesandte aus und schickte sie zu Lothar nach Italien mit dem Versprechen, daß wenn er fernerhin des Vaters Willen gegen Karl beobachten wolle, ihm Alles was er bisher gegen jenen verbrochen hätte, verziehen und das ganze Reich mit Ausnahme Bajoariens zwischen ihm und Karl getheilt werden solle. Da dies Lothar und den Seinigen sehr

1) D. i. auf dem rechten Ufer des Rheins. — 2) Mainz.

annehmbar schien, leistete man von beiden Seiten das eidliche Gelöbniß, daß solches ihr ernster und fester Wille wäre.

7. Demgemäß kamen sie alle zur Reichsversammlung nach der Stadt der Wangionen[1]. Und daselbst warf sich Lothar demüthig vor allem Volk zu Füßen des Vaters nieder und sprach: ich weiß daß ich gegen Gott und gegen Dich, meinen Herrn und Vater, gesündigt habe; nicht um Herrschaft und Reich, sondern um Deine Vergebung und Deine Gnade bitte ich. Ludwig aber als ein frommer und gütiger Vater verzieh dem Flehenden die begangenen Uebelthaten und schenkte ihm die erbetene Gnade unter der Bedingung, daß er künftig wider seinen, des Vaters, Willen nichts in irgend welcher Weise, weder gegen Karl noch das Reich unternähme. Dann hieß er ihn herzlich willkommen, küßte ihn und dankte Gott für den verlornen Sohn, welchen seine Hand ihm wieder zugeführt hatte. Darauf gingen sie gemeinschaftlich zur Mahlzeit, indem sie die Berathung der Geschäfte auf den nächsten Tag verschoben. Als sie nun am nächsten Tag zur Berathung zusammengetreten waren, sprach der Vater von dem Wunsche beseelt, das was er versprochen hatte, auszuführen: siehe mein Sohn, wie ich versprochen habe, liegt hier das ganze Reich vor Dir; theile es nach Deinem Gefallen. Wenn Du theilst, soll Karl die Wahl seines Theils zustehen, wenn wir aber die Theilung machen, sollst Du Deinen Theil Dir wählen.

Drei Tage lang arbeitete Lothar an der Theilung; da er aber damit durchaus nicht fertig werden konnte, schickte er Josippus und Richard an den Vater mit der Bitte, daß er und die Seinigen die Theilung vornehmen möchten, ihm aber die Wahl des Theiles zufiele; zugleich beschworen sie feierlich, daß nichts als die Unkenntniß des Landes der Grund wäre, warum sie sich des Auftrags entledigen wollten. Der, Vater, der dies leichter konnte, theilte daher mit den Seinigen das ganze Reich, Bajoarien ausgenommen; und den Theil südlich von der Mosa[2] wählte Lothar mit den Seinigen,

1) Worms. Die Versammlung fand nach dem Osterfeste des Jahres 839 statt. — 2) Maas.

den westlich aber von jenem Fluß überließ er seinem Bruder Karl und darauf erklärte er sowohl wie der Vater vor allem Volke, daß dies ihr Wille wäre. Und der Vater versöhnte die Brüder, so gut als er konnte, indem er sie bat und beschwor, sich gegenseitig zu lieben, und flehte sie an, einer den andern zu schützen und zu schirmen. Nachdem dies geschehen war, entließ er Lothar, indem er ihm seine volle Vergebung gab, in Güte und Friede nach Hause; und beim Abschied rief er ihm noch einmal die Eide ins Gedächtniß, welche er ihm geschworen hatte, erinnerte ihn, wie oft er gefehlt, wie oft er, der Vater, ihm sein Vergehen nachgesehen habe und bat ihn dringend und inständig, das, was er vor allem Volk als seinen festen und ernsten Willen bekannt hätte, auszuführen und zu halten.

8. Um dieselbe Zeit hatte der Vater die Nachricht erhalten, daß Pippin gestorben wäre; und ein Theil des Aquitanischen Volks wartete darauf ruhig ab, was der Großvater über das Reich und die Enkel verfügen würde, der andere aber nahm den Sohn des verstorbenen Pippin, auch Pippin genannt, und rief ihn, da er der älteste war, zum Herrscher aus. Nachdem daher, wie oben erzählt, die Angelegenheiten mit Lothar geregelt waren, begab sich der Vater von einem großen Heer begleitet mit Karl und der Mutter über Cavillo[1] nach Clarus Mons[2] und empfing daselbst gnädig diejenigen der Aquitanier, welche in Gehorsam seiner Befehle warteten. Und da er früher das Aquitanische Reich Karl gegeben hatte, hieß er die Anwesenden sich diesem als ihrem Herrscher zu unterwerfen. Und sie unterwarfen sich alle und leisteten Karl den Eid der Treue. Darauf versuchte er, wie er die Tyrannen zur Ruhe brächte. Um dieselbe Zeit aber brach Ludwig in seiner gewohnten Art aus Bajoarien hervor und drang mit einem Heere von Toringern und Sachsen in Alamannien ein; dadurch von Aquitanien abgerufen, ließ der Vater Karl mit seiner Mutter in Pictavi[3] zurück, feierte selbst das Osterfest zu Achen und begab 840.

1) Chalons. — 2) Clermont. — 3) Poitiers.

sich dann ohne Aufenthalt nach Toringen. Von hier vertrieb er Ludwig, zwang ihn seinen Weg durch das Slavenland zu nehmen und sich nach Bajoarien zurückzuziehen. Nachdem dies geschehen,
840. beschied der Kaiser zum ersten Juli eine Reichsversammlung nach der Stadt der Wangionen[1], wohin er seinen Sohn Lothar aus Italien kommen hieß, um mit ihm und den übrigen Getreuen über Ludwig Berathung zu pflegen.

Da die Dinge so standen, Lothar in Italien, Ludwig jenseits des Rheins und Karl in Aquitanien war, verschied ihr Vater, Kaiser Ludwig, auf einer Insel bei Magontiacum[2] am zwanzigsten Juni und sein Bruder Drogo, Bischof[3] und Erzcapellan, bestattete ihn mit allen Ehren in seiner Stadt Mettä[4] in der Kirche des heiligen Arnulf[5] mit allen Bischöfen, Grafen und Aebten. Ludwig lebte vierundsechzig Jahre, regierte über Aquitanien siebenunddreißig Jahre und war Kaiser siebenundzwanzig Jahre und sechs Monate.

1) Worms. — 2) Mainz. — 3) Nach Gundulfs Tode 823 zum Bischof von Metz gewählt. — 4) Metz. — 5) Arnulph, seit 614 Bischof von Metz, Stammvater des Karolingischen Geschlechts.

Das zweite Buch.

Vorrede.

Nachdem ich die Anfänge und Ursachen Eurer Streitigkeiten nach Kräften und Umständen auseinandergesetzt habe, so daß jeder, der zu wissen wünscht, weswegen, nach dem Tode Eures Vaters, Lothar Euch und Euren Bruder zu verfolgen unternommen hat, sehen, abmessen und erkennen wird, ob derselbe recht und edel gehandelt habe, werde ich nun, soweit Gedächtniß und Kräfte ausreichen, darzustellen suchen, mit welcher Ausdauer und welchem Eifer er seine Pläne ausgeführt hat. Euch aber bitte ich die Schwierigkeiten, welche in dieser bedrängten Zeit auch meiner geringen Person erwachsen sind, zu berücksichtigen und damit Nachlässigkeiten, welche sich in meinem Werke finden, zu entschuldigen. 840.

1. Als Lothar hörte, daß sein Vater gestorben wäre, schickte er alsbald nach allen Seiten, besonders nach ganz Francien, Gesandte, die verkünden sollten, daß er in das ihm früher verliehene Reich kommen werde und ließ zugleich versprechen, daß er jedem die vom Vater übertragenen Ehren belassen und mehren wolle. Auch befahl er sich der Unsichern durch den Eid der Treue zu vergewissern und hieß sie, sobald sie irgend konnten, ihm entgegen zu kommen; denen aber, die nicht wollten, ließ er mit dem Tode drohen. Er selbst blieb noch jenseits der Alpen (d. i. in Italien) um zu sehen, wie die Dinge sich gestalten würden. Als er aber sah, daß von allen Seiten die Massen, von Hoffnung oder Furcht getrieben, zusammenströmten, stimmte ihn das Gefühl seiner Macht und die glänzenden Aussichten, welche sich vor ihm eröffneten,

2*

höher und kühner, und er begann darüber zu rathschlagen, durch welche Mittel er auf das Leichteste das gesammte Reich an sich reißen könnte. Und da Ludwig seinem Wege zunächst war, hielt er es für klügste, sich zuerst auf diesen zu stürzen und richtete nun alle seine Anstrengungen darauf hin, mit einem Schlag Ludwigs Macht zu vernichten. Inzwischen sandte er klüglich Gesandte an Karl nach Aquitanien und ließ ihm sagen, daß er gegen ihn, wie der Vater bestimmt habe und wie es seine Pflicht sei, sich als Freund erweisen werde, bat ihn aber seines Neffen, Pippins Sohn, bis sie miteinander über die Angelegenheiten Aquitaniens Rücksprache genommen hätten, zu schonen. Darauf richtete er seinen Marsch nach der Stadt der Wangionen[1]. Dort hatte Ludwig um diese Zeit einen Theil seines Heeres als Besatzung zurückgelassen, während er selbst gegen die aufrührerischen Sachsen gezogen war. Lothar schlug daher nach kurzem Kampfe jene Besatzung in die Flucht, ging mit seinem ganzen Heere über den Rhein und richtete seinen Marsch auf Frankonofurth[2]. Hier stießen unvermuthet Lothar und Ludwig auf einander; und nachdem man übereingekommen war für die Nacht Waffenruhe zu halten, schlugen Beide, der eine bei Franconofurth, der andere an der Stelle, wo der Main in den Rhein fließt, nicht gerade von brüderlichen Gesinnungen getrieben, ihre Lager auf. Da indeß Ludwig die Absicht zeigte kräftigen Widerstand zu leisten, und Lothar daher zweifeln mußte, ihn ohne Schlacht zur Unterwerfung nöthigen zu können, steht er, in der Hoffnung Karl vielleicht leichter zu überwinden, unter der Bedingung vom Kampfe ab, daß er und Ludwig am eilften November wieder an demselben Ort zusammentreffen wollen; könne dann durch Verhandlung keine Einigkeit unter ihnen herbeigeführt werden, so sollten die Waffen über das Recht eines jeden entscheiden. So sich die Ausführung seiner Pläne gegen Ludwig für die Zukunft vorbehaltend, geht er Karl zu unterwerfen.

2. Um diese Zeit war Karl nach Biturica[3] gekommen, wohin

1) Worms. — 2) Frankfurt a. M. — 3) Bourges.

Pippins Anhänger geschworen hatten, diesen ihren König zu führen. Als er hier von dem, was Lothar gethan, sichere Nachricht erhalten hatte, schickte er an ihn in größter Eile Nithard[1] und Adelgar[2] als Gesandten und ließ ihn dringend auffordern und bitten, der gegenseitig geleisteten Eide eingedenk zu sein und das zu halten, was der Vater festgesetzt habe; er möge die Lage seines Bruders und Sohnes Karl bedenken, ihm solle das Seinige unverwehrt bleiben, aber er möge ihm, Karl, auch das zugestehen und überlassen, was ihm der Vater mit Lothars eigner Beistimmung zugewiesen habe; dafür verspreche er, wenn Lothar dies thue, ihm treu und unterthänig sein zu wollen, wie es ihm seine Pflicht gegen seinen ältesten Bruder gebiete. Auch wolle er Lothar, alles was er an ihm verübt habe, von ganzem Herzen vergeben und flehe ihn an, die Seinigen nicht weiter beunruhigen noch das Reich, welches ihm von Gott übertragen wäre, zu befeinden. Man solle in Friede und Eintracht verkehren, das sei für ihn und die Seinigen das Beste und daher wolle er auch den Frieden halten und bewahren. Wenn aber sein Bruder dies nicht glauben wolle, so sei er bereit dafür sichere Bürgschaft zu leisten. Lothar empfing zwar diese Botschaft scheinbar freundlich, begnügte sich indeß den Gesandten aufzutragen, daß sie Karl seinen Gegengruß entböten, indem er erklärte, er werde weitere Antwort durch die Seinigen übersenden. Ja, da die Gesandten ihren Eid nicht brechen und sich seinen Anträgen gemäß nicht seiner Partei zuwenden wollten, beraubte er sie ihrer Ehren, die sie von seinem Vater erhalten hatten und gab so, ohne daß er es beabsichtigte, ein genügend deutliches Zeichen, welche Gesinnungen und Absichten er gegen seine Brüder hegte.

Inzwischen sandten alle die, welche zwischen Mosa[3] und Sequana[4] wohnen an Karl und baten, daß er zu ihnen käme, bevor Lothar das Land in Besitz nähme; auch versprachen sie vor weiterem Handeln seine Ankunft abzuwarten. Karl brach daher

1) Der Verfasser unserer Geschichten. — 2) Ein vornehmer Mann von Karls Partei, vgl. unsere Geschichten B. III. Kap. 4. — 3) Maas. — 4) Seine.

mit nur wenigen schleunigst von Aquitanien auf, und begab sich nach Carisiacum[1], wo er freundlich alle begrüßte, welche von den Karbonarien[2] und anderen Gegenden her zu ihm gekommen waren. Herenfried aber, Gislebert, Bovo und andere, von Odulf verleitet, fielen ihrer Eide spottend, von Karl ab.

3. Um dieselbe Zeit kam ein Abgesandter aus Aquitanien und meldete, daß Pippin mit seinen Anhängern Karls Mutter überfallen wolle; dadurch genöthigt, die Franken sich selbst zu überlassen, befiehlt er ihnen Lothar mit Gewalt entgegen zu treten, wenn dieser vor seiner (Karls) Rückkehr Anstalten treffen sollte, sie zu unterwerfen. Ueberdieß schickte er Hugo[3], Adelhard[4], Gerhard[5] und Hegilo[6] als Gesandten an Lothar; und alles, was er schon früher ihm hatte mittheilen lassen, wiederholend, beschwört er ihn abermals vor Gott und Menschen, daß er ihm nicht die Seinigen abwendig mache, noch das Reich, welches Gott und sein Vater ihm mit seiner, Lothars, eigener Zustimmung übertragen habe, weiter anfeinde und zerstückele. Sobald er diese Anordnungen getroffen hatte, zog er eiligst nach Aquitanien, überfiel Pippin und nöthigte ihn und die Seinigen die Flucht zu ergreifen. Um diese Zeit kehrte Lothar von seinem Zuge gegen Ludwig zurück und da alle aus den Carbonarien zu ihm strömten, hielt er es fürs Beste, nachdem er die Mosa[7] überschritten hatte, bis zur Sequana[8] vorzugehen. Auf dem Wege dahin kamen Hilduin, Abt von St. Dionysius[9] und Gerard, Graf der Stadt Parisius[10] welche von Karl abgefallen waren, zu ihm. Als dies Pippin[11], der Sohn

1) Kiersy — 2) Die Karbonarien waren ein Wald im östlichen Theil der Grafschaft Brabant, von Lovania (Löwen) südlich bis nach Nivigella (Nivelles). — 3) Hugo, Sohn Karls des Großen, Abt von St. Quentin und St. Bertin. — 4) Adelhard, Graf, einer der vornehmsten und mächtigsten Anhänger Karls, dessen noch öfter Erwähnung gethan wird. Vgl. besonders unsere Geschichten B. II. Kap. 10. — 5 und 6) Grafen, Anhänger Karls. — 7) Maas. — 8) Seine. — 9) Hilduin, der bekannte Abt von St. Denis, schon im Jahr 830 mit Lothar befreundet und seiner Partei zugethan, s. oben B. I. Kap. 6, wo von ihm und Gerard berichtet wird, daß sie Karl den Unterthaneneid geleistet hätten. — 10) Parisius ist natürlich das jetzige Paris. — 11) Pippin war ein natürlicher Sohn des 818 wegen seines Abfalls von Ludwig dem Frommen geblendeten Bernhard, des Sohnes von Pippin, älteren Bruders Ludwigs, der aber schon den 8. Juli 810 gestorben war.

Bernhards, des Langobarden-Königs und andere sahen, zogen auch sie es vor nach Sklavenart ihre Treue zu brechen und ihrer Eide sich zu entschlagen, als für einige Zeit ihr Hab und Gut zu verlassen: und treulos denen, die wir genannt haben, folgend, unterwarfen sie sich Lothar. Dieser dadurch übermüthig gemacht, überschritt die Sequana und schickte, wie er zu thun pflegte, von den Seinigen einige voraus, welche die Bewohner zwischen Sequana und Ligeris durch Drohungen und Versprechungen auf seine Seite bringen sollten. Er selbst folgte wie gewöhnlich langsam nach und richtete seinen Marsch nach der Karnutenischen Stadt[1]. Und da er vernommen hatte, daß Theodericus, Ericus und die übrigen, welche beschlossen hatten, sich ihm anzuschließen, auf dem Wege seien, faßte er im Vertrauen auf die Stärke seiner Macht den Entschluß bis zum Ligeris[2] vorzurücken. Auch Karl war unterdeß von der Verfolgung gegen Pippin zurückgekehrt und wandte sich mit seiner Mutter, für die er in Aquitanien keinen Ort wußte, sie sicher unterzubringen, nach Francien.

4. Als er aber hörte, daß alle die obengenannten von ihm abgefallen wären und Lothar beschlossen hätte, seine Verfolgung gegen ihn bis zur Vernichtung zu treiben, hier Pippin, dort die Brittonen gegen ihn in Waffen standen, berief er seine Getreuen zu einer Versammlung, um mit ihnen zu berathen, was zu thun wäre. Und da man zur Berathung zusammengekommen war, fand sich leicht der leichteste Rath. Denn da nichts ihnen übrig geblieben war als ihr Leben, zogen sie es vor lieber mit Ehren zu sterben, als ihren König zu verrathen und zu verlassen. Daher ziehen sie Lothar entgegen; bei der Aurelianischen Stadt[3] treffen sich die Brüder und schlagen kaum sechs Lieus von einander entfernt ihre Lager auf. Man schickt von beiden Seiten Gesandte und zwar forderte Karl aus reiner Gerechtigkeitsliebe Frieden, Lothar aber suchte, durch welche Künste er ohne Schlacht Karl betrügen und überwinden könnte. In dieser Hoffnung indeß getäuscht, er-

1) Chartres, an der obern Eure, im nördlichen Orleans. — 2) Loire. — 3) Orleans.

wartete er, daß seine Truppen wie bisher sich von Tag zu Tag mehren würden, indem er glaubte, dann bei einem Zusammenstoß Karl leicht vernichten zu können. Da aber auch diese Hoffnung sich nicht erfüllte, stand er vom Kampfe ab unter der Bedingung, daß Karl Aquitanien[1], Septimanien, die Provinz[2] und zehn Grafschaften zwischen Ligeris und Sequana[3] erhielte; damit solle er sich begnügen und daselbst seinen Aufenthalt nehmen, bis sie zum achten Mai des nächsten Jahres in Attiniakum[4] wieder zusammenkämen: so lange versprach er beider Bestes fördern und vertreten zu wollen. Auch die Vornehmsten von der Partei Karls, als sie sahen, daß die Anstrengung ihre Kräfte überstiege, stimmten in Besorgniß, daß sie, wenn eine Schlacht geliefert würde, bei ihrer geringen Anzahl den König kaum zu retten vermöchten, jener Verabredung unter der Bedingung bei, daß Lothar sich für die Folge gegen Karl als treuer Freund bewähre, wie ein Bruder gegen den andern zu thun verpflichtet sei, und ihn im ruhigen Besitz der ihm jetzt überwiesenen Länder lasse, auch inzwischen die Feindseligkeiten gegen Ludwig einstelle; falls er dies nicht thue, sollten auch sie ihrerseits von Rechtswegen der eingegangenen eidlichen Verpflichtung entbunden sein. Durch dieses Mittel entziehen sie ihren König der drohenden Gefahr und zwar mit der sichern Aussicht, an ihren Eid nicht für lange gebunden zu sein. Denn bevor noch diejenigen, welche den Schwur geleistet hatten, das Haus verlassen hatten, versuchte Lothar schon einige der Anwesenden von Karls Partei abzuziehen und nahm am andern Tage von Karls Leuten bei sich auf. Auch richtete er alsbald seinen Marsch nach den Gegenden, welche er Karl überlassen hatte und wiegelte daselbst soviel er konnte, Alles auf, sich Karl nicht zu unterwerfen; dann eilte er weiter, um die, welche aus der Provinz zu ihm

1) Das Königreich Aquitanien umfaßte damals außer dem eigentlichen Aquitanien „die geistlichen Provinzen von Bourges und Bordeaux", den Tolosanischen Gau, das Waskonische Land diesseit und jenseit der Pyrenäen, die hier besonders namhaft gemachte Markgrafschaft Septimanien oder Gothien (der Küstenstrich von der Rhone bis zu den Pyrenäen) und die Spanische Mark d. i. die Landschaft zwischen Pyrenäen und Ebro. — 2) Die Provinz ist das, was wir jetzt die Provence nennen. — 3) Loire und Seine. — 4) Attigny.

kamen, an sich zu ziehen, und begann Pläne zu schmieden, wie er Ludwig durch List oder Gewalt unterwerfen könnte.

5. Unterdeß war Karl nach der Aurelianischen Stadt[1] gekom- 841.
men und hatte daselbst Teotbald und Warin[2], welche mit einigen andern aus Burgundia zu ihm kamen, freundlich und mit herzlichem Dank aufgenommen. Von da zog er Bernard[3] entgegen nach der Niverensischen Stadt[4]. Bernard aber in seiner gewöhnlichen Art hatte nicht Wort gehalten und war nicht erschienen, indem er als Entschuldigung anführen ließ, er habe sich Pippin und den Seinigen durch Eid verpflichtet, daß keiner von ihnen ohne des andern Einwilligung mit irgend jemand ein Bündniß eingehen dürfe, er wolle aber sich zu Pippin begeben und werde versuchen, ihn zur Unterwerfung unter Karls Herrschaft zu bewegen, gelinge ihm dies nicht, so verspreche er seinen Schwur zu lösen, innerhalb vierzehn Tagen zu Karl zurückzukehren und ihm sich zu unterwerfen. Karl ging daher um die bestimmte Zeit wiederum Bernard nach Biturica[5] entgegen. Als aber nun Bernhard kam und nichts gethan hatte, erzürnte Karl heftig über all den Schaden, welchen er dem Vater und nun auch ihm zugefügt hatte, und da er besorgte seiner nicht anders habhaft werden zu können, beschloß er ihn plötzlich zu überfallen. Bernard jedoch erhielt hiervon, wenn auch spät, Kunde und rettete sich noch mit Mühe durch die Flucht; von den Seinigen aber wurden viele niedergemacht, andere blieben verwundet und halbtodt liegen, eine große Anzahl wurde gefangen genommen: das ganze Lager aber überließ Karl seinem Heere als Beute. Hierdurch gedemüthigt kam Bernhard bald darauf um Gnade flehend zu Karl, betheuerte, ihm immer treu gewesen zu sein, auch damals, wenn Karl es abgewartet hätte, würde er seine Treue bewiesen haben und trotz der schmachvollen Niederlage, welche er erlitten hätte, möchte Karl dennoch nicht an seiner Ergebenheit für die Zukunft zweifeln. Durch diese Betheuerungen überzeugt,

1) Orleans. — 2) Warin, Graf von Macon. — 1) Bernhard von Septimanien. — 4) Nevers. — 5) Bourges.

beschenkt Karl ihn reichlich, nimmt ihn gnädig unter seine Freunde auf und sendet ihn an Pippin, um, wie er versprochen, diesen zur Unterwerfung unter Karl zu bewegen. Nach diesen Anordnungen begiebt er sich nach der Cenomannischen Stadt[1], um Lantbert Cricus[2] und andere dort an sich zu ziehen. Er hieß sie mit großer Herzlichkeit willkommen und sandte an Nomenoius, den Herzog der Brittannier mit der Anfrage, ob er sich seiner Botmäßigkeit unterwerfen wolle. Und dem Rathe der meisten sich fügend, sendet Nomenäus Geschenke an Karl und verspricht eidlich Karl ferner Treue zu bewahren. Inzwischen war die Zeit der Reichsversammlung, welche er nach Attiniakum[3] berufen hatte, nahe gekommen und Karl überlegte hin und her, wie er mit Bedacht und in gewohnter Treue für sich und die Seinigen handeln müsse. Er berief daher seine Vertrauten, legte ihnen die Verhältnisse dar und verlangte von ihnen Rath und Anweisung, auf welche Weise er und die Seinigen auf das Vortheilhafteste aus dieser trübseligen Lage herausgebracht werden könnten; er erklärt, daß er in allem sich dem öffentlichen Besten fügen wolle; dafür sei er jeden Augenblick bereit, wenn es nöthig sei, sein Leben zu opfern. Ueber dieser Rede wuchs allen der Muth und der Nachstellungen sich erinnernd, welche Lothar zu Lebzeiten seines Vaters diesem und Karl zu bereiten gesucht hatte, welche er jetzt fortfahre seinen Brüdern zu bereiten — hatte er doch eben erst wieder aufs Gröbste die Eide gebrochen, welche er Karl geschworen — erwiederten sie Karl, daß er in Güte suchen möge sein volles Recht von Lothar zu erlangen; es schiene ihnen daher auch rathsam, daß Karl auf jeden Fall sich zu jener Versammlung begebe; wenn sein Bruder Lothar seinem Versprechen gemäß für das öffentliche Wohl sorgen und dasselbe fördern wolle, so könnten sie darüber nur erfreut sein und würden ihn gern als Freund begrüßen; wenn er dies nicht wolle, so möge Karl im Vertrauen auf die Gerechtigkeit seiner Sache und

1) Le Mans, am Einfluß der Hulsne in die Sarthe. — 2) Lantbert, jetzt Freund Karls, später mit den Bretonen verbunden, nachdem er die Grafschaft Nantes an sich gerissen hatte, ein sehr gefährlicher Gegner des Königs. — 3) Attigny.

deshalb auf den Beistand Gottes und seiner Getreuen mit aller Kraft das Reich zu behaupten suchen, welches ihm ihr Vater mit der Getreuen Zustimmung übertragen hätte.

6. Karl befahl daher allen Aquitaniern, die seiner Partei angehörten, mit seiner Mutter ihm zu folgen, ebenso allen, welche aus Burgundia und den Landschaften zwischen Ligeris und Sequana sich zu seiner Herrschaft bekannten, zu ihm zu stoßen. Er selbst schlug mit den wenigen, die gerade anwesend waren, obgleich manche Schwierigkeit drohte, den oben angegebenen Weg ein. Und als er an die Sequana[1] kam, fand er daselbst Guntbold, Warnar, Arnulf, Gerard[2] und alle von den Karbonarien[3], Grafen, Aebte und Bischöfe, die Lothar zurückgelassen hatte, um jeden, der ohne seine Einwilligung über den Fluß gehen wollte, an diesem Plane zu verhindern. Dazu kam noch, daß beim hohen Wasserstand des Flusses alle Furthen unwegsam waren; die Wächter des Flusses aber hatten alle Fahrzeuge zerstört oder in den Grund gebohrt, auch Gerard alle Brücken, die er vorgefunden hatte, abgebrochen. So war der Uebergang auf das Aeußerste erschwert und die, welche übersetzen wollten, sahen sich dadurch in nicht geringe Verlegenheit gesetzt. Während man aber noch bei dieser schwierigen Lage der Dinge in Rathschlägen sich erging, wurde gemeldet, daß Handelsschiffe aus dem Hafen, wo die Sequana[4] ins Meer fließt, bei günstigem Winde fortgeführt wären und bei der Rotomacensischen Stadt[5] lägen. Hierhin eilte Karl und füllte achtundzwanzig Schiffe mit Truppen; er selbst begiebt sich gleichfalls zu Schiff, indem er Abgesandte vorausschickt, um seine nahe Ankunft anzuzeigen, jedem, der sich ergiebt, Verzeihung anzukündigen, denen aber, die nicht wollten, gerechte Strafe anzudrohen. Sie aber achteten dieser Aufforderung nicht; als sie jedoch die Flotte herannahen sahen und das Kreuz, auf welches sie geschworen

1) Seine. — 2) Doch wohl Graf Gerard von Paris. — 3) Vgl. die Anmerkung zu B. II. Kap. 2. — 4) Seine. Die Schiffe waren den Fluß aufwärts bis Rouen gebracht worden. — 5) Rouen.

hatten, sowie Karl selbst erkannten, verließen sie das Ufer und ergriffen die Flucht; sie zu verfolgen war aber nicht möglich, weil die Pferde beim Uebersetzen über den Fluß sich zu lange aufgehalten hatten. Um Gott für dieses glückliche Ereigniß zu danken begab sich Karl nach dem Kloster des heiligen Dionysius, wo er erfuhr, daß die, welche von ihm in die Flucht geschlagen waren, sich mit Arnulf, Gerard[1] und anderen wieder zu einem Heere vereinigt hätten und Teotbald, Warin[2], Otbert und die übrigen, welche der ihnen zugegangenen Weisung gemäß auf dem Wege zu Karl waren, zu überfallen beabsichtigten. Er begab sich daher zum Kloster des heiligen Germanus[3], um daselbst sein Gebet zu verrichten, bricht dann wieder auf und trifft, nachdem er die ganze Nacht hindurch seinen Marsch fortgesetzt hat, mit Tagesanbruch bei dem Einfluß der Luva[4] in die Sequana Warin und seine Begleiter unversehrt an; mit ihnen zieht er nach der Senonischen Stadt[5]. Von hier bricht er Nachts auf, und richtet seinen Marsch auf Utta[6], in der Hoffnung, daß er, wie ihm gemeldet war, die obengenannten[7] in jenem Walde treffen würde, wo er sie, wenn es nur irgend möglich wäre, zu überfallen gedachte. Dies wäre ihm auch gelungen, wenn nicht den um ihr Leben besorgten die drohende Todesgefahr gemeldet worden wäre; und als sie das hörten, ergriffen fast alle bestürzt die Flucht. Da sie Karl nicht verfolgen konnte, weil sowohl die Mannschaften als auch die Pferde ermüdet waren, widmete er den Tag des Abendmahls unseres Heilands der Ruhe und begab sich am andern Tage nach der Stadt der Tricassiner[8].

7. Um dieselbe Zeit, als Karl das, was wir erzählt haben, ausführte, hatte Lotharius, wie schon gesagt, sein ganzes Dichten

1) Graf von Paris. — 2) Graf von Macon. Vgl. B. II. Kap. 5. im Anfang. Er war mit seinen Begleitern wohl von Orleans direct nach der Seine in östlicher Richtung gegangen. — 3) Das Kloster St. Germain. — 4) Der Loing entspringt auf den Höhen um Auxerre, fließt bei Barbeau in die Seine. — 5) Sens an der Yonne. — 6) La fôret d'Otte, zwischen Sens und Troyes, von Yonne und Venne eingeschlossen. — 7) Nämlich Arnulf, Gerard und die übrigen. — 8) Troyes an der Seine.

und Trachten darauf gesetzt, Ludwig durch List oder Gewalt sich zu unterwerfen, oder was er noch mehr wünschte, ganz zu vernichten. Zur Ausführung dieses Plans rief er Otgar, Bischof von Magontia[1] und Adelbert, Graf der Metenser[2], zu sich, da er wußte, daß beide einen tödtlichen Haß gegen Ludwig hegten. Und der Gedanke, zur Vernichtung des Bruders beizutragen, schien Adhelbert, der schon fast ein Jahr lang krank darnieder lag, wie neu belebt zu haben; seine Klugheit und sein Rath galten aber auch damals so viel, daß niemand der von ihm geäußerten Ansicht zu widersprechen wagte. Auf seinen Antrieb sammelte Lothar von allen Seiten ein gewaltiges Heer und ging über den Rhein, wie gewöhnlich Abgesandte vorausschickend, welche durch Drohungen oder Versprechungen das schwankende Volk zum Abfall von Ludwig verleiten sollten. Das Heer aber, welches bei Ludwig war, in Furcht, daß es einer solchen Macht nicht widerstehen könnte, verließ zum Theil seinen Herrn und ging zu Lothar über, oder ergriff die Flucht, so daß Ludwig sich in verzweifelter Lage befand. Dieser zog sich daher, da er jeder andern Hülfe entbehrte, mit Wenigen nach Bajora[3]. Weil dieses Mißgeschick Ludwig begegnet war, glaubte Lothar, daß derselbe ihm nicht den geringsten Widerstand mehr würde leisten können; er läßt indeß Herzog Adelbert, den wir oben erwähnt haben, zurück, um das Volk durch den Eid der Treue an Lothars Herrschaft zu fesseln und auf jede Weise eine Vereinigung Ludwigs mit Karl zu verhindern. Er selbst aber eilte Karl entgegen, der, wie er erfahren hatte, die Sequana überschritten hatte; zuvörderst jedoch schickte er Abgesandte voraus, um sich nach dem Stand der Dinge, wo und mit wie vielen Karl stände, zu erkundigen, während er sich zur Feier des Osterfestes nach Aachen begiebt.

8. Ein wunderbares und erwähnungswerthes Ereigniß begegnete Karl an diesem heiligen Feste. Weder er selbst noch irgend einer aus seiner Begleitung hatte etwas mehr bei sich, als die

1) Mainz. — 2) Metz. — 3) Baiern.

Kleidungsstücke, welche sie gerade trugen, ihre Pferde und ihre Waffen. Als er nun aus dem Bade stieg und die vorher abgelegten Kleider wieder anziehen wollte, standen plötzlich vor der Thür Gesandte, aus Aquitanien gekommen, welche eine Krone und alles was zum königlichen sowie geistlichen Schmuck gehört, dem König überbrachten. Wer erstaunt nicht, daß wenige unbekannte Männer durch so weite Länderstrecken, da überall Raub und Mord herrschten, soviel Talente Goldes, solche ungeheure Menge von Edelsteinen zu bringen vermochten, und was mir das Merkwürdigste scheint, daß sie gerade an den bestimmten Ort zum bestimmten Tag und zur bestimmten Stunde kommen konnten, da nicht einmal Karl zur bestimmten Stunde anzugeben vermochte, wo er und die Seinigen zufällig sein würden. Dies Ereigniß erschien allen als eine besondere Gnade und als ein besonderer Fingerzeig Gottes und erregte darum bei allen Kriegsgenossen das größte Staunen und flößte allen sichere Hoffnung auf Rettung ein. Und in großem Jubel feierten Karl und seine Begleiter das heilige
841. Fest. Nachdem dies vorüber, empfing er sehr gnädig Lothars Gesandte und lud sie ein mit ihm zu speisen; für den andern Tag aber bat er sie wiederzukommen und versprach ihnen Antwort auf das, was ihm sein Bruder hatte entbieten lassen. Lothar nämlich ließ durch seine Gesandten fragen, warum Karl ohne seine Einwilligung die ihm bestimmten Grenzen überschritten hätte, und weil er dies gethan ihn auffordern, da, wo ihn seine Gesandten treffen würden, Halt zu machen, bis ihm mitgetheilt wäre, ob er an den festgesetzten Ort oder einen andern, der geeigneter schiene, kommen solle. Karl erwiederte hierauf durch die Seinigen, daß er um deßwillen die festgesetzten Grenzen verlassen habe, weil Lothar von allem dem, was er versprochen und eidlich gelobt, nichts gehalten hätte. Denn von Karls Leuten hatte er wider das gegebene Wort mehrere zu sich hinübergezogen, andere seiner Botmäßigkeit unterworfen, wieder andere tödten lassen; außerdem hatte er die Reiche, zu deren Unterwerfung er Karl beistehen sollte, soviel er konnte gegen ihn aufgewiegelt und was das Gewichtigste, gegen seinen Bruder Ludwig

Krieg geführt, so daß dieser genöthigt worden war, bei den Heiden Hülfe zu suchen. Trotzdem daß die Dinge so ständen, wolle er zu der Zusammenkunft, welche sie verabredet hätten, kommen, und solle es ihm lieb sein, wenn dort Lothar zeige, daß er des Reichs Wohl und Beste nach seinem Versprechen fördern und gründen wolle, sei dies aber nicht Lothars Absicht, so werde er in Betreff des Reichs, was Gott und sein Vater ihm gegeben hätte, in allen Stücken nach dem Willen Gottes den Rathschlägen seiner Getreuen folgen. Nachdem er dies geordnet, bricht er auf und kommt noch einen Tag früher an, als verabredet war. Absichtlich aber schob Lothar sein Eintreffen von einem Tag zum andern heraus, nur schickte er mehrmals Gesandte mit mannigfacher Klage, und sah sich vor, daß nicht etwa Karl unvermuthet ihn überfiele.

9. Inzwischen waren von Ludwig Gesandte gekommen, die meldeten, daß Ludwig, wenn er irgend wüßte, wie es zu veranstalten wäre, Karl zu Hülfe kommen wolle. Karl ließ erwiedern, daß er der Hülfe des Bruders dringend bedürfe, ließ ihm vielmals für seinen guten Willen danken und schickte jene Gesandten sogleich zurück, damit sie die Angelegenheit so viel wie möglich beschleunigten. Nachdem er nun in Attiniakum vier oder mehr Tage auf Lothars Ankunft gewartet hatte und dieser nicht erschien, beruft er einen Rath und fragt, was bei dieser Lage der Dinge zu thun sei. Einige sprachen darauf, er solle seiner Mutter, die mit den Aquitaniern im Anzuge sei, entgegen gehen; die Mehrzahl aber rieth entweder Lothar anzugreifen, oder seine Ankunft da, wohin er kommen zu wollen erkläre, zu erwarten; und diesen Rath gaben sie besonders deshalb, weil wenn Karl irgendwo anders sich hinwenden wollte, die Gegner sich rühmen würden, ihn zur Flucht genöthigt zu haben; Lothar und die Seinigen würden dann nur noch kühner werden und die, welche bisher aus Furcht keine Partei ergriffen hätten, Lothar sich in großer Anzahl anschließen. Und so geschah es. Denn nach langem Kampfe siegte erstere Ansicht; und demzufolge begab sich Karl nach der Cadhellonischen

Stadt[1]. Als er dort mit der Mutter und den Aquitaniern sich vereinigt hatte, wird plötzlich gemeldet, daß Ludwig Adelbert[2], den Herzog der Austrasier, in der Schlacht besiegt hatte, daß er im Begriff sei über den Rhein zu gehen und sobald er könne Karl zu Hülfe kommen wolle. Und da sich diese Nachricht schnell durch das ganze Lager verbreitete, wurde alles frohen Muthes und rieth man möchte Ludwig entgegen ziehen. Als Lothar von dem was geschehen[3] Kenntniß erhalten hatte, verkündet er, Karl habe die Flucht ergriffen und er werde sobald es möglich sei ihn verfolgen; diese Nachricht erfreute und ermunterte die Getreuen, gab den Schwankenden den Muth zu Lothar zu kommen und band sie fester an seine Partei. Als Karl erfuhr, daß er von Lothar verfolgt werde, eilte er sogleich, da er sein Lager an einem von Sümpfen und Wasser umgebenen festen Ort aufgeschlagen hatte, dem Bruder entgegen, damit sie ohne alle Schwierigkeit, wenn Lothar wollte, zusammenkommen könnten. Auf diese Nachricht schlug Lothar sein Lager auf und gönnte den ermatteten Pferden zwei Tage Ruhe. Während sie aber zu öfterem Gesandte zu einander geschickt hatten, ohne zu einem gedeihlichen Erfolg ihrer Berathungen zu kommen, hatten sich Karl und Ludwig immer mehr einander genähert, und als sie sich endlich trafen, besprachen sie alle die Uebel, welche Lothar ohne Maaß und Ziel an ihnen und den Ihrigen verübt hatte; was aber für die Folge dem gegenüber zu thun sei, verschoben sie zur Berathung für den nächsten Tag. Mit Anbruch des Tages kamen sie darauf zusammen und hielten Berathung, in der sie viel über diese traurige und trübselige Lage des Reiches hin und hersprachen. Und nachdem sie beide berichtet hatten, was wieviel und wie schweres sie vom Bruder erduldet hatten, waren alle einmüthig der Ansicht, daß man sowohl aus dem heiligen Stande der Bischöfe als dem Laienstande edle, kluge und wohlgesinnte Männer erwählen möge, welche alles was der Vater angeordnet hatte und

1) Chalons. – 2) Der obengenannte Graf von Metz, den Lothar auf dem rechten Rheinufer zurückgelassen hatte. — 3) Dies gehört der Zeitordnung nach alsbald hinter die Erzählung von Karls Abzug nach Chalons.

alles, was sie seit dem Tode des Vaters von ihnen erlitten hatten, Lothar vorstellen und ihn beschwören sollten, daß er des allmächtigen Gottes eingedenk seinen Brüdern und der gesammten Kirche Gottes Frieden gewähre; auch sollten sie ihm, damit er ihren gerechten Forderungen nachgäbe, alles anbieten, was mit Ausnahme der Pferde und Waffen, von Werth im Lager zu finden wäre. Wolle er diesen Ermahnungen und Bitten Gehör geben, so seien sie befriedigt; wenn nicht, so hofften sie ohne Zweifel auf Gottes Beistand, da sie nichts als das Rechte wollten und dem Bruder in Demuth solche Vorschläge machten. Und da sich dieser Antrag, wie gesagt, des allgemeinen Beifalls erfreute, wurde er sogleich ausgeführt.

10. Dies alles aber wies Lothar als nichtssagend von der Hand; er ließ durch die Seinigen ankündigen, daß er eine Schlacht und weiter nichts fordere und brach auch sogleich auf, um Pippin, der von Aquitanien aus heranzog, entgegenzugehen. Als dies Ludwig und die Seinigen erfahren hatten, wurden sie gewaltig darüber aufgebracht, und obgleich von der Länge des Marsches, durch Kämpfe und andere Schwierigkeiten ermattet, sowie besonders wegen Mangels an Pferden in Verlegenheit, beschlossen sie dennoch, in Besorgniß, wenn er als Bruder dem Bruder nicht Hülfe leiste, den Nachkommen ein schimpfliches Andenken zu hinterlassen, lieber jedes Elend, wenn es Noth thäte zu ertragen, als den reinen, unbefleckten Namen zu verlieren. Und sie warfen hohen Sinnes ihre Traurigkeit von sich, ermahnten und erheiterten einander und zogen in Eilmärschen vorwärts um Lothar schnell zu erreichen. Als nun unvermuthet bei der Alciodorensischen Stadt[1] beide Heere einander ansichtig wurden, rückte Lothar in Furcht, daß nicht etwa beide Brüder sogleich sich auf ihn stürzen möchten, mit seinen Truppen aus dem Lager. Da dies die Brüder bemerkten, ließen sie einen Theil ihrer Mannschaft zurück, um das Lager abzustecken, sammelten ihre Schaaren um sich und eilten ohne Verzug Lothar

1) Auxerre.

entgegen. Indeß schicken sie gegenseitig Gesandte und schließen für die Nacht Waffenruhe. Die Lager waren ungefähr drei Lieus von einander entfernt; zwischen ihnen lag ein kleiner Sumpf und eine waldige Anhöhe, beiden Theilen Schutz gegen den Angriff der Gegner gewährend. Mit Anbruch des Tages schicken Ludwig und Karl abermals Gesandte an Lothar: es sei ihnen sehr schmerzlich, lassen sie ihm sagen, daß er den Frieden abgeschlagen habe und die Schlacht fordere; da er es aber wolle, so möge es denn, wenn es nicht anders ginge, geschehen, aber alles ohne Trug und Hinterlist gethan werden. Und zwar sollten sie zuerst unter Fasten und Beten Gott anrufen, dann aber jedem, der von der einen zur andern Seite übergehen wollte, Ort und Gelegenheit dazu bieten, so daß, nachdem jedes Hinderniß von seiner und ihrer Seite entfernt wäre, sie ohne alle Täuschung und Hinterlist zum Kampf zusammenkommen könnten; wenn er es wolle, sollten die Gesandten dies eidlich geloben, wenn nicht, so bäten sie, daß er ihnen dies bewillige und eidlich versichern möge. Lothar aber versprach nach seiner gewöhnlichen Art, er werde durch die Seinigen antworten; brach jedoch, sobald die Gesandten zurückgekehrt waren, aus dem Lager auf und wandte sich nach dem Ort, der Fontanetum heißt, um dort eine feste Stellung zu nehmen. An demselben Tage hatten aber auch die Brüder, Lothar folgend, sich auf den Weg gemacht, überholten ihn und schlugen bei dem Ort, der Tauriacus heißt, ihr Lager auf. Am andern Tage rückten beide Heere, zur Schlacht gerüstet, aus dem Lager, noch einmal aber sandten Ludwig und Karl an Lothar, erinnerten ihn an das Band brüderlicher Liebe, welches sie verbinde, baten ihn, die Kirche Gottes und das ganze christliche Volk in Frieden zu lassen, ihnen die vom Vater mit seiner Beistimmung übertragenen Reiche nicht zu rauben; er möge das Seinige behalten, was ihm der Vater nchit aus Verdienst, sondern allein aus Barmherzigkeit gegeben hätte. Und als Geschenk boten sie ihm Alles, was, Pferde und Waffen ausgenommen, im Lager von Werth zu finden wäre; wolle er hierauf nicht eingehen, so böten sie ihm jeder einen Theil ihres Reichs, der eine bis zu den

Carbonarien, der andere bis zum Rhein; wolle er auch dies nicht, so solle ganz Francien in gleiche Theile zerlegt werden und welche Lande er wähle, die sollten ihm unterthan sein. Lothar erwiederte hierauf wie gewöhnlich, er werde durch die Seinigen seine Entscheidung über diese Vorschläge mittheilen lassen; darauf schickte er auch Drogo, Hugo und Hegibert und läßt sagen, derartige Vorschläge seien ihm bisher noch nicht gemacht worden; er bedürfe daher zu ihrer Erwägung Zeit; in Wahrheit aber stand es so, daß Pippin nicht gekommen war, und er durch diesen Aufschub hoffte solange Zeit zu gewinnen, bis er sich mit ihm hätte vereinigen können. Trotzdem hieß er Ricuin, Hirmenald und Friedrich eidlich versichern, daß nichts anderes ihn bewege um diese Waffenruhe nachzusuchen, als weil er glaube dadurch das allgemeine Beste, das Wohl der Brüder, sowie des gesammten Volkes, wie es die Pflicht gegen jene und das Volk Christi fordere, fördern zu können. Durch diese Versicherungen getäuscht, kehrten Karl und Ludwig, nachdem die Waffenruhe beschworen war, in ihr Lager zurück und blieben daselbst diesen, den folgenden Tag und bis zur zweiten Stunde des dritten Tages, der auf den fünfundzwanzigsten Juni fiel. Am folgenden Tag aber wollten sie das Fest des heiligen Johannis feiern. Am Johannistage hatte Lothar seinen Neffen Pippin zur Unterstützung an sich gezogen und ließ seinen Brüdern sagen, sie möchten, da sie wüßten, daß ihm der kaiserliche Name mit der ganzen Macht, die damit verbunden, verliehen worden wäre, auch daran denken und dafür sorgen, daß er die schweren und hohen Pflichten seiner Stellung erfüllen könne; im Uebrigen sei er durchaus nicht blos auf seinen und Pippins Vortheil bedacht. Als aber die Gesandten gefragt wurden, ob Lothar geneigt sei, auf die ihm gemachten Anerbietungen einzugehen oder ihnen aufgetragen hätte eine bestimmte und entscheidende Erklärung abzugeben, erwiederten sie, daß ihnen nichts der Art aufgetragen wäre. Da nun damit jede Hoffnung auf Gerechtigkeit und Friede von Seiten Lothars verschwunden scheinen mußte, ließen sie ihm entbieten, daß wenn er keine andere Entscheidung fasse oder keinen

3*

der von ihnen gemachten Vorschläge annähme und sie bis zum andern Tage — der, wie gesagt auf den fünfundzwanzigsten Juni fiel — bis zur zweiten Stunde nicht Antwort wissen ließe, so würden sie kommen zum Gottesurtheil, zu dem er sie ohne und wider ihren Willen herausfordere. Seinem Wesen getreu verwarf Lothar hochmüthig diese Anträge und erwiederte, er werde schon wissen, was er zu thun habe. (Während ich dies am Ligeris[1] im Kloster des heiligen Fluduald us[2] schrieb, trat am achtzehnten October in der ersten Stunde im Scorpion eine Sonnenfinsterniß ein.) Nach dieser abschlägigen Antwort erhoben sich Karl und Ludwig mit ihrem Heere in der Dämmerung des fünfundzwanzigsten Juni; bemächtigten sich mit einem Drittheil ihrer Truppen eines dem Lager Lothars nahen Berges und erwarteten seine Ankunft bis zur zweiten Stunde, nach dem Schwur, welchen die Ihrigen geleistet hatten. Und als er mit der zweiten Stunde erschienen war, schlugen sie im harten Kampfe die Schlacht am Bach der Burgundionen. Und zwar trafen Ludwig und Lothar an dem Orte, welcher Brittas heißt, auf einander; Lothar aber wurde geschlagen und ergriff die Flucht; der Theil aber des Heeres, mit dem Karl an dem Orte, welcher Fagit genannt wird, kämpfte, floh gleichfalls in kurzer Zeit; der Theil jedoch, welcher sich im Solennat auf Herzog Adhelard und die Uebrigen, denen ich mit Gottes Beistand nicht geringe Hülfe geleistet habe, geworfen hatte, hielt festen Stand so daß der Sieg lange schwankte; endlich aber flohen alle von der Partei Lothars[3].

1) Loire. — 2) Vielleicht St. Claude oberhalb Blois. — 3) Fontanetum, wohin Lothar von Auxerre aus ging, lag etwa neun Lieus südlich von dieser Stadt, an dem Flüßchen Andria (der Bach der Burgundionen) das unweit von Fontanetum in einem Dorfe, Drüye mit Namen, entspringt. Der heutige Name für Fontanetum ist Fontenaille. Während Lothar südlich zog, wandten sich seine Brüder, wohl um ihm den Weg nach Westen über die Höhen, resp. über die Loire nach Aquitanien abzuschneiden, mehr westlich von Auxerre nach dem Ort Tauriacus, jetzt Türy, sieben Lieus von Auxerre, von Lothar durch den Höhenzug getrennt, der sich von Auxerre aus südwestlich als Wasserscheide zwischen Loire und Yonne hinzieht. Am Morgen des fünfundzwanzigsten verließen Ludwig und Karl ihre Stellung bei Tauriacus und gingen über die Höhen, deren hervorragendsten Punkt, la montagne des alouettes, sie besetzten, nach der im Osten sich ausbreitenden Ebene. Lothar war inzwischen von Fontanetum aus über den Bach der Burgundionen, Riuda, jetzt Andrie, gegangen und hatte auf der

Und mit dem Ende der ersten Schlacht, welche Lothar geliefert und verloren hat, schließe das zweite Buch meiner Geschichten.

Höhe des etwas dergigen linken Ufers bei Brittas, Bretignelles, seine Stellung genommen, während er den rechten Flügel nordwestlich nach Solennat, welcher Ort den Eingang zum Thalweg der Andrie beherrschte (jetzt Coulenne), den linken südwestlich nach einem Punkte auf der Straße nach Auxerre, Fagit, le Fay, vorgeschickt hatte. In dieser Position wurde er, wie aus der obigen Beschreibung ersichtlich, im Centrum von Ludwig, auf dem rechten Flügel von Adhelard, auf dem linken von Karl angegriffen. Die Nachrichten, welche uns andere Quellen dieser Zeit über die Schlacht von Fontanetum geben, sind meist sehr dürftig und beschränken sich auf Redensarten über das entsetzliche Blutvergießen in dieser Schlacht und das grausame Schauspiel Bruder gegen Bruder kämpfen zu sehen. Rudolph von Fulda sagt zum Jahr 841: „Und es kam zur gewaltigen Schlacht zwischen ihnen am 25. Juni, und solches Morden geschah von beiden Seiten, daß unser Geschlecht sich nicht erinnert, je von einer solchen Vernichtung des Frankenvolkes gehört zu haben.“ Aehnlich Prudentius von Troyes, Annalen von St. Bertin zum Jahre 841: „Als Lothar auf keine Weise sich zu brüderlicher Eintracht und zum Frieden bestimmen lassen wollte, zogen ihm seine Brüder entgegen und griffen ihn am 25. Juni, einem Sabbath, in der Frühe an, und viele blieben von beiden Seiten, viele wurden in die Flucht geschlagen, Lothar aber wurde besiegt und entfloh mit Schande bedeckt.“ Abt Regino sagt in seiner Chronik: „Im Jahre 841, seit der Geburt Christi, sammelten Ludwig und Karl, aufgebracht, daß sie ihres väterlichen Reiches beraubt waren, von allen Seiten ein Heer und griffen ihren Bruder bei Fontaniacum an. Und in dieser Schlacht wurden die Kräfte der Franken so geschwächt und ihr gepriesener Muth so gebrochen, daß sie in der Folge nicht nur nicht zur Erweiterung der Grenzen des Reiche, sondern nicht einmal zu deren Bewachung hinreichten. Zuletzt siegten Karl und Ludwig nicht ohne großen Verlust auf ihrer Seite.

Andere Quellen lassen selbst den Sieg unentschieden, was ohne Zweifel falsch ist; in einem Gedicht auf diese Schlacht von einem gewissen Angilbert, rühmt dieser, ein begeisterter Anhänger Lothars, die Tapferkeit seines Kaisers: „Gottes mächtige Rechte schützte Lothar; mit seinem Schwerte siegte er und kämpfte tapfer; hätten die anderen so gekämpft, bald würde Eintracht sein.“ Weiter sagt er dann in andern Strophen: „Diese schreckliche Unthat aber, welche ich in Versen beschrieben, habe ich Angilbertus gesehen mit den andern kämpfend. Von Vielen bin ich der einzige übrig geblieben aus der ersten Schlachtreihe am Bach. Nach der Tiefe des Thals habe ich zurückgeblickt und dem Scheitel des Berges, wo der tapfere König Lothar seine Feinde bekämpfte, den Fliehenden bis zum Ursprung des Baches folgend. u. s. w.“ Als einen Haupttheilnehmer an der Schlacht nennt das Chroniken Aquitanicum den öfter im Nithard erwähnten Warin, Grafen von Macon: „Kaiser Lothar lieferte gegen seine Brüder Karl und Ludwig eine Schlacht bei Fontanetum und ergriff die Flucht, von Warin, dem Herzog der Provinz, im Kampfe überwunden. Die Bezeichnung Herzog der Provinz (Provence) weist jedenfalls darauf hin, daß viele Provencalen am Kampfe gegen Lothar Theil nahmen, dem sie auch noch später, nach dem Vertrag von Verdün, als sie unter seine Herrschaft gekommen waren, viele Sorge bereiteten.

Das dritte Buch.

Wenn es mich schon verdrießt, von unserem Geschlecht trauriges zu hören, so mußte es mich noch weit mehr schmerzen, selbst davon zu berichten; deshalb gedachte ich, als das erwünschte Ende des zweiten Buches gekommen war, damit überhaupt mein Werk zu beschließen. Daß aber nicht irgend jemand, wer weiß auf welche Art getäuscht, die Geschichte unserer Tage anders als sie gewesen darzustellen unternehme, habe ich mich entschlossen, aus meinen Erlebnissen ein drittes Buch hinzuzufügen.

1. Nachdem die Schlacht, wie wir berichtet haben, geschlagen war, begannen Ludwig und Karl auf dem Schlachtfelde zu berathen, was mit den Feinden zu thun sei. Und einige von Zorn getrieben riethen zur Verfolgung derselben, andere aber und zumeist die Könige selbst hatten Erbarmen mit dem Bruder und dem Volk und wünschten frommen Herzens, daß die vom Gericht Gottes und dieser Niederlage Betroffenen von ihren ungerechten Absichten zurückkämen und mit Gottes Gnade fernerhin alle in wahrer Einigkeit sich verbänden. Daher riethen sie, in dieser Angelegenheit die Barmherzigkeit des allmächtigen Gottes walten zu lassen. Und da die übrige Menge dem beistimmte, standen sie von der Schlacht und der Plünderung ab und kehrten ungefähr um Mittag ins Lager zurück um zu berathen, was fernerhin zu thun sei. War aber die Menge der Beute und des Blutvergießens ungeheuer und gewaltig, so war die Barmherzigkeit der Könige und des Volks noch wunderbarer und preiswürdiger. Aus manchen Gründen beschlossen sie den Tag des Herrn daselbst zu feiern. Und als die Messe

gehalten war, begruben sie ohne Unterschied Freunde und Feinde, Getreue und Ungetreue und pflegten nach besten Kräften die Verwundeten und Halbtodten. Dann schickten sie denen, welche auf der Flucht waren, Boten nach und ließen allen, welche zur Treue zurückkehren wollten, Verzeihung für Alles geschehene anbieten. Darauf betrauerten die Könige und Völker den Bruder und das christliche Volk und ließen bei den Bischöfen anfragen, was in dieser Sache weiter zu thun wäre. Darauf kamen alle Bischöfe zur Berathung zusammen und in öffentlicher Versammlung sprachen sie dies als ihre Ansicht aus: man habe allein für Recht und Billigkeit gekämpft, der Sieg sei offenbar allein durch Gottes Gericht gewonnen und daher jeder bei diesem Ereigniß, so der Berather, wie der Vollstrecker für Gottes Diener und Werkzeug zu halten; jeder aber, der von Zorn, Haß, eitler Ruhmsucht oder einer andern sündigen Leidenschaft getrieben in diesem Kampf gerathen oder das Schwert geführt habe, solle im Geheim Beichte über seine verborgene Sünde ablegen und nach dem Maaße seiner Schuld gerichtet werden; zur Verherrlichung aber und zur Lobpreisung solcher Offenbarung der göttlichen Gerechtigkeit, zur Vergebung der Sünden für die gefallenen Brüder — denn sündig und unvollkommen wenn die Versuchung genaht, hätten sich jene alle gewußt und in vielen Dingen wissend oder unwissend gefehlt, — damit sie durch Gottes Gnade von denselben erlöst würden, und zugleich, daß wie bisher Gott ihnen überall als ein Helfer und Retter in der Gerechtigkeit zur Seite stehen möge; für dieses Alles wurde ein dreitägiges Fasten angesagt und von Allen freudig und feierlich begangen.

2. Nachdem dies vollbracht war, beschloß Ludwig nach dem Rhein zu gehen; Karl aber hielt neben andern Gründen, besonders um Pippin sich zu unterwerfen, für das Beste sich nach Aquitanien zu wenden. Bernhard, der Herzog von Septimanien war, obwohl nur drei Lieus vom Kampfplatze entfernt, keiner der streitenden Parteien zu Hülfe gekommen, als er aber von Karls Sieg hörte, schickte er seinen Sohn Wilhelm

an ihn und hieß ihm dem König Karl unter der Bedingung sich zu unterwerfen, daß dieser ihm die Ehren, welche er in Burgund inne hatte, lassen wolle. Auch ließ er ruhmredig sagen, es stände in seiner Macht und er sei bereit Pippin und die Seinigen zur Unterwerfung unter Karl zu bewegen. Karl empfing diese Gesandtschaft sehr freundlich und gewährte Alles, um was Bernhard gebeten hatte; zugleich aber ließ er ihn ermahnen sein Versprechen in Bezug auf Pippin nach Kräften zu erfüllen. Und da von allen Seiten die Feinde zersprengt waren und überall Hoffnung auf Glück und Friede blühte, zog Ludwig mit den Seinigen nach dem Rhein, Karl aber ging mit seiner Mutter nach dem Ligeris[1]. Aber das Wohl des Staats behielt man nur zu wenig im Auge und ließ jedem Freiheit zu thun, wozu Begierde und Leidenschaft antrieb. Da Pippin von diesen Anordnungen hörte, stand er an das vorher so gewünschte Bündniß mit Karl abzuschließen und als Bernhard kam, fühlte er durchaus keine Neigung sich ihm zu ergeben. Einige zwar fielen von Pippin ab; dies war aber auch der einzige Nutzen, den jener Feldzug Karln brachte. Inzwischen waren Adelhard und die Uebrigen, welche Karl an die Franken gesendet hatte, um sie zu fragen ob sie zu ihm zurückkehren wollten, nach Karislacum[2] gekommen, wohin die Franken Karln gebeten hatten, seine Gesandten zu schicken, fanden aber nur wenige anwesend, welche erklärten, daß sie, wenn Karl selbst gekommen wäre, gern ihm sich angeschlossen haben würden; so aber wüßten sie nicht einmal, ob er noch am Leben sei oder nicht. Es hatten nämlich die von Lothars Partei das Gerücht verbreitet, daß Karl in der Schlacht gefallen, Ludwig aber verwundet und in die Flucht geschlagen wäre. Sie meinten daher es sei unüberlegt, bei ungewissen Verhältnissen mit irgend jemand ein Bündniß zu schließen. Guntbold aber und die Uebrigen machten Miene die genannten Gesandten überfallen zu wollen und hätten es gethan, wäre ihnen der Muth zu solcher That nicht wieder entfallen. Deshalb schick-

1) Loire. — 2) Kiersy.

ten Adhelard und die Uebrigen an Karl und ließen ihn bitten, sobald wie möglich selbst zu kommen, sowohl um ihnen Hülfe zu bringen, als um zu erforschen ob es wirklich der Franken Wille wäre, wie sie vorgaben, sich ihm anzuschließen. Sie selbst aber begaben sich nach der Stadt Parisii, um daselbst Karls Ankunft zu erwarten. Als Karl hiervon Kunde erhielt, brach er alsbald nach jenen Gegenden auf. Und da er an die Sequana[1] kam, traf er Adhelard und die Uebrigen in Spedonna[2], und obgleich etwas besorgt, daß er vielleicht die nahe Zusammenkunft, welche er mit seinem Bruder auf den ersten September in der Stadt der Lingonen[3] verabredet hatte, verfehlen könnte, hielt er es doch für gerathen, im schnellen Marsche über die Balvarensische Stadt[4], dann über Compendium[5] und Suessiones[6], von da über die Remensische[7] und die Cabelonensische[8] Stadt nach der Stadt der Lingonen zu gehen, indem er hoffte so der mit seinem Bruder getroffenen Verabredung nachkommen und zugleich allen Franken, welche wollten, Gelegenheit geben zu können, sich ihm anzuschließen. Aber die Franken ebenso wie die Aquitanier Karls geringe Macht verachtend, wußten sich mit allen möglichen Vorwänden der Unterwerfung für jetzt zu entziehen. Als dies Karl sah, eilte er auf dem angegebenen Wege so schnell er konnte, vorwärts. Und da er nach der Stadt Suessiones gelangte, kamen die Mönche des Klosters vom heiligen Medardus und baten ihn, daß er die Gebeine des heiligen Medardus, Sebastian, Gregor, Tiburcius, Petrus und Marcellinus, Marius, Martha, Audifar und Abakus, Honesimus, Mercesina und Leocadia, Marianus, Pelagius und Maurus, des Florianus mit seinen sechs Brüdern, des Gildardus, Serenus und des Erzbischofs Remigius von Rotomagi[9] in die Kirche, in welcher sie jetzt ruhen, und welche schon damals zum größten Theil erbaut war, übertragen möchte. Und er blieb daselbst auf ihre Bitten und trug auf den eigenen Schultern mit aller Ehrfurcht die Ge-

1) Seine. — 2) Espan für Maubre, unweit vom Einfluß der Maubre in die Seine. — 3) Langres. — 4) Brauvais. — 5) Compiegne. — 6) Soissons. — 7) Rheims. — 8) Chalons für Marne. — 9) Rouen.

beine der Heiligen in die Kirche[1]; auch schenkte er jener Kirche durch ein Edict ein Dorf, welches Bernacha[2] heißt. Hierauf zog er nach der Remensischen Stadt[3]; hier angekommen erhielt er die Nachricht, daß Ludwig zu der Zusammenkunft, welche sie in der Lingonischen Stadt[4] verabredet hatten, nicht erscheinen könne, weil Lothar in sein Reich einzubrechen drohe; auch ließen Hug, sein Oheim[5], und Gislebert, Graf der Mansuarier[6], melden, daß sie, wenn Karl in ihre Gebiete käme, mit den Uebrigen zu ihm stoßen würden.

3. Er richtete daher, sowohl um dem Bruder zu Hülfe zu eilen, als jene, welche zu ihm kommen wollten, an sich zu ziehen, seinen Marsch nach dem Kloster des heiligen Quintinus[7]. Hier traf er Hugo, wie dieser angekündigt hatte, und wandte sich dann nach der Gegend von Trajectum[8]. Sobald dies aber Lothar hörte, gab er seine Pläne gegen Ludwig, den er anzugreifen Willens gewesen war, auf und eilte von Wormatia[9] zur Versammlung, welche er in dem Freigut des Theodo[10] angesagt hatte; und alsbald dachte er daran, wie er Karl überfiele. Sobald Karl hiervon in Vasiticum[11] Kenntniß erhalten hatte, sandte er Hugo und Adhelard an Gislebert und die Uebrigen, um sie, wenn es irgend möglich wäre, für sich zu gewinnen. Auch schickte er den Rabano an Ludwig und ließ ihm sagen, daß er ihm zu Hülfe nach dieser Gegend geeilt wäre. Lothar aber, als er solches erfahren, hätte sich von Ludwig nun abgewendet und rüste, um ihn nun wieder andrerseits mit allen seinen Truppen anzugreifen. Daher bitte und beschwöre er den Bruder, daß er sobald er könne ihm in alter Treue und Liebe Beistand leisten möge. Außerdem schickte er den ehrwürdigen Bischof Eremeno[12] an Lothar und hieß ihn denselben demüthig bitten

1) Dies geschah den siebenundzwanzigsten August 841. — 2) Braine, königliches Gut an der Vesle, einen Zuschuß der Aisne. — 3) Rheims. — 4) Langres. — 5) Hug, Ludwigs des Frommen Bruder, der Abt von St. Quentin und St. Bertin. — 6) Die Grafschaft Mansuarla lag westlich des oberen Masage, am linken Ufer der Maas, im Süden war sie von Haspengau, im Norden vom oberen Lorandrien begrenzt. — 7) St. Quentin. — 8) Mastricht. — 9) Worms. — 10) Thionville, Diedenhofen. — 11) Vielleicht Bassy, ein Städtchen in der Champagne. — 12) Bischof von Noyon.

und beschwören, daß er sich erinnern möge, wie er Karl ja sein Bruder und Sohn sei, daß er sich erinnern möge dessen, was der Vater zwischen ihnen festgesetzt, und was er sowohl wie die Seinigen zu halten eidlich gelobt hätten; er möge sich doch endlich erinnern, wie noch jüngst durch Gottes Gericht des Allmächtigen Wille zwischen ihnen offenbar geworden sei, und wenn er all' dies nicht beachten wolle, so möge er wenigstens abstehen von der Verfolgung der heiligen Kirche Gottes, sich der Armen, Waisen und Wittwen erbarmen, das Reich, welches ihm vom Vater mit seiner Bewilligung gegeben sei, nicht mit Krieg überziehen, und nicht von neuem das christliche Volk zwingen zum gegenseitigen Morden zusammenzukommen. Nach diesen Anordnungen begab er sich selbst nach der Parisischen Stadt, um dort sowohl Ludwigs Ankunft als die übrigen Getreuen, welche er von allen Seiten zusammengerufen hatte, zu erwarten. Als dies Lothar erfahren hatte, richtete er seinen Marsch gleichfalls nach jener Stadt; und im Vertrauen auf sein starkes Heer von Sachsen, Austrasiern und Alamannen begab er sich nach dem Kloster des heiligen Dionysius[1]. Hier fand er ungefähr zwanzig Schiffe, auch war die Sequana[2] wie gewöhnlich im September sehr niedrig, so daß der Uebergang dadurch leicht wurde. Daher sprachen sie auch] immer davon, welche geringe Mühe ihnen dies machen würde, und thaten als ob es ihre bestimmte Absicht wäre überzusetzen. Karl schickte darauf einige als Besatzung nach Parisius[3] und Milido[4], andere aber stellte er überall da auf, wo Furthen waren oder Schiffe lagen; er selbst schlug in der Richtung des Klosters vom heiligen Dionysius beim Kloster des heiligen Fluduald us[5] sein Lager auf, um wenn es nöthig wäre, sowohl Lothar den Uebergang streitig machen, als den Seinigen, wenn ihnen irgendwo ein Ueberfall drohe, zu Hülfe eilen zu können. Und damit man gleich sähe, wo Beistand und Hülfe nöthig wäre, stellte er nach Schiffersitte an geeigneten Punkten Zeichen und Wachen auf. Uberdies aber fing

1) St. Denis. — 2) Die Seine. — 3) Paris. — 4) Meulan, am rechten Ufer der Seine, unterhalb St. Germain. — 5) Das Kloster St Cloud.

plötzlich die Sequana zu aller Verwunderung und Staunen, während in dieser Zeit wohl zwei Monate lang kein Regen gefallen war, bei heiterstem Himmel an gewaltig zu wachsen, so daß überall die Furthen unwegsam wurden. Als Lothar durch dieses Ereigniß an allen Orten sich den Uebergang abgeschnitten sah, schickte er an Karl und ließ ihm sagen, er wolle unter der Bedingung mit ihm Frieden schließen, daß Karl das Bündniß, welches er mit seinem Bruder Ludwig eingegangen war und eidlich bekräftigt hatte, aufgäbe, wohingegen er von dem Bündniß, welches er mit Pippin seinem Neffen abgeschlossen, sich lossagen wolle; Karl solle die von der Sequana westlich gelegenen Länder, mit Ausnahme der Provinz[1] und Septimaniens, behalten und zwischen ihnen ewiger Friede sein. In Wahrheit aber meinte Lothar so beide Brüder leichter täuschen und durch diesen Kunstgriff das ganze Reich gewinnen zu können. Karl aber erwiederte, er werde das Bündniß, welches er von der Nothwendigkeit gezwungen mit seinem Bruder geschlossen habe, nicht brechen; überdies scheine es keinesweges angemessen, daß er Lothar das Reich von der Mosa bis Sequana, welches ihm sein Vater gegeben hätte, überlassen solle, vorzüglich da soviele Edle aus diesen Landschaften ihm gefolgt seien, von denen er nicht wolle, daß sie sich in seiner Treue getäuscht haben sollten. Indeß schlage er vor, daß jeder, da der Winter herannahe, die Länder welche ihm der Vater gegeben hätte, behalten möge, bis sie zum Frühjahr, sei es mit Wenigen, sei es mit ihrem ganzen Gefolge, zur weiteren Verhandlung zusammenkommen könnten; sei dann durch alte oder neue Festsetzungen keine Einheit zu erzielen, so sollten die Waffen über das Recht, welches jedem gebühre, entscheiden. Aber wie gewöhnlich wies Lothar diese Vorschläge ab und ging vom Kloster des heiligen Dionysius aus Pippin, der von Aquitanien her kam, nach Senones[2] entgegen, während andrerseits Karl darauf dachte, wie er Ludwig zu seiner Unterstützung an sich ziehen könne.

1) Die Provence; somit also den ganzen Küstenstrich von Var bis zu den Pyrenäen. — 2) Die Stadt Sens an der Seine.

4. Inzwischen wurde Karl gemeldet, daß seine Schwester Hildegard einen der Seinigen, Namens Adelgar, gefangen genommen habe und in der Laudunensischen Stadt[1] bei sich in Haft halte. Alsbald wählte Karl sich einige leichte Mannschaft aus und brach schon bei sinkendem Tage nach jener Stadt auf, die ungefähr dreißig Lieus entfernt war; trotz der großen Kälte setzte er seinen Marsch die ganze Nacht hindurch fort, so daß plötzlich um die dritte Stunde der Schwester und den Bürgern die Nachricht gebracht wird, Karl sei mit starker Macht angelangt und die ganze Stadt von Soldaten umzingelt. Durch diese Kunde in den größten Schrecken versetzt, bitten sie, ohne Hoffnung sich durch die Flucht retten oder die Stadt vertheidigen zu können, für die eine Nacht um Friede, senden unverzüglich den Adelgar zurück und versprechen in demüthiger Unterwürfigkeit die Stadt am nächsten Tage ohne allen Widerstand überliefern zu wollen. Während dem aber noch so verhandelt wurde, fingen die Soldaten über den Aufschub unwillig und von der Anstrengung der vergangenen Nacht gereizt überall an die Stadt zu verwüsten und zu zerstören; und ohne Zweifel würde die Stadt den Flammen und der Verheerung Preis gegeben worden sein, wenn nicht Karl von Erbarmen mit den Kirchen Gottes, der Schwester und dem christlichen Volke getrieben, durch Drohungen und Versprechungen die Gemüther der Soldaten zu beruhigen sich mit aller Kraft bemüht hätte. Nachdem er sie zum Zurückgehen gebracht hatte, bewilligte er die Bitten der Schwester und wandte sich von der Stadt nach Salmonciacum[2]; am andern Tage aber kam Hildegard ihrem Versprechen getreu und übergab Karln die Stadt unversehrt und ohne Schwertstreich. Karl empfing seine Schwester freundlich und verzieh ihr alles, was sie gegen ihn verbrochen hatte; und mit vielen zärtlichen Worten versprach er ihr alle die Liebe, welche ein Bruder seiner Schwester schuldig ist, wenn sie ihm künftig zugethan sein wolle, und erlaubte ihr nach ihrem Gefallen sich zu begeben, wohin sie wolle. Darauf

1) Laon. — 2) Samoucy.

kehrte er zu den Seinigen, welche er in und um Parisius gelassen hatte, zurück. Lothar aber war in Senones[1], wo er sich mit Pippin vereinigt hatte und wußte nicht, was er nun thun sollte, denn Karl hatte einen Theil seines Heeres über die Sequana setzen und in den Wald, welcher gewöhnlich Pertica[2] heißt, vordringen lassen. Da Lothar fürchtete, daß diese ihm oder den Seinigen Hindernisse in den Weg legen könnten, dachte er sogleich daran sie anzugreifen. So hoffte er diese leicht vernichten zu können und zugleich durch den dadurch verbreiteten Schrecken die Uebrigen niederzuwerfen; vor allem Nomenoius, den Herzog der Brittannier, unter seine Botmäßigkeit zu bringen. Aber alle seine Pläne waren umsonst, da er keinen davon zur Ausführung bringen konnte; denn Karls Heer entzog sich unversehrt seinen Nachstellungen, ohne selbst Verstärkungen an sich gezogen zu haben und Nomenoius verwarf hochmüthig alle Befehle, welche ihm Lothar zukommen ließ. In dieser Lage erhielt Lothar plötzlich die Nachricht, daß Ludwig und Karl beide mit gewaltigen Heeren sich zu vereinigen gedachten. Da er so von allen Seiten Mißgeschick und Widerwärtigkeit über sich hereinbrechen sah, ging er auf großen Umwegen zurück, ließ Turones[3] hinter sich und kam mit seinem ermatteten Heere endlich in Francien an. Pippin, den es jetzt gereute mit Lothar sich verbunden zu haben, zog sich nach Aquitanien zurück. Inzwischen hatte Karl gehört, daß Otgar, Bischof von Magontiä[4] mit den Uebrigen seinem Bruder Ludwig den Uebergang über den Rhein streitig machte, und war darauf in Geschwindmärschen über die Tullensische Stadt[5] nach dem Elisaza[6] gezogen, den er bei Zabarna[7] betrat; als dies Otgar hörte, verließ er das Ufer des Rheins
842. und zog sich mit den Uebrigen, so schnell er konnte, zurück.

842. 5. So kamen am vierzehnten Februar Ludwig und Karl in der Stadt, welche sonst Argenturia (Argentoratum) genannt wurde,

1) Sens. — 2) Le Perche an der Marne. — 3) Tours. — 4) Mainz. — 5) Toul. — 6) Der Elsaß. — 7) Zabern, unweit der Festung Pfalzburg.

jetzt aber gewöhnlich Straßburg heißt, zusammen und schwuren die Eide, welche unten verzeichnet sind, Ludwig in romanischer, Karl in deutscher Sprache. Und ehe sie schwuren redeten sie das versammelte Volk, der eine in deutscher, der andere in romanischer Sprache so an; Ludwig aber als der ältere begann und sprach: „Ihr wißt, wie oft Lothar diesen meinen Bruder nach dem Tode meines Vaters verfolgt und bis zur gänzlichen Vernichtung zu verderben gesucht hat; da aber weder die brüderliche Liebe, noch christliche Gesinnung, noch sonst ein Mittel hat bewirken können, daß unter gerechten Bedingungen Friede zwischen uns herrschte, haben wir endlich die Angelegenheit dem Gerichte des allmächtigen Gottes übergeben, daß wir uns mit seiner Entscheidung, was einem jeden gebühre, zufrieden geben wollten. Und wie ihr wißt, sind wir aus dem Gottesgerichte als Sieger hervorgegangen; er aber ist besiegt worden und ist mit den Seinigen, wohin ein jeder konnte, geflohen. Aber von brüderlicher Liebe getrieben und aus Erbarmen mit dem christlichen Volk haben wir ihn nicht vernichten wollen, sondern haben ihn jetzt und früher aufgefordert, daß er nun einem jeden sein Recht gewähren möge. Aber er fügte sich nicht dem göttlichen Spruch, sondern fuhr fort mich und meinen Bruder mit feindlicher Macht zu verfolgen und verwüstete unsere Länder mit Feuer, Raub und Mord; deshalb sind wir jetzt von der Noth gedrungen zusammen gekommen und haben beschlossen vor euch diesen Eid zu schwören, damit ihr nicht an unserer Treue und brüderlichen Eintracht zweifelt. Und dies thun wir nicht von ungerechter Begierde verleitet, sondern damit wir, wenn Gott uns mit eurem Beistand Frieden und Ruhe giebt, sichere Bürgschaft für das Wohl und das Beste des Staates haben. Wenn ich aber, was Gott verhüte, den Eid, welchen ich meinem Bruder geschworen habe, zu brechen mich vermessen sollte, so spreche ich einen jeden von euch vom Gehorsam und dem Eide, welchen ihr mir geschworen habt, los und ledig." Und als Karl gleiche Worte in romanischer Zunge geredet hatte, schwur Ludwig als der

Aelteste zuerst solches zu thun[1]: „Pro Deo amur et pro christian poblo et nostro commun salvament, dist di in avant, in quant

1) Zu den geringen Ueberresten romanischer Litteratur aus dem neunten und zehnten Jahrhundert gehören die obenstehenden Eidschwüre Ludwigs des Deutschen und seines Volks, denen die deutschen Karls des Kahlen und seiner Westfranken entsprechen. Nithard war jedenfalls das Original der Eide zur Hand und da er sie nicht, wie die vorausgehende Anrede beider Könige an die Völker ins Lateinische übersetzen wollte, so hat er sie gewiß sorgfältig eingetragen: indeß ist die einzige uns erhaltene Handschrift des Nithard eine nicht fehlerfreie Abschrift aus dem 9 oder 10. Jahrhundert, in der die deutsche Abfassung sehr, die romanische minder verunstaltet ist. Ungleichheiten zwischen beiden Abfassungen erklären sich wohl dadurch am leichtesten, daß beide Uebersetzungen aus dem zuerst lateinisch aufgeschriebenen Text in die Volkssprachen sind; daher rührt denn auch wahrscheinlich die große Annäherung des romanischen Textes an den lateinischen Ausdruck. Wenn auch zu der Zeit, wo diese Sprachdenkmale entstanden, die Sprachen Nord- und Südfrankreichs fast schon ganz zu einer verschmolzen waren, so muß doch bemerkt werden, daß in den Eidesschwüren noch Besonderheiten sich finden, die aber nicht der süd-, sondern der nordfranzösischen Mundart angehören, so daß man sie fälschlich provenzalisch nennen würde.

Friedrich Diez, dessen Werke „Altromanische Sprachdenkmale, berichtigt und erklärt nebst einer Abhandlung über den epischen Vers", diese sowie die nächstfolgenden Bemerkungen entlehnt sind, giebt den Text der Eidschwüre in einer nur sehr wenig von der oben mitgetheilten abweichenden Recension. Zum Verständniß der Sprache führen wir Folgendes an: pro einziges Beispiel dieser Form, sonst immer por. pro deo amur: pro hat causale Bedeutung, wie oft im Mittellateinischen. christian poblo, Genitiv von salvament abhängig. dist di, d'ist di, de isto die. in avant, in dem obigen Texte, Diez aber will das hier sich findende en avant nicht zu in avant emendirt wissen. Deus savir et podir me dunat: savoir et pouvoir me donne französisch. für salvaraelo liest Diez salvarai eo. cadhuna, eins der urlateinischen Wörter unseres Denkmals, vermuthlich aus usque ad unum entstanden, allmählich erlosch dieses Pronomen im Altfranzösischen. Die Verbindung dh in adiudha und cadhuna ist aus dem Fränkischen in das Französische übertragen worden und ganz zufällig. om — das als Pronomen gebrauchte homo, franz. on. dist wahrscheinlich eine mundartliche später erloschene Form für deit, doit, debet, dem deutschen scal, er soll, entsprechend. o, neutrales Pronomen, eo. mi, für mei, moi, Accusativ von facet abhängig, das die Stelle von salvar vertritt. facet nicht Futurum, für welches Tempus sich die roman. Sprache schon eine neue Form in ai geschaffen hatte, vielmehr Conjunctiv für faciat, dem deutschen duo entsprechend. ab für apud. Ludher, der Deutsche accentuirt Lúdher, der Romane Ludhér. plaid aus placitum entstanden. prindrai — placitum inire; prendre hierfür der altromanische Ausdruck. meon vol adverbialer Accus. des Substant. vol, Wille; nach meinem Willen, wie der deutsche Accusativ: minan willon. cist meon fradre: Dativ ohne Casuspartikel.

II. Der Eid des Volks.

son fradre Karlo ist der Dativ. jurát ist Perfect, vergl. das deutsche gesuor. sendra aus senior wie moindre aus minor; sendra später in sire verkürzt. suo kann nur Schreibfehler für sua sein; part ist niemals maskulinisch gebraucht worden. lostanit aufzulösen in los tanit; tanit für tenit, tenet; los für lo se; neuls aus ne ullus, später mit nuls zusammenfallend. iver, nicht mit j'irai zu übersetzen. In iver ist offenbar das alt-französische Futurum er, gewöhnlich ier (lat. ero) enthalten, das dem Deutsche wirdhu ganz gemäß ist. Die Schwierigkeit läge in der vorgefügten Silbe io oder iu. Dies für io oder eo, lat. ego zu nehmen, dagegen streitet, daß man dann dreifaches ego hätte, sowie die beispiellose Wortstellung ii iu er, welche man dann erhielte. Vielleicht ist io alte Form des franz y für ibi.

Deus savir et podir me dunat, si salvaraeio cist meon fradre Karlo, et in adiudha et in cadhuna cosa, si cum om per dreit

Unsere Stelle bedeutete dann: je ne lui y serai en aide, ich werde ihm darin keine Hülfe leisten. Zu den deutschen Eidschwüren geben wir wörtlich die Anmerkungen Jacob Grimms: Ind in thes; ich lese nicht in durches, was keinen Sinn giebt, sondern ohne Schwierigkeit, wie es auch nothwendig heißen muß, Ind in thes. Nämlich die Präposition in steht in dieser Zeile zweimal, genau wie das Roman. pro zweimal steht. Fram. so muß es heißen und nicht fra; tesan gehört zusammen und ist der Akkusativ hunc. in thiu muß stehen; das n kann höchstens u scheinen. soso ma. Ohne Zweifel ist hinten das o unrichtig und die Sprache forderte ein a, das vielleicht auch in der Handschrift zu lesen ist, wenn man genau sieht. so sama (sô sama) bedeutet similiter und nie habe ich dafür gefunden so soma. zho minan. Nothwendig tho (accentuirt thô, sonst dei, quae, Nom. Plur. Neutr.,) das unentbehrliche Relativum, wie im Roman. das qui vor meon. Zho ist Unsinn und die Buchstabenverbindung zh an sich undeutsch. Ich habe oft in Handschriften langobardische t gefunden, die den Schein eines z geben (ich sehe daß auch die Roman. erste Formel solch ein scheinbares z hat in nizreal, das sicher altresi ist); und erklärt man auch das hier stehende t graphisch für z, so hat sich jedenfalls der Schreiber versehen und das t seines Originals für ein z genommen. Das vorausstehende gegangu ist allzu deutlich, als daß man gegangu lesen könnte, wie die Grammatik fordert; möglich, daß der Schreiber in dem ihm vorliegenden Text u für a nahm und a setzte. Thô imo ze scadhen werdhen, wörtlich quae illi in damnum fiant (eveniant, succedant). minan willon, adverbial gesetzter Akkusativ = nach meinem Willen. sineno, Schreibfehler für sinemo oder wäre der erste Strich vom m verblichen? denn sinemo muß es heißen. inan es (eum ejus) ist abzutheilen. Follust für adjumentum, auxilium findet sich häufig. Beim letzten Worte kann gezweifelt werden, ob es wirdhit (erit) oder wirdhic (ero) oder etwa wirdhu (ero) lautet. Wirdhit, erit könnte bezogen werden auf thero nohhein, eorum nullus. Da aber der Schwörende die Hauptperson ist, fordert das Verbum auch wohl die erste Person. Wirdhic mit kräftig wiederholtem Pronomen stände für wirdhu ic, ero ergo, wobei nur das der Mundart dieses Denkmals ungemäße ic für ih befremdet. Wirdih wäre richtiger. Am liebsten wäre mir, wenn das scheinbare c ein bloßer Finalzug am u sein könnte, dann würde man sich bei der Lesart wirdhu völlig beruhigen. Die Rom. Formel giebt er, ero, nicht erimus; das vorausgehende iu ist sonderbar und vielleicht auch ego, obgleich dafür sonst eo, io steht. Ein fehlerloser, gramatisch reiner Text ist das nun nicht; der Schreiber läßt besonders h aus oder versetzt es, gealtnissi für gehaltnissi, madh für mahd und dieses für maht, bruher für bruodher, luheren für ludheren (vielleicht ist luoheren ludheren, mit oben verblichenem oder übersehenem Strich). mig für mih, ganga für gangu, werhen für werdhen, sineno für sinemo. Richtig wäre folgende Recension: in godes minna ind in thes christianes folches ind unser bedhero gehaltnissi, fon thesemo dage framordes, so fram so mir Got gewizzi indi maht furgibit, so haldih tesan minan bruodher soso man mit rehtu sinan bruodher scal, inthiu thaz er mih sosama duo, indi mit ludheren in nohheinin thing ne gegangu, the minan willon imo ce scadhen werden. — Oba Karl then eid, then er sinemo bruodher Ludhuwige gesuor, geleistit, indi Ludhuwig min herro, then er imo gesuor, forbrihchit, ob ih inan es irwenden ne mag, noh ih noh thero nohhein, den ih es irwenden mag, widhar Karlo imo ce follusti ne wirdu (wirdih). Zum vollen Verständniß fügen wir die Eide in nhd. Uebersetzung bei:

I. Aus Liebe zu Gott und um des christlichen Volkes sowie unser beider Heil will ich, von diesem Tage an, fernerhin, soweit Gott mir Wissen und Vermögen giebt, diesen für meinen Bruder halten, wie man mit Recht seinen Bruder halten soll, unter dem, daß er

son fradra salvar d'ist, in o quid il mi altresi fazet; et ab Ludher nul plaid numquam prindrai, qui meon vol cist meon fradre Karle in damno sit. Und als Ludwig geendet hatte, beschwor Karl in deutscher Zunge Gleiches, indem er sprach: In Godes minna ind in thes christianes folches ind unser bedhero gealtnissi, fon thesemo dage frammordes, so fram so mir Got gewizci indi madh furgibit, so haldih tesan minan bruodher, soso man mit rehtu sinan bruher scal, in thiu, thaz er mig sosoma duo; indi mit Ludheren in nohheiniu thing ne geganga, the minan willon imo ce scadhen werhen.

Der Eid aber, welchen beide Völker, jeder in seiner Sprache leistete lautete in romanischer Sprache so: Si Lodhuvigs sagrament, quae son fradre Karlo jurat, conservat, et Karlus meos sendra de suo part non lo stanit, si io returnar non lint pois, ne io ne neuls cui eo returnar int pois, in nulla aiudha contra Lodhuwig nun li iver.

In deutscher Sprache aber lautete er: Oba Karl then eid, then er sineno bruodher Ludhuwige gesuor, geleistit, indi Ludhuwig min herro then er imo gesuor, forbrihchit, ob ih inan es irwenden ne mag, noh ih noh thero nohhein then ih es irwenden mag, widhar Karle imo ce follusti ne wirdhic.

Nachdem dieß geschehen war, gieng Ludwig über Spiron[1] rheinabwärts und Karl am Wasagus[2] hin über Wizzunburg[3] nach Wormatia[4]. Der Sommer aber, in dem jene oben beschriebene Schlacht geschlagen wurde, war sehr kalt und alle Früchte wurden erst spät eingebracht; Herbst und Winter jedoch verliefen wie gewöhnlich. Und an dem Tage, da die Brüder und die Er-

mir ein Gleiches thut. Und mit Luther (Lothar) werde ich keinen Vergleich eingehen, der, nach meinem Willen, diesem meinem Bruder zum Schaden gereicht.

II. Wenn Ludwig (Karl) den Eid welchen er seinem Bruder Karl geschworen hat, hält und Karl mein Herr ihn seinerseits nicht hält (der deutsche Text: und Ludwig den welchen er jenem geschworen hat bricht) will weder ich, wenn ich ihn davon nicht abzubringen vermag, noch wen ich sonst daran verhindern kann, wider Ludwig (Karl) ihm darin Hülfe leisten. — 1) Speier. — 2) Die Vogesen. — 3) Weissenburg an der Lauter im Elsaß. — 4) Worms.

sten des Volks den obigen Vertrag schlossen, trat große Kälte ein und fiel starker Schnee. Ein Komet aber wurde im Monat Dezember, Januar und Februar bis zur Zeit jener Zusammenkunft gesehen — er stieg aber aufwärts durch die Fische und verschwand nach jenem Tag zwischen dem Zeichen, welches von einigen die Lyra von andern die Andromeda genannt wird, und dem dunkleren Arcturus. Nach dieser kurzen Abschweifung über Wetter und Gestirne nehme ich den Faden meiner Geschichte wieder auf.

Und als sie nach Wormatia gekommen waren, erwählten sie Gesandte und schickten sie an Lothar und nach Sachsen; und sie beschließen deren Rückkehr sowie Karlmanns [1] Ankunft zwischen Wormatia und Magontiakum [2] abzuwarten.

6. Es wird nicht unpassend sein hier einiges von den so angenehmen und erwähnungswerthen Eigenschaften der Brüder und der Innigkeit, welche sie pflegten, zu berichten. Sie waren beide von mittlerer Größe, schön und ebenmäßig gebildet und zu jeder Uebung geschickt; beide muthig, freigebig, klug und beredt; und alle die genannten edlen Eigenschaften übertraf der Brüder heilige und verehrungswürdige Einigkeit. Denn fast immer waren sie bei einander und was sie werth und hoch hielten, das schenkten sie einander in brüderlicher Liebe. In einem Hause aßen und schliefen sie; öffentliche wie Privatangelegenheiten beriethen sie gemeinschaftlich und keiner forderte etwas vom anderen, wovon er nicht glaubte daß es auch diesem nützlich und dienlich wäre. Zur Leibesübung stellten sie auch oft Kampfspiele an. Dann kamen sie auf einem besonders auserlesenen Platze zusammen und während rings umher das Volk sich schaarte, stürzten sich zuerst von beiden Seiten gleich starke Schaaren von Sachsen, Wasken, Austrasiern und Brittonen wie zum Kampfe in schnellem Laufe aufeinander; darauf wendeten die einen ihre Rosse und suchten mit den Schilden sich deckend vor dem Angriff der Gegner durch die Flucht sich zu retten, während diese die Fliehenden verfolgten; zuletzt stürmen

1) Der älteste Sohn Ludwigs des deutschen. — 2) Worms und Mainz.

beide Könige umgeben von der ganzen jungen Mannschaft in gestrecktem Lauf, die Lanzen schwingend gegen einander, und bald von dieser bald von jener Seite zur Flucht sich wendend ahmt man den wechselnden Kampf der Schlacht nach. Und es war ein Schauspiel bewunderungswerth wegen des Glanzes und der Ordnung, die herrschten: denn auch nicht einer von dieser so großen Menge und von diesen verschiedenen Völkern wagte, wie es selbst unter wenigen und unter Bekannten zu geschehen pflegt, einem anderen eine Wunde zu schlagen oder einen Schimpf anzuthun.

7. Während dem kam Karlmann mit einem großen Heere von Bajoariern und Alamannen zu seinem Vater nach Magontia Auch Bardo, welcher nach Sachsen geschickt war, kehrte zurück und brachte die Nachricht, daß die Sachsen Lothars Befehle zurückgewiesen hätten und gern zu thun bereit wären, was ihnen Ludwig und Karl gebieten würden; Lothar aber hatte in seiner Thorheit die an ihn geschickten Gesandten, ohne ihnen Gehör zu geben, abgewiesen. Als dies Ludwig und Karl hörten, entbrannten sie in heftigem Zorn und beschlossen Lothar anzugreifen. Daher brachen
842. sie am siebenzehnten März auf und gelangten, Karl auf dem beschwerlichen Weg über den Wasagus [1], Ludwig über Bingen und von da aus auf dem Rhein, Karlemann auf dem Wege durch Einrichi [2], am andern Tage um die sechste Stunde nach Conflentis. [3] Und alsbald begaben sich sich zum Gebet nach dem Kloster des heiligen Kastor, hörten daselbst die Messe, bestiegen dann alle drei die Schiffe und setzten über die Mosella. [4] Als dies Otgar, Bischof von Moguntia [5], Graf Hatto, Heriold und die übrigen sahen welche Lothar daselbst zurückgelassen hatte um jenen den Uebergang über die Mosella streitig zu machen, verließen sie erschrocken das Ufer und ergriffen die Flucht. Und Lothar selbst als er in Sinciacum vernahm, seine Brüder wären über die Mo-

1) Vogesen. — 2) Einrichi ist der Name eines Gaues auf dem rechten Rheinufer; von der Lahn im Norden begrenzt umfaßte er einen großen Theil des jetzigen Herzogthums Nassau. — 3) Koblenz; Conflentis für Confluentis. — 4) Mosella: die Mosel. — 5) Mainz.

sella gegangen, zögerte nicht Reich und Pfalz zu verlassen und eilte immer vorwärts, bis er endlich mit den wenigen, welche ihm gefolgt waren, an dem Ufer des Rhodanus[1] halt machte. Das dritte Buch schließe mit dieser zweiten Schlacht, welche Lothar lieferte und verlor.

Das vierte Buch.

Nicht allein soll es mich freuen, wie ich schon gesagt habe, von der Arbeit an meinem Werke auszuruhen sondern von mancherlei Gründen und Klagen bewogen denke ich unablässig und ernstlich darauf, wie ich mich ganz von den öffentlichen Geschäften zurückziehen könne. Aber weil das Schicksal mich in wunderbare Verbindungen bald hier bald dort gebracht hat und zu meinem Schmerz mich in diesen stürmischen Zeiten erbarmungslos umherwirft, so weiß ich nicht in welchen Hafen der Ruhe ich dereinst noch einlaufen werde. Inzwischen warum sollte ich nicht was mir von freier Zeit übrig bleibt, wie mir befohlen ist, dazu anwenden um die Thaten unserer Fürsten und Großen der Erinnerung durch die Schrift aufzubewahren. Daher werde ich das vierte Buch meiner Geschichten beginnen und, bin ich nicht fähig späterhin ein Gleiches zu thun, wenigstens jetzt, soviel in meinen Kräften steht, dazu beitragen, um die Wolken des Irrthums und der Unwahrheit zu zerstreuen.

1. Als Ludwig und Karl sichere Kunde erhalten hatten, daß Lothar sein Reich verlassen hatte, begaben sie sich nach der Pfalz zu Achen, welches damals die Hauptstadt Franciens war und hiel-

1) Die Rhone.

ten am Tage nach ihrer Ankunft Berathung was nun mit dem Volk und Reich zu thun sei, welches der Bruder verlassen habe. Und sogleich schlug man vor, die Angelegenheit an die Bischöfe und Priester, deren eine große Zahl zugegen war, zu überweisen, damit durch ihren Rath, wie durch den göttlichen Willen alles was geschehe Gedeihen und Kraft habe. Und da dieser Rath für gut befunden wurde, übertrug man die Sache an die Priester. Diese nun giengen von Anfang an alle Thaten Lothars durch, wie er seinen Vater vom Reich vertrieben, wie oft er durch seine sündige Gier das christliche Volk eidbrüchig gemacht, wie oft er die dem Vater und den Brüdern geleisteten Eide gebrochen, wie oft er nach des Vaters Tode seine Brüder zu enterben und zu verderben gesucht habe, wie viel Mord, Hurerei, Brand und Schandthaten jeder Art die gesammte Kirche Gottes durch seine nichtswürdige Habgier erduldet habe, auch besitze er nicht die Fähigkeit den Staat zu regieren noch könne irgend jemand eine Spur von gutem Willen in seiner Regierung entdecken. Aus diesen Gründen habe er nicht unverdient sondern nach dem gerechten Urtheil des allmächtigen Gottes zuerst die Schlacht und dann das Reich verloren. Und dieser Ansicht waren sie alle einmüthig und stimmten alle überein, daß Gottes Strafe ihn wegen seiner Sünden getroffen, und Gottes Hand sein Reich, damit es besser regiert werde, seinen besseren Brüdern übertragen habe. Indeß überließen sie diesen nicht die Herrschaft, ohne sie öffentlich gefragt zu haben, ob sie das Reich nach Art des entsetzten Bruders oder nach dem Willen Gottes regieren wollten. Nachdem aber die Könige geantwortet hatten, daß sie, soviel ihnen Gott Einsicht und Kraft verleihe, nach seinem Willen sich und die Ihrigen regieren und leiten würden; sprachen die Bischöfe: Und nach dem Willen Gottes bitten, ermahnen und befehlen wir euch, daß ihr dies Reich übernehmet und nach dem Willen Gottes regieret. Dann wählte jeder der Brüder zwölf von den Seinigen zur Theilung des Reiches (von denen ich auch einer war) und wie es diesen angemessen erschien, daß das Reich zwischen beiden getheilt wurde, so nahmen es die

Könige an; bei der Theilung aber wurde nicht sowohl auf Fruchtbarkeit und Gleichheit der Theile gesehen als darauf Obacht genommen, daß die verschiedenen Stücke einer jeden Herrschaft ordentlich zusammenhiengen und sich bequem aneinanderfügten. Und darnach erhielt Ludwig ganz Frisia[1] — — — —

— — — — — — — — —

Karl aber — — — — — — —

— — — — — — — — —

2. Nachdem dies geschehen, begrüßte ein jeder der Könige diejenigen welche ihm von den verschiedenen Völkern gefolgt waren und ließ sie schwören fernerhin treu bleiben zu wollen. Und Karl zog über die Mosa[2] um sein Reich zu ordnen, Ludwig aber gieng der Sachsen wegen nach Kolonia[3]. Die Geschichten der Sachsen aber, da sie mir von großer Bedeutung zu sein scheinen, will ich ausführlicher erzählen. Kaiser Karl mit Recht von allen Völkern der Große genannt, hatte, wie allgemein bekannt ist, die Sachsen vom heidnischen Götzendienst mit vieler Mühe und Anstrengung zur wahren, christlichen Religion bekehrt. Von Anfang an aber zeichneten sie sich bei vielen Gelegenheiten durch Adel und große Tapferkeit aus. Das ganze Volk ist in drei Stände getheilt, die einen nämlich heißen in ihrer Sprache edhilingi, die andern frilingi, die dritten lazzi, das heißt: Edele, Freie und Knechte[4]. Bei dem

1) Es ist hier und hinter „Karl aber" eine Lücke von mehreren Zeilen im Texte. — 2) Die Maas. — 3) Köln. — 4) Die obige Classification des Volkes ist in Wort und Begriff allen deutschen Stämmen gemeinsam. edhilinc, ahd. adalinc ist von substantivum adal, Geschlecht, abgeleitet; das Gothische ist noch nicht gefunden, jedoch aus athalricus, athalreicks sicher zu vermuthen — der Stamm ist wohl adu, goth. athan, öth, generare, zeugen. Mit edhilinc, adalinc wird der bezeichnet, welcher vom Geschlecht stammt, d. h. dessen Geschlecht ihm seine Stellung und Bedeutung giebt. Es drückt entschieden einen Vorzug aus, der mit der Geburt gegeben durch kein persönliches Verdienst nicht durch Amt oder sonstige Leistung erworben werden kann. Das Wort hat sich durch alle Stadien der Sprache erhalten, der Begriff jedoch bedeutend erweitert, denn während in alter Zeit der Adel nur die Geschlechter der Dynasten, den eigentlichen hohen Adel umfaßte, wurde Name und Begriff später auch auf den aus Landsassen und Ministerialen hervorgegangenen sogenannten niederen Adel ausgedehnt, wie er sich bis auf unsere Tage in sehr großer Menge mit den verschiedensten Abstufungen in Fürsten, Grafen und Herren erhalten hat. Wie bei den Sachsen bildeten überall die Freien, goth. frijal, ahd. frigô den Haupttheil und Kern des

Streit Lothars nun mit seinen Brüdern hatte sich der Adel in zwei Parteien gespalten, von der die eine Lothar, die andere Ludwig sich anschloß. Als Lothar in seiner jetzigen traurigen Lage sah, daß nach dem Sieg seiner Brüder das Volk, welches auf seiner Seite gewesen war, abzufallen drohte, suchte er von der Noth getrieben wo und wie er konnte, Hülfe und Anhang. Zu dem Zweck vertheilte er das Staatsgut Privatleuten als Eigenthum; schenkte vielen die Freiheit und versprach sie anderen nach dem Sieg; zu dem Zweck schickte er auch nach Sachsen und ließ den Frilingen und Lazzen, deren eine sehr große Anzahl ist, versprechen, daß sie, wenn sie ihm folgten, daß Gesetz, welches sie zur Zeit, als sie noch Götzendiener waren, hatten, wiedererhalten sollten. Voll Sehnsucht hiernach legten sie sich einen neuen Namen, den der Stellinga [1] bei, verjagten zu einem starken Heere vereinigt, fast

ganzen Volks, ja selbst die Grundlage des Adels, denn der Edele, der Fürst selbst ist zugleich ein Freier und heißt auch so, nur daß er alle Befugnisse und Rechte des Freien in höherem Maaße übt und besitzt. Die Ableitung friling von fri, dem edhiling von adal ganz entsprechend, ist der sächsischen Sprache allein eigen, sonst findet man friman und frihals. Zu den Zeichen der vollen und unverkürzten Freiheit wie sie der friling genoß, gehörte bei den Deutschen vor allem, daß das Eigenthum abgabefrei war. Solche nun, welche ohne persönlicher Knechtschaft unterworfen zu sein, zu Zins und Abgabe irgendwie verpflichtet waren, hießen lazzi. Es ist dies nichts anderes als das adj. laz, piger, tardus, goth. lats; denn daß ein Knecht faul heißt im Gegensatz des Freien, der ein celer, fortis, stark und schnell ist, scheint durchaus natürlich; und aus dem beständigen Beiwort hat sich allmälig der Gattungsname für einen ganzen Stand entwickelt. Dem adj. latz muß übrigens ein verlornes Verbum litan, lat, lêtum vorausgesetzt werden und zwar mit der intransitiven Bedeutung ruhen, bleiben. Und während aus dem Präteritum lato das Adjectivum und weiter der Name für die ganze Classe der Mittelfreien entsprang, bildete sich aus dem Präsens die Form lêtus, litus mit gleicher Bedeutung, wie wir an den auf römischen Boden angesiedelten zinspflichtigen Germanen, liti genannt, ersehn, so daß also liti und lazzi identisch sind. Nithard nennt die lazzi kurzweg Knechte und es mag allerdings sein, daß der Zustand der liti mehr und mehr im carolingischen Reiche dem der Knechte gleich geworden war. — 1) Es ist schwer eine genügende Erklärung über das Wort Stellinga zu geben. Ducange, der das Wort als Compositum aus Stel, alt und ling, Sohn annimmt, indem die Stellinga die alten Gesetze hätten wieder einführen wollen und darnach jenen Namen gewählt hätten, irrt offenbar. Eher dürfte man annehmen, Stellinga sei zusammengesetzt aus einem freilich nur zu folgernden masculinum stello, was auch Graff, (VI, 667) als Bestandtheil des compositum bistello, der Vertheidiger annimmt, und dem patronym. inc. stello würde zu staljan, collocare gehören: aber welche Bedeutung läge dann im Wort? hinge der Name mit dem Begriff des Aufstandes zu dem sich alle stellen mußten, vielleicht zusammen? Herr Prof. Lachmann verweist mich in gütiger Mittheilung auf die Form stalling, niederdeutsch für stelline, wie sie sich im Friesischen compositum upstalline zeigt

alle Herren aus dem Lande und lebten nach alter Weise, jeder nach dem ihm beliebenden Gesetz. Außerdem hatte Lothar auch die Nortmannen zu seiner Hülfe herbeigerufen und einen Theil christlichen Landes ihnen als Besitzthum überwiesen, überdieß ihnen volle Freiheit gewährt, die übrigen christlichen Völker zu berauben. Ludwig war daher in Besorgniß daß die Nortmannen und Sclaven sich als Nachbarn mit den Sachsen, welche sich Stellinga nannten, verbänden, in das Reich erobernd einfielen und in jenen Ländern den christlichen Glauben ausrotteten; deshalb vorzüglich, wie wir gesagt haben, begab er sich[1] — — — — — und suchte soviel er konnte aller Unbill im Reiche abzuhelfen, damit nicht dieses schaudervolle Missgeschick über die heilige Kirche Gottes einbräche.

Dann gieng Ludwig, das Freigut des Theodo[2] berührend, Karl aber über die Remensische Stadt[3] nach der Stadt der Viridunenser[4] um mit einander zu berathen, welche Maßregeln für die Folge zu treffen wären.

3. Um dieselbe Zeit verwüsteten die Nortmannen Contwig[5] und ebenso kamen sie über das Meer und verheerten Hanwig[6] und Nordhunwig[7]. Lothar aber blieb am Ufer des Rodanus, wohin er sich zurückgezogen hatte, ruhig stehen, indem er, im Besitz der freien

Unter letzterem Worte führt Richthofen im friesischen Wörterbuche pag. 969 eine Stelle aus einem mittelniederdeutschem Text an: upstalline dat ist een hoveline. Hoveline aber ist Hubner, Hübner, Hüfner, das ist einer der die Hube besitzt und baut, also soviel wie mansionarius, Bebauer des mansus, wodurch wenn der Grund und Boden nicht belastet ist, kein Verhältniß der Hörigkeit begründet wird. Weil aber auf dem mansus und der Hufe häufig Unfreie saßen, bezeichnen beide Worte oft den unächten Eigenthümer (vgl. Jacob Grimm, Rechtsalterthümer pag. 317 u. 536.) Diese Bedeutung kann aber das Wort in unserer Stelle nicht haben, es muß mehr den freien Eigenthümer bezeichnen, es muß eine Bezeichnung einer unabhängigen Vereinigung sein, die jenen Aufrührern eigentlich nicht zukam und eine ehrenvolle Bedeutung haben, wie ein angemaßter Titel, auf den die frilingi und lazzi kein Recht hatten. — 1) Eine Lücke von einigen Worten im Texte. — 2) Diedenhofen, Thionville. — 3) Rheims. — 4) Verdün. — 5) D. i. Quentawich, an der Mündung des Flüßchens Conne in der Picardie, gehörte damals zu den ansehnlichsten Seestädten des fränkischen Reiches, indem es zum großen Theil den wichtigen Verkehr mit England und Irland vermittelte. — 6) Hamburg. — 7) Norden im östlichen Friesland.

Schiffahrt auf dem Fluß, von allen Seiten, soviel er konnte, Unterstützung an sich zog. Indeß schickte er doch einen Gesandten an seine Brüder und ließ ihnen sagen, er wollte, wenn er wüßte, wie es sich veranstalten ließe, einige seiner Großen an sie schicken um mit ihnen über den Frieden zu verhandeln. Man erwiederte ihm, er möge schicken wen er wolle; es sei leicht zu erfahren, wohin sie zu kommen hätten; die Könige selbst aber begaben sich zusammen über die Stadt der Tricassiner[1] nach der Cadhellonensischen Stadt[2]. Und als sie nach Miliciacum[3] gekommen waren, erschienen Josippus, Eberhard und Egbert mit anderen von Seiten Lothars und erklärten, daß Lothar einsähe, wie er gegen Gott und seine Brüder gefehlt hätte und wünsche daß fernerhin nicht mehr Streit zwischen ihnen und dem christlichen Volke wäre; wenn sie den dritten Theil des Reichs wegen des kaiserlichen Namens, den ihm sein Vater verliehen hatte, und wegen der schweren Pflichten, die diese Würde auferlege, etwas vergrößern wollten, so würde er darüber erfreut sein, wenn nicht so möchten sie ihm den dritten Theil des ganzen Reichs, ausgenommen Langobardien, Bajoarien und Aquitanien, zugestehen und solle ein jeder mit Gottes Gnade sein Reich so gut er könne regieren; einer solle sich des Schutzes und der Freundschaft des andern erfreuen; den gegenseitigen Unterthanen möge man Friede und Gesetz angedeihen lassen und nach Gottes Willen ewiger Friede unter ihnen sein. Als dies Ludwig und Karl vernommen hatten und ihnen und dem ganzen Volk dies wohlgefiel, traten sie mit ihren Großen zur Berathung zusammen und untersuchten mit dankbarem Herzen gegen Gott, was in solcher Lage zu thun wäre. Sie überdachten aber, wie sie dies von Anfang des Streits gewollt hätten und, obgleich wegen Lothars schlechter Handlung ihre Absicht nicht zur Ausführung gekommen, ihm solches auch öfters angeboten wäre. Nun aber dankten sie Gott dem Allmächtigen, daß durch seine Fügung sie die Genugthuung erhalten hätten, ihren Bruder, der immer Friede und Eintracht ver-

1) Troyes. — 2) Chalons für Saone. — 3) Müssy an der Seine, oberhalb Bar für Seine.

schmäht habe, jetzt darum bitten zu sehen. Indeß brachten sie in gewohnter Weise die Angelegenheit vor die Bischöfe und Priester, damit, wohin Gottes Wille die Dinge wenden wolle, sie auf seinem Befehl zu solchem Werke mit freudigem Herzen bereit wären. Und da ihnen allen gut schien, daß Friede unter den Brüdern waltete, gaben sie zur Uebereinkunft ihre Zustimmung, und bewilligten den Gesandten das Verlangte. Nachdem sie aber vier Tage lang sich mit der Theilung des Reichs beschäftigt hatten, setzten sie fest, das zwischen Renus[1] und Mosa[2] bis zum Ursprung der Mosa und von da bis zum Ursprung der Saugonna[3], und von diesem bis zum Einfluß der Saugonna in den Rodanus[4] und von dem Rodanus abwärts bis zum Tyrrenischen Meere alle Bisthümer, Abteien, Grafschaften und herrschaftliche Besitzungen diesseit der Alpen mit Ausnahme von[5] — — — — — Lothar als Drittheil des Reiches angeboten werden sollten; sei er damit nicht zufrieden, so möchten die Waffen über eines jeden Ansprüche und Recht entscheiden. Dieser Bescheid, obwohl er manchen mehr, als Lothar nach Recht und Billigkeit zukam, zu bewilligen schien, wurde Lothar durch Konrad, Kobbo und Adelhard überbracht; sie selbst aber beschlossen bis die Abgesandten zurückgekehrt sein würden, in demselben Orte zu bleiben, um daselbst Lothars Antwort zu erwarten. Als jene zu Lothar kamen, fanden sie ihn nicht so hochmüthig und unzugänglich wie gewöhnlich; aber er war unzufrieden mit dem Anerbieten, welches ihm seine Brüder gemacht hätten, weil die Theilung so ungleich wäre; auch klagte er über das Geschick derjenigen, welche ihm gefolgt wären, weil er in dem angegebenen Theil des Reichs, der ihm angeboten wäre, nicht wüßte wie er ihnen das, was sie verloren hätten, wiedererstatten solle. Deßhalb ich weiß nicht wie durch diesen Kunstgriff getäuscht, erweiterten die, welche abgesandt waren, Lothars Reich bis zu den Karbonarien[1]; überdieß schwuren sie, daß wenn er jetzt was jene

1) Rhein. — 2) Maas. — 3) Saone. — 4) Rhone. — 5) Lücke von einigen Worten im Texte. — 6) Vgl. unsere Geschichten, Buch 2, Kap. 2, Anmerk. 4. darnach würde Lothar noch einen bedeutenden Landstrich auf dem linken Ufer der Maas erhalten haben.

beiden gut geheißen hatten, annähme, Ludwig und Karl auf eidliche Versicherung so gut sie könnten, das ganze Reich Langobardien, Bajoarien und Aquitanien ausgenommen in drei Theile theilen würden und sollte es ihm freistehen, den Theil welcher ihm gefiele, zu nehmen und würden sie ihm diesen für sein ganzes Leben unter der Bedingung lassen, daß er auch so gegen sie handeln; wolle er dies nicht glauben, so seien sie bereit zu beschwören, daß dies in der That der Könige Absicht wäre. Und Lothar schwor, daß er es auch so wolle und von seiner Seite so handele würde unter der Bedingung, daß seine Brüder das ausführten, was ihre Gesandten ihm versprochen hätten.

842. 4. Mitte Juni also kamen bei Madasko [1] auf der Insel welche Ansilla heißt mit einer gleichen Zahl ihrer Großen Lothar, Ludwig und Karl zusammen: und gegenseitig schwuren sie, daß sie von diesem Tage an und für die Folge den Frieden bewahren und in der Versammlung, welche ihre Getreuen festgesetzt hatten, das gesammte Reich, Langobardien, Bajoarien und Aquitanien ausgenommen, auf Eides Versicherung so gut sie könnten, in drei Theile theilen wollten; Lothar solle die Wahl unter den Theilen haben und jeder solle den Theil des Reiches, welchen er bekomme, dem Bruder alle Tage des Lebens erhalten helfen unter der Bedingung daß jeder der Brüder gegen den Bruder so handle. Hierauf nachdem sie manche friedliche Rede gewechselt schieden sie in Frieden von einander und kehrten in ihre Lager zurück um an andern Tage über das Weitere zu berathen. Und obgleich mit vieler Mühe kam man doch zum Abschluß und es wurde bestimmt, daß bis zu der Versammlung welche sie zum ersten Oktober angesagt hatten, jeder der Könige in seinem Reich, wo es ihm beliebe, friedlich sich aufhalten solle. König Ludwig gieng nach Sachsen und Karl nach Aquitanien, um dieser Länder Angelegenheiten zu ordnen; Lothar aber, nach seiner Meinung schon sicher in Betreff der

1) Madasko für Matisko, Macon an der Saone, unterhalb Chalais.

Wahl seines Theils begab sich zur Jagd nach der Arduenna[1] und beraubte alle Vornehmen, welche, durch die Noth getrieben, von ihm, als er selbst das Reich verlassen, sich abgewendet hatten, ihrer Güter und Würden. Ludwig unterwarf mit Ehren in Sachsen die Aufrührer, welche sich, wie wir sagten, Stellinga nannten, aber nur indem er sie dem Gesetz gemäß tödten ließ. Karl trieb seinen Neffen Pippin nach Aquitanien; da er sich aber hier zu verbergen wußte, konnte Karl nichts anderes Thun als den Herzog Warin[2] und die übrigen welche ihm treu waren, zum Schutz des Landes zurückzulassen. Auch nahm Egfried, Graf von Tolosa[3] einige der Anhänger Pippins, welche gegen ihn ausgesandt waren, in einem Hinterhalt gefangen, während mehrere andere auf dem Kampfplatze todt blieben. Darauf machte sich Karl auf den Weg zu der Versammlung, welche er mit seinem Bruder Ludwig nach Wormatia[4] berufen hatte. Und nachdem er am dreißigsten September Mettä[5] berührt hatte, fand er Lothar auf dem Freigut des Theodo[6], wohin er sich vor jener Versammlung begeben hatte und wider die genommenen Verabredungen sich aufhielt. Daher schien es denen, welche von Seiten Ludwigs und Karls wegen der Theilung des Reichs zu Mettä bleiben sollten, keineswegs sicher, während ihre Herren in Wormatia und Lothar auf dem Freigut des Theodo wären, zu Mettä die Theilung des Reiches vorzunehmen. Denn Worms ist von Mettä ungefähr siebenzig, das Dorf des Theodo aber nur acht Lieues entfernt.[7] Auch bedachten sie, wie oft Lothar bereit gewesen war, seine Brüder zu betrügen und wollten daher nicht wagen ohne alle Bürgschaft ihm ihr Heil anzuvertrauen. Karl schickte daher für ihr Wohl besorgt an Lothar und ließ ihm sagen er möge, da er wieder die Verabredung nach dem Freigut des Theodo gekommen und daselbst seinen Aufenthalt genommen hatte, wenn er wolle, daß seine und des Bruders Abgesandten in Mettä blie-

1) Der Ardennen Wald. — 2) Warin Graf von Auvergne. — 3) Toulouse. Dieser Egfried ist wohl ohne Zweifel identisch mit dem in anderen Quellen zur Geschichte dieser Zeit genannten Grafen von Tolosa, Humfried. — 4) Worms. — 5) Metz. — 6) Thionville, Diedenhofen. — 7) Thionville liegt wenig unterhalb Metz an der Mosel.

ben, Geiseln stellen, damit sie über das Wohl der Ihrigen in Sicherheit wären; sei er das nicht gewillt, so möge er seine Abgeordneten nach Wormatia zu ihnen schicken und sie wollten ihm Geiseln stellen, soviel er verlange; ein dritter Vorschlag sei, daß sie alle gleichweit von Mettä ihren Aufenthalt nehmen wollten; wollte er auch dies nicht, so sollten die Gesandten an einem in der Mitte gelegenen Ort, wo er wolle, zusammenkommen; denn das Wohl so vieler vornehmer Männer dürfe er nicht leichtsinnig Preis geben. Denn aus der Menge des Volks wären achzig Männer erwählt, alle durch Adel ausgezeichnet, deren Untergang ihm und seinem Bruder den größten Schaden bringen werde. Endlich kam man zum Vortheil aller Theile dahin überein, daß die Gesandten der Brüder, hundertundzehn an der Zahl, ohne daß Geiseln zu stellen nöthig wäre, nach Confluentum[1] sich begeben und dort, wie sie es für recht und billig hielten, das Reich theilen sollten.

5. Und nachdem sie am neunzehnten October eingetroffen waren, nahm, damit nicht etwa unter ihren Leuten Hader ausbräche, der eine Theil der Gesandten, welche von Ludwig und Karl geschickt waren, auf den östlichen, Lothars Abgeordnete aber auf dem westlichen Ufer des Rheins Wohnung: und täglich begaben sie sich zur gemeinsamen Besprechung nach dem Kloster des heiligen Kastor. Da nun die welche von Ludwig und Karl geschickt waren, manche Fragen in Betreff der Theilung des Reiches vorbrachten, fragte man, ob niemand von ihnen vollständige Kenntniß des gesammten Reiches besitze. Und da sich niemand fand, fragte man, warum die Gesandten jener nicht in dem Zeitraum vom Juni bis jetzt das Reich bereist und so das schwierige Geschäft vereinfacht hätten; es wurde aber erwiedert Lothar habe dies nicht gewollt und sie erklärten ohne das Reich zu kennen, sei es unmöglich dasselbe gerecht zu theilen. Wie hätte man schwören können, wurde weiter eingeworfen, nach bestem Wissen und Vermögen das Reich zu thei-

1) Für Confluentes, Koblenz.

len, da man doch wußte, daß dies ohne Kenntniß des Reichs unmöglich wäre. Und darauf trug man die Angelegenheit den Bischöfen zur Entscheidung vor. Als sie aber alle sammt zur Berathung darüber in der Kirche des heiligen Kastor zusammengekommen waren, sprachen die von der Parthei Lothars, daß wenn man beim Schwören des Eides gesündigt habe, dies abgebüßt werden könne; und es sei besser dies zu thun als länger noch die Kirche Raub, Brand, Mord, Hurerei und Anderes erdulden zu lassen. Dagegen erwiederten die, welche auf Karls und Ludwigs Seite standen, warum, da keins von beiden nöthig wäre, sie gegen Gott sich versündigen sollten; besser sei es den Frieden zu bewahren und von beiden Seiten Abgesandte durch das ganze Reich zu senden; dann erst könne man ohne Gefahr schwören, nach Recht und Billigkeit theilen zu wollen und vermöge seinen Schwur zu halten: so würden, wenn nicht blinde Begierde es hindere, Meineid und andere Verbrechen vermieden. Und deshalb wollten sie nicht gegen ihren Eid handeln noch auch anderen die Freiheit lassen, so zu thun. Aber da sie sich nicht einigen konnten, gieng ein jeder dahin zurück, woher er gekommen war. Dann jedoch traten sie noch einmal in einem Hause zusammen und die von Lothars Seite erklärten, daß sie wie sie geschworen hätten, zur Theilung bereit wären; die aber von Ludwigs und Karls Seite sagten, auch sie würden bereit sein, wenn sie es ihrem Schwur gemäß könnten; und zuletzt, da keiner des andern Meinung ohne der Herren Genehmigung beizustimmen wagte, setzten sie fest, daß Friede unter ihnen sein sollte, bis sie wüßten, was ihre Herren von diesen Vorschlägen annehmen wollten; und da man meinte dieß könne bis zum dreizehnten November geschehen, schied man von einander, nachdem man bis zu diesem Tage den Frieden abgeschlossen hatte. An diesem Tage bemerkte man fast in ganz Gallien ein starkes Erdbeben und an demselben Tage fand man den berühmten Angelbert, der zu Centulum[1] begraben lag, neunundzwanzig Jahre nach seinem Tode,

1) Centulum oder Centula, das Kloster des heiligen Richerius, St. Riquier, am rechten Ufer der untern Somme unweit des Meeres.

ohne daß er einbalsamirt worden wäre, in völlig unversehrtem Zustande. Dieser Mann stammte aus einem edlen Geschlecht; Madhelgaud aber, Richard und er waren Brüder und standen bei Karl dem Großen in hoher Achtung. Angilbert aber zeugte mit des Kaisers Tochter, Namens Berchta, Harnid meinen Bruder und mich, Nithard mit Namen. Und zu Centulum errichtete er eine wundervolle Kirche zur Ehre des allmächtigen Gottes und des heiligen Richarius und leitete die ihm anvertraute Familie[1] mit vieler Ehre. Und nachdem er in Glück und Friede sein Leben verbracht hat, ruht er nun in Friede zu Centulum. Nach dieser kurzen Abschweifung über meine Abkunft nehme ich den Faden der Geschichte wieder auf.

6. Als nun, wie gesagt, die Gesandten zu ihren Königen zurückgekehrt waren und über das was vorgegangen war, berichtet hatten, war es zum Theil Mittellosigkeit, zum Theil die Aussicht auf den Winter, zum Theil auch, daß die Großen des Volks keine Erneuerung des Kampfes wollten, was die Könige bewog, ihre
843. Zustimmung dazu zu geben, daß zwischen ihnen bis zum zwanzigsten Tag nach St. Johannis Friede sein sollte. Um ihn abzuschließen eilten von allen Seiten die Vornehmen zum Freigut des Theodo[2] und sie schwuren, daß die Könige mit einander Friede halten würden und nichts versäumt werden solle, damit das Reich nach Recht und Billigkeit getheilt werden könne; und wie eidlich versprochen war, solle Lothar die Wahl des Reichs haben. Darauf zog jeder fort, wohin er wollte. Lothar gieng für den Winter nach Achen und Ludwig nach Bajoarien, Karl aber kam nach Karislacum[3], um dort seine Hochzeit zu feiern. Um dieselbe Zeit drangen die Mauren von Sigenulf, Sigihards Bruder, zu Hülfe gerufen, in Benevent ein. Und eben um dieselbe Zeit empörten sich wiederum die Stellinga in Sachsen gegen ihre Herren; es kam aber zur Schlacht und sie wurden alle in einem furchtbaren

1) Damit ist das Kloster und seine Mönche gemeint. — 2) Thionville, Diedenhofen. — 3) Kiersy.

Blutbad vernichtet. Und so gieng durch des Herrn Schwert zu Grunde, was ohne des Herrn Wille sich zu erheben gewagt hatte. Und Karl nahm, wie gesagt ist, Hirmantrud, die Tochter Bodos und der Ingeltrud und die Nichte Adelards [1], zur Gemahlin. Sein Vater aber (nämlich Ludwig der Fromme) hatte zu seiner Zeit diesen Adelard so lieb gewonnen, daß er alles was dieser wollte, im Reich geschehen ließ und Adelard, weniger auf das allgemeine Beste bedacht, suchte vielmehr nur jedem zu Willen zu handeln. Und daher rieth er Freiheiten (Immunitätsrechte) und öffentliche Güter zum Vortheil Einzelner zu vertheilen und da er zu bewirken wußte, daß jeder erhielt, um was er bat, richtete er das gemeine Beste ganz zu Grunde. So kam es, daß er in dieser Zeit leicht das Volk auf welche Seite er wollte, ziehen konnte; und darum besonders schloß Karl diese Heirath, weil er damit einen großen Theil des Volkes zu gewinnen hoffte. Und nachdem er die Hochzeit am vierzehnten Dezember begangen hatte, feierte er das Weihnachtsfest im Kloster des heiligen Quintinus [2]; zu Valentianä [3] aber setzte er fest, welche von seinen Getreuen zum Schutz zwischen Mosa und Sequana zurückbleiben sollten und gieng dann im Winter, mit Anfang des neuen Jahres, von seiner Gemahlin begleitet, nach Aquitanien. Der Winter aber war über die Maaßen streng und lang, erzeugte viele Krankheiten und war für den Ackerbau, das Vieh und auch besonders die Bienen höchst nachtheilig.

7. Hieraus aber möge jeder ersehen, wie weit der Menschen Thorheit des Reiches Wohl preisgiebt und im öffentlichen wie im Privatleben überall Verkehrtheit herrscht, daß über beides der allmächtige Schöpfer sich so erzürnt zeigt, daß er alle Elemente gegen diesen Wahnsinn wendet. Und dies will ich mit Beispielen, welche jedermann bekannt sind, leicht erweisen. Denn zu den Zeiten des großen Karl, seligen Andenkens, der nun schon fast dreißig

1) Ingeltrud war die Schwester des Grafen Adelhard. — 2) St. Quentin. — 3) Valenciennes.

Jahre todt ist, war überall Friede und Eintracht, weil das Volk den einen rechten, das ist den wahren und offenbaren Weg Gottes gieng: nun aber ist überall Streit und Hader zu sehen, weil jeder nach seinem Gelüste einen besondern Weg gehen will. Und damals war an allen Orten Ueberfluß und Freude, jetzt aber ist nichts denn Mangel und Traurigkeit. Und wie damals die Elemente alle Dinge förderten, so zeigen sie sich jetzt feindlich und schädlich, wie die uns durch göttliche Gnade verliehene heilige Schrift bezeugt: Und der Erdkreis wird gegen die Wahnwitzigen kämpfen. Um dieselbe Zeit erfolgte am zwanzigsten März eine Mondfinsterniß und es fiel starker Schnee in der Nacht und dieß erregte als eine gerechte Strafe Gottes bei allen große Trauer. Solches berichte ich deßhalb, weil von da an allerwärts Raub und Uebel aller Art sich zu verbreiten begannen, die Rauheit der Jahreszeit aber jede Hoffnung auf Besseres vernichtete.

Druck von Gebr. Unger in Berlin.

Date Due